鈴木商店の當家娘

お家上さん

玉岡薰——著　邱振瑞——譯

推薦序一　日本、戰前／現代的故事——《鈴木商店的當家娘》

輔仁大學日文系教授　橫路啟子

對於研究日治時期台灣文學的人而言，鈴木商店這個名詞應該並不陌生。而對於以前的我來說，鈴木商店只不過是一家綜合商社，當時在向台灣銀行進行巨額融資之後，受到金融恐慌的影響而倒閉，間接引起台灣經濟嚴重蕭條。或許，比我更了解鈴木商店的人，首先想到的應該是曠古稀世的名商人金子直吉，而不是當家的老闆娘鈴木米。

鈴木商店所在的神戶，位於日本的關西地方。相較於關西其他地區——例如「古都」京都、或「天下廚房」大阪，港都神戶在明治維新之後成為直接接觸西方文明的城市，在此新／舊、西方／東方等因素微妙地融合在一起。由於這種自由的文化風氣，以鈴木米為首的許多女性得以參與以男人為中心的商業界。

就如同其書名所示，這部小說將焦點放在以往較少被論及的老闆娘鈴木米身上，描寫日治時期最大的商社鈴木商店的創設過程，並敘述到其倒閉及之後的情形。在男尊女卑的時代背景之下，阿米在其再婚對象的鈴木岩治郎去世之後，堅持要繼續經營他遺留下來的鈴木商店。原本為一傳統女性的阿米，在決定繼續經營公司，並由自己擔任社長時，她就成為了當家作主的「當家娘」。然而阿米並沒有沿襲岩治郎的作法，而是以自己特有的方式經營公司，注視著店員的視線既敏銳又溫柔，可說是呈現出女性的特質。

圍繞在阿米身旁的都是具有魅力的男男女女。特別在書中對於幾位女性的人格塑造非常精彩。在阿米嫁給鈴木岩治郎之後，第一個要面對的女性是家中的女傭阿石。木訥、質樸、遲鈍的她，然而內心卻充滿著親情，這種女性也許被視為太過傳統、落後，不過她的執著及內斂的熱情卻令人感到一股懷念的感覺。

繁榮港都的神戶包容了許多外地人，掌管鈴木商店的阿米面前也出現不少出身外地的員工。其中最令人印象深刻的是阿千與珠喜。這兩位女性雖然是以女傭的身分進入鈴木商店，然而其身分、待遇與阿米對她們的感情卻呈現一個對比。其中阿米到了最後仍然接受阿千成為知己，也原諒了違背自己的珠喜，並且衷心期盼她的幸福。

在日本帝國邁向軍國主義的過程中，鈴木商店無法逃脫倒閉的命運，然而在讀完本書之後卻令人感到一股清新感。因為除了阿米之外，鈴木商店的人們都擁有強韌的精神力，他們在成功之時不驕傲，在遭遇災難之時也不氣餒。鈴木商店背負著巨大的負債，並因關東大地震帶給他們巨大的衝擊，已經到回天乏術的情形之時，他們仍舊以這種精神來面對困境。這樣的場面令人想起一九九五年的日本阪神大地震、一九九九年的台灣九二一以及二〇一一年的三一一大地震時台灣及日本民眾的堅強態度。在這層意義上，這篇小說也可以說是聯繫台灣與日本，戰前與現代的故事。

推薦序二　鈴木商店的當家娘

淡江大學歷史系教授　林呈蓉

在近代日本經營史上，總合商社（a general trading company）「鈴木商店」的重要性可謂是不亞於「三井物產」的中小型日本商社，一九一七年（大正六）其年營業額甚至曾超越「三井物產」，而成為日本第一。

然而，不同於資本雄厚的財閥企業「三井物產」，「鈴木商店」則是從小雜貨業開始，伴隨近代日本輕工業與重工業技術革新，而有效掌握時代脈動，快速發跡的代表性商社之一。然而，一九二〇年代的「鈴木商店」卻因歐戰之後所引發一連串經濟恐慌，包括一九二〇年歐戰後的「亞洲恐慌」、一九二三年關東大震災首都圈壞滅所引發的「災後恐慌」、一九二七年因片岡直溫藏相的國會失言連帶引發的「金融恐慌」等，被迫走上停止交易處分的「倒產」不歸路；並因「鈴木商店事件」而拖累台灣銀行的經營面臨「破產」危機，在近代日本經濟史上寫下重要的一頁。

「鈴木商店」從創業到倒產（一八七四－一九二七）維持了半個世紀，而創辦人岩治郎英年早逝，一八九四（明治二七）之後，「鈴木商店」在頭家娘よね的帶領下，調整步閥再出發。然而，「鈴木商店」頭家娘よね雖為商家之女，但其本身並不諳商務買賣，「鈴木商店」可謂是在兩位學徒出身的資深掌櫃金子直吉與柳田富士松兩人三腳的合作協力下，而得以繼續營運。頭家娘よね則扮演穩定軍心之「鎮店媽」角色，透過其個人魅力而造就出店內上下團結一致的歸屬氛圍。無論從近代企業經營史、抑或從經營管理的角度觀之，皆可謂是另一項日本式經營管理的「奇蹟」。

而「鈴木商店」當初發跡的「二白」等兩項重要商品，即「砂糖」與「樟腦」，皆出自於近代台灣社會重要的經濟作物。因此，一八九五年日本擁有殖民地台灣後未久，「鈴木商店」隨即與台灣總督府要人後藤新平接洽，意圖有效獲取所謂「二白」之商品權，而這也為日後「鈴木商店」轉型成政商，並開始積極投資台灣埋下伏筆。

「鈴木商店」的事業發展大致可分為三個階段，第一階段是初起之際的個人企業時代，時期大約是一八七四－一九〇二年（明治七－三五），「鈴木商店」乃神戶地區八大貿易商社之一；第二階段則是合名會社時代，時期約在一九〇二－一九二三年（明治三五－大正十二），「鈴木商店」以商品販賣為始，呈多角化經營，而經營人才的錄用亦從過去的「學徒制」導向逐漸轉型成「學歷制」導向，此一時期的年營業額亦曾超越財閥企業「三井物產」；第三階段則是企業集團時代，時期是在一九二三－一九二七年（大正十二－昭和二），此時「鈴木商店」集團旗下有七十八家株式會社，以及六家直營事業所，營業所遍及海內外各地，販賣品目超過六十種以上。

「鈴木商店」除了具有所謂「總合商社」國際情報企業的特質外，更是近代日本社會所謂國策商社、國益志向經營理念的典型代表，而其旺盛的企圖心更是此一時期「商社人」之共通特質。

雖然從近代日本社會經濟的角度觀之，「鈴木商店」在很多層面皆有其代表性意義，但該會社不敵大環境之捉弄，最後是以「倒產」收場，因此所留下的相關檔案有限。《お家さん》作者玉岡かおる不同於坊間對「鈴木商店」之研究，皆從大掌櫃金子直吉或相關人員著手，而是透過不諳商務買賣的頭家娘よね的角度切入，並輔以檔案調查與口述訪談，而完成這部大作《お家さん》，也因而榮獲二〇〇八年日本「織田作之助賞」的獎勵。

「鈴木商店」的發跡過程與近代台灣社會的發展脈動緊密相結，而台灣的社會經濟與島國日本雷同，充分展現著海洋國家、商業民族等特質。事實上，台灣社會不乏「鈴木商店」模式的中小型企業，而這些企業亦是支撐台灣經濟發展的重要支柱。此次《お家さん》一書受到台灣野人文化出版社青睞，而以中文版《鈴木商店的當家娘》刊出，勢必對今後台灣社會之於企業經營史的撰述，以及對女性研究與傳記文學的寫作等，產生典範性作用，且讓我們拭目以待。

目錄

序曲

這個故事，說的是座落在神戶的「鈴木商店」。

這個故事，說的也是一位被眾人尊稱為「當家娘」的女子。

唉，即便提起了「鈴木」這個店名，不曉得如今還有多少人曾經聽聞呢？

鈴木商店，它的商號是辰，亦即在□裡面填上一個辰字；又或許大家對於鑽石商標的社徽，印象比較深刻吧。畢竟在大正年間，日本各地的一般家庭最常使用印有這個標誌的樟腦來儲藏衣物以及驅除蟲蟻了。

不過，樟腦只是鈴木商店的營業項目之一。從大正至昭和初期，正值亞洲最早躋身於現代化國家行列的日本，以旭日東升之勢躍上了國際經濟舞台的年代。而一提到日本重要商港的神戶，自然會講到鈴木這家揚名海外的綜合商社。

既然說鈴木是一家商店，那麼它到底是做些什麼買賣呢？

答案是Everything，無所不包。舉凡這世上所有可以用貨幣交易的商品，盡皆囊括在業務範圍裡面。

鈴木商店的客戶遍及海內外，所經手的商品更涵蓋了所有產業。除了樟腦以外，小自日常生活必備的砂糖、小麥、纖維，大到橡膠、鋁等工業原料，乃至於石油、電力等能源，甚至是鋼鐵、船舶等重工業製品，什麼生意都做。而且，一切全是從零開始，由鈴木親自出資建蓋工廠，篳路藍縷，辛苦扶植出各種產業。

還有一項傲人的成績或許會讓你很驚訝。鈴木商店的年營業額曾高居日本之冠，更是名震歐洲的巨大商社喔。恕我冒昧說一句，當時連三井與三菱的年營業額也遠遠不及鈴木呢！

至於鈴木商店的貿易量，這麼說好了，航經蘇伊士運河的商船，每兩艘便有一艘的船艙裡堆滿印有鈴木商標的貨物哩。鈴木的聲勢可說是如日中天，到後來，甚至連這些商船也是由自家的造船廠一手建造出來的。

將鈴木商店推向世界大洋的幕後功臣，是一群矢志以商強國的武士，也就是現代所謂的企業戰士。這群鐵錚錚的漢子，憑仗的不是軍事武力，而是透過經濟實力，使得日本這個位處東洋的蕞爾島國，得以與歐美的先進國家並駕齊驅，互利共榮。

僅僅半個世紀以前，這塊國幅狹小、資源貧瘠的土地，有的只是一群梳髻帶刀的武士。身為血性男兒，無不長懷抱負，誓為祖國向世界闖出一番大事業。爾後，日本果真飛快趕上了現代化的腳步，令全世界對Made in Japan的外銷產品豎指大讚，讓這些男人得以一圓宿夢的，正是鈴木商店！

是呀，或許方才描述的，只是彼時的一座海市蜃樓吧。當時，全國上下立定了超英趕美的一致目標，為將日本推上一流的國家而拚命前進。大家都明白，只要壯大自己，就能強盛國力，正因為如此，才能實現一個又一個夢想吧。

鈴木商店好比那個時代裡的一葉扁舟，原本只在日本近代黎明的海洋上，拖曳出一道既短又粗的航跡，竟在船身不斷增長加寬之後，成為一艘傲視全國的巨艦。令人遺憾的是，這艘巨艦終究不敵時代狂濤的推湧翻弄，也因其企圖和野心超過了承載荷重，終究覆沒在歷史的海溝裡了。

倘若一個人沒有非凡的膽識，絕不可能擔起統帥的重任，一路陪伴其耐受著愈趨增強的水壓，最終目送巨艦沉入了海底。

當統帥在登上裝滿累重貨物的巨艦起碇開洋之前，必須先下定決心，不管這艘船即將航向龍宮水府抑或是萬丈海底，都決不退卻也不後悔！

這艘巨艦，是由近五十家旗下企業與五千名職員所構組而成的。如今回想起來，一肩扛起這份艱鉅的職責，並站在艦橋上俯瞰海面由光榮與挫折劃出航跡的，居然只是一介女流！在那個女人連選舉權都沒有的年代，竟能率領千百雄軍，建立起規模如此傲人的龐大商社，委實值得再三玩味。她的名字是——鈴木米。她身負統帥的責任，是和鈴木商店命運與共的女老闆。

至於小女子我呢，則是長年來跟隨在她身邊服侍起居的女傭之一，自詡為世上最了解阿米夫人的人。每當我提起這些往事的時候，阿米夫人總會這麼說：

「大家都說老身我是個了不起的女人啦，是個貞節烈女啦，其實我才沒有那麼偉大呢。」

事實上，只要是阿米夫人身邊的僕從都知道，她待在家裡的大半時間全都用來縫製綴補衣物，和隨處可見的家庭主婦沒什麼兩樣。

當然，我也曉得一些她親手栽培，與祈願守護的過往雲煙。

時至今日，鈴木的榮耀與挫敗已如海灘砂堡一般，被一重又一重歷史的波浪捲噬而去，不留蹤影。回首前塵，我們當年努力揚帆的船隻所劃下的航跡，就像在長條布匹上留下的縫目一般，無論好壞美醜，都讓人愛憐又不捨。

就連陪著阿米夫人走過悠長歲月的我，到了這把歲數眼力已不復當年，針線活計也變得相當吃重了。很遺憾地，我無法為後繼的員工留下些什麼，但至少希望能透過這個故事，搖著往事之舟，載著你們靠向彼時的記憶之岸。

倘若你願意側耳傾聽，阿米夫人的聲音彷彿從遙遠的浪濤聲中隱約傳來，以一貫的淡然口吻，訴說著讓我無比懷念的故事。

你聽見了嗎？遠方又傳來了她的那句口頭禪：

「要說起那個時候呢……」

第一章 浪濤之聲

暑晨換寒星　潮起澎湃汐浪靜　碧雨湛天青

流光幻采滔滔趣　帆舟聞唱點點影

1

要說起那個時候呢，或許正是我首度見識到這個廣大世界的剎那吧。當時正值明治十年[1]，差不多是西鄉隆盛先生舉兵起義，可惜未能弭平維新動盪亂象的時候。我親眼目睹了某艘從姬路的木場港航抵神戶的船隻，正要在兵庫的碼頭下錨的那一刻。

我睜大了眼睛，瞪著那艘好大、好大的船，正泊在港邊忽左忽右地擺晃著。

明治開元，當時我還是個姑娘家。儘管父母曾經幾度帶我賞覽過京都等關西一帶，可當時在港口往來的船隻，既沒有外國國旗在桅杆上飄揚，也還沒有如此巨大的船舶。直到我二十五歲，嘗過了人生失敗的苦澀以後，兵庫的港灣也在這時候成為通往海外的重要走廊了。

「神戶的街上可熱鬧極了，往後夠妳每天瞧到生膩的。」特地來碼頭接我們的大哥仲右衛門笑著說道。

此時，神戶已成為鄰近民眾進城參觀洋人館的遊覽勝地。在播磨[2]人眼中，和朝夕眺望那古色蒼然的姬路城相比，這裡儼然是不折不扣的外國了。

「現在先去參拜大楠公吧！」

明治元年，天皇陛下為彰顯忠臣大楠公的遺功，下詔在湊川為其建造了一座新神社[3]。為了平定這年由鹿兒島發難的西南戰役，即將從兵庫港出征的眾多士兵，必定先來此處祈求軍功戰安，因而成了聲名遠播的神社。

「你往後同樣要在神戶過日子，也得誠心誠意參拜才行喔。」大哥仲右衛門對著和我一起離開了姬路的二哥竹藏說道。

二哥長我三歲。仲右衛門身為長兄，建議兩個年紀老大不小的弟妹們來到神戶，開啟人生的第二春。

「接下來，先去參觀洋人館，再到榮町的旅舍吧。」

來到這裡，一切全交給大哥打理。我們搭上聚擠在大楠公門前的人力車，前往了美利堅碼頭。沿途瞧見連棟相依的洋行商館、洋人專用的東方飯店，還有在近二十米寬的大道兩旁櫛比鱗次的各種商店，在在看得我眼花撩亂。最令我印象深刻的就是租界地區了。聽說那裡有下水道的設施，環境變得乾淨整然，路上有馬車沿著瓦斯燈林立的步道緩緩前進，還有身著洋服的人們三三兩兩地漫步；可說是全世界最美麗的租界。

「這棟也是洋人館嗎？」

我指著位於轉角的某棟十分引人注目的石造建築，向大哥詢問道。

「那是荷蘭的銀行。有朝一日，日本也得蓋出同等規模的銀行才成。要在租界和外國人做生意，就得有這種大銀行呀。」

這是專做外幣交易、事業有成的大哥精準判斷的趨勢。果然，被他料中了。三年後，橫濱正金

1　明治年加上一八六七即為西元年。
2　日本舊制的屬地名，又稱播州，位於現今兵庫縣西南部，屬於關西地區。
3　湊川神社奉祀的主神為楠木正成（一二九四－一三三六），南北朝時代的武將。後世暱稱為大楠公。

銀行富麗堂皇的洋式建築，就在隔壁竣工落成了。我雖覺得神戶看起來和外國沒什麼差別，可怎麼也想不到，日本人竟能把生意做得那麼大，蓋出和外國不分軒輊的商館來。

「那還用說嗎！既然要和外國人平起平坐，做生意的店面也得一樣大才行呀！」

當我們兄妹倆這般聊談時，做夢也沒有想到，這棟充分展現出日本人氣魄的建築物，日後會由大哥購得，繼而轉手給我。

「我們去拍張相片做紀念吧。」

在我們逛了一圈之後，大哥邀我們到了市田左右太在元町二丁目開業的照相館。雖說只是拍張相片，可當時還是以火棉膠濕板攝影法，每拍一張照片都所費不貲。不過，對專做外幣兌換交易且前程似錦的大哥而言，這只算是零頭支出。

「我打算遲早也要把爹請來神戶住。他老是窩在鄉下做那種小生意也不是辦法。」

正如丹波屋的商號所示，父親原本是在丹波[4]的深山採漆，再賣到姬路的商人。他被收購生漆的漆商福田惣平看中才幹，將他留在姬路，並且在城腳繁華大街的二階町上，讓他開了一家店面寬約二公尺的漆店，商號的由來正是父親的出身地。店裡主要收入是為神龕上漆，靠著父親篤實的經營，生意蒸蒸日上。繼承父親名字的大哥仲右衛門理當接掌家業，可他不耐煩做這種利薄潤少的營生，於是孑然一身來到開埠不久的神戶，憑著自身的聰明才智闖出了一番基業。

留在家鄉的二哥竹藏聽從父親作主，娶了本家福田家的閨女。兩家人宛如交換女兒似的，於此同時，身為妹妹的我也嫁給了福田家的次子惣七。兩家的孩子們在幼時即為青梅竹馬，我和二嫂惠美也從小就跟在哥哥們的屁股後面結伴嬉戲。而今雙雙結為比翼佳偶，一同肩負起固守家業的責任。

豈料，這兩段美好姻緣卻前後以破鏡收場。

二哥竹藏喜好尋芳問柳，讓二嫂十分痛苦。她請父母予以規勸，卻導致了夫妻間的爭執，進而衍生成兩家的反目相對。公婆每見到我必會拿二哥來痛罵，令我鎮日如坐針氈。儘管丈夫出面緩頰回護，日子依舊痛苦難熬。到了秋風微涼的時節，我終於再也無法撐忍下去，逃回娘家丹波屋去了。

由於我們小夫妻之間根本沒有任何嫌隙，丈夫惣七很快便來接我回家了。可一旦向爹娘泣訴後，便再也不想重嘗夫家的煎熬苦日，爹娘也不打算讓家中唯一的寶貝女兒回去那邊受罪了。

到頭來，成天汲汲營營於守住這份小家業的父親沒能如願，福田家與西田家的兩對夫妻終告鳳泊鸞飄。兩家既是同行又住得近，我們兄妹倆不好在姬路待下去，只得儘快離鄉投靠大哥去了。

「妳怎麼板著一張臭臉呢？」

儘管有大哥帶著賞遊神戶的繁華，但我悶悶不樂讓他十分掛意，一路上頻頻關心，無奈我還是沒法展露歡顏。因為在二哥夫妻發生齟齬之前，我和丈夫的婚姻可是幸福又美滿，每次想到這裡心情就沮喪不已。

雖然我們還沒有生孩子，但惣七哥待我溫柔體貼，我也善盡妻子及媳婦的職責，努力博得婆家的疼愛。畢竟從我懂事以後，眼裡只容得下他一個人，更把「我長大要當惣七哥的新娘」這句話老掛在嘴上。雖然後來我們不幸離異，但至今我仍想不透自己到底犯了什麼過錯。

「我想把今天拍的相片拿給那個男人看看。他可是在神戶做大生意的商人，跟那些鄉下的小販

---

4 日本舊制的屬地名，位於現今京都府中部與兵庫縣東部一帶，屬於關西地區。

不同。妳如果跟了他，一定可以幸福過日子的！」

體貼的大哥想逗妹妹轉憂為喜，卻讓我更加難過了。

「大哥，我長得一點也不漂亮，別把這醜照片拿給別人看啦。」

其實，我並非不願意讓對方看到相片，而是為自己才離婚不久便被安排相親的孤苦無依感到淒涼。我並未打算為惣七哥一輩子守節，但這個從小總護著我的男人，早已融入在我生命之中了。

「既然如此，那就先去碼頭提領行李，順道找伊作卜個卦吧？」

伊作是個擅長占卜的船員。他曾於大哥仲右衛門猶豫著是否該買入外幣時，成功地預測了此筆交易將會帶來意想不到的幸運財富。

「讓他用紙牌幫妳算算看，這回是不是好姻緣。」

伊作以紙牌作為占卜道具，上面繪有詭異的西洋圖案，大概類似現在的塔羅牌。他曾經遭遇過船難，在海上漂流時被美國的補鯨船救上來的，所以很可能是當時的外國船員教他用紙牌卜算吧。說得也是，對船員們來說，船底板下就是地獄般的狂濤巨浪，他們若不倚靠算命與迷信，大概捱不過漫長的航海歲月吧。

怎料伊作占卜的結果，令我們大為吃驚。

「我來瞧瞧，這張顯示的是妳的夫婿喔。」

大哥仲右衛門託他幫忙卜算我的姻緣。我抽出了一張牌交給伊作，他緩緩地掀開來。紙牌上的圖案是，天秤。

「唔，他很會做生意，運勢也不錯，應該是個挺踏實的男人吧。」

我並非不相信算命，但這一刻卻深深地感受到女人的無助——竟得倚仗占問卜卦，才能知曉姻緣路的幸厄。

「接下來呢，這張牌就是妳會從這段姻緣裡得到的東西。」

伊作再揭開一瞧，紙牌上畫了一艘船，他頓時發出了輕聲的驚嘆。我永遠記得那幅圖畫，上面畫著一艘鼓揚著白色風帆的洋船，悠然地航行過蓊鬱的小島。

「妳這個小女子，居然又抽出這張牌來，這可不得了呀！」

我狐疑地盯著他的臉直瞧。我到底抽到了什麼牌呢？

「這是即將從神戶港這裡啟航，橫渡海峽的大船，也就是妳的命運之船。」

接著，他在腦中少得可憐的語庫裡拚命搜尋適切的字眼後，這樣對我說道：

「總有一天，妳就是這些船隊的贏家！」

我定睛望著他，根本不懂他在說些什麼。

根據伊作占卜出來的結果，這次結了婚後，許多進出現代化的神戶港船隻，將來都會全納在我這個女子的名下。

我望了大哥一眼，大哥正好也滿臉錯愕地看向我。

依我猜想，大哥可能在事前曾拜託伊作，利用卜算時大肆吹噓一番，目的是為意志消沉的我打打氣；可大哥或許沒有料到，這個識字不多的船員，根本就是個牛皮大王。

「哈哈哈，原來阿米的釣魚嗜好居然發展成蒐集大船了呀！」

大哥為了化解當下的嚴肅氣氛刻意這樣說笑。

在姬路的孩提時候，哥哥和惣七哥他們經常去附近的船場川釣鯽魚，我總是追在後面一塊去。我們都拿魚線直接垂釣，不用釣竿，我操控魚線的本領和他們不相上下，同樣釣得到大鯽魚，所以惣七哥與哥哥們都很佩服我的釣技。

伊作並未跟著陪笑，而是再次下達了指令。

「妳再抽一張吧。」

這回，連我也收住笑意了，噤默地選出了一張。這次的紙牌上畫的是：一株枝繁葉茂的樹木。

「咦，變成這樣啊……」

這張紙牌的圖樣到底意謂著什麼呢？我端視著眼前神色凝重的算命師，靜待著他的回答。

「讓我想一想……，妳的周圍全是樹木，樹木代表的是……男人哩。」

霎時間，我的心頭一怔。我只是個平凡的良家婦女，又不是青樓的煙花，怎會有男人聚集在我的身邊呀？

「嗯，妳有本事讓那棵樹木開枝散葉，讓它長成茂密的森林；也能夠使它頽萎乾枯，變成遍地沙漠。妳自己就是家園裡的土壤，可以讓樹木長得茂盛參天，實現願望……」

伊作頓了好半晌，埋頭苦思接下來該怎麼講。

當我聽到「實現願望」的瞬間，若說眼前沒有浮現惣七哥的身影，絕對是違心之論。他曾噙著淚水凝望著我說，我們來生再做一次夫妻吧。而我此時此刻正祈願著能與他重逢。

不行不行！我迅即抹去了浮現心頭的妄想。因為他終究是不敢違抗父母來保護我，哪怕紙牌裡的那棵大樹遭到雷電劈倒在地，想和惣七哥重逢的願望也不可能兌現。

我重新抬頭，一眼望向了橫渡海洋的巨大洋船冒出的黑煙。我的願望……我這凋萎的心靈，往後還會出現什麼新願望嗎？那個願望，真會像大樹一樣直達穹蒼嗎？我總覺得，我猶如離港而出的船隻，浩瀚的汪洋就在前方，我終將在無盡的風尖浪頭上顛簸終生，想到這裡，心頭不禁一陣黯然。

「噢，這樣子啊。那麼，阿米這回總算可以嫁到如意郎君囉。」

幸好，大家都一笑置之。說來也是，沒有人會對此信以為真吧。即便換做是幫二哥打氣而編出了這套說詞，也未免太誇大其詞了。

不過，世事真奇妙哪。過了很久之後，在我幾乎忘了曾算過命的多年以後，竟然應驗了當初占卜的結果！那時正值大正摩登[5]時期，過去只能羨慕西方進步文明的日本，起而團結一致精進國力，奮勇朝向世界挺進；於此同時，果真如卜算的預言，絕大多數從神戶港出航的船隻，幾乎都是由我發號施令的。

2

明治十年，亦是曾在婚姻之路上跌了一跤的阿米重新站起來的那一年，神戶成了世界文明薈萃

5　大正時期日本受到西方影響的文化現象。

的先進港鎮。這裡不像阿米生長的姬路下城區那樣，難以擺脫沉重的歷史包袱，人們得以在這都市裡不受拘束地發展。

其中，尤以被稱為弁天濱的榮町，到處可見店鋪林立，人車往來川流不息，從早到晚熱鬧喧騰，已成為神戶的經濟樞紐。俳人正岡子規甚至曾以「此地之美麗，此地之壯闊，再無他處可比」來形容這裡的繁盛景況。

專營洋糖進口的鈴木商店，正位在榮町的四丁目上。

西式洋房和日式屋宅錯落有致的大街上，有一戶屋頂覆黑瓦、縱深較長的日式屋宅，鋪面寬約五公尺半，門口掛著染有辰字的店簾。店主岩治郎曾在大阪住吉的砂糖商「辰巳屋」當過學徒，學成之後，老東家將神戶分店出讓給他經營。岩治郎在接手後沿用舊商號繼續做生意，並未改換店名。其主要的營業項目是向租界的洋行買進船來砂糖，再批發給國內的零售商。由於和洋行往來必須以外幣交易，因此也兼營外幣兌換。

阿米在舉行婚禮那一天，才第一次見到了岩治郎。岩治郎和阿米的大哥仲右衛門同在神戶做生意，以往也有過數面之緣，仲右衛門看中他的篤實，屬意他來當妹婿。

岩治郎已經三十七歲了，仍是個單身漢。他從小家境貧困，居無定所，自從進了辰巳屋當學徒以後，無不拚命奮鬥，發誓有朝一日要另立門戶。到了今天，他總算擁有一家自己的店鋪，也該是找個人生伴侶的時候了。岩治郎身穿染有家徽的和服，阿米略帶怯畏地朝這個年齡比自己大上一輪的男人悄悄地探了一眼。

岩治郎則已先看過阿米的照片了。他在偷瞟了坐在身旁的新娘以後，心想果真和照片上的女子一模一樣呀。他的這番感嘆倒不是為了阿米，而是佩服照相這門文明的尖端技術，竟然發展到如此精密的地步了。

「阿米，妳聽好，往後妳要好好輔佐岩治郎先生，讓生意更加興隆！」

婚禮結束後，仲右衛門鄭重地訓囑阿米。從今天起，阿米就是這家店的「老闆娘」了。

仲右衛門說完，目光從緊張的妹妹移向妹婿岩治郎的臉上。

眼前的男子儘管有些土氣，但他憑著高超的經商手腕，把店鋪發展到現今的規模，況且沒有任何家累，對於曾與婆家有過不愉快導致離婚的妹妹來說，反而是最佳的歸宿。

由於長年奔波營商，岩治郎的面孔被晒得如農夫般黧黑，神情透露出沉著的膽識，雖是生意人卻格外寡言，莫怪連新娘阿米也不敢多瞧一眼。連認識岩治郎長相的兄長，也不禁納悶這個男人難道真有本事讓胞妹擁有全神戶的船舶呢？這個只懂埋頭苦幹、全副精神投注在事業上的男人，看來實在不像有搭船海釣的閒情逸致。

想到這裡，仲右衛門忍不住苦笑起來。因為那天占卜的結果還在腦海裡揮之不去。

當然，阿米並沒有做那種春秋大夢。她唯一的心願就是快些忘了惣七，善盡岩治郎之妻的義務。

「請多指教。」

岩治郎在新婚之夜向阿米伏身致意。這也是他這輩子唯一一次向阿米低頭。

參加婚禮的賓客們早已回去了，可岩治郎遲遲沒有進入睡房，只管喋喋不休地向阿米叨絮自己的過往。岩治郎在婚宴上被灌了不少酒，從他饒舌的口中噴吐出來的濃重酒氣，充斥在偌小的房間裡久久不散。

鈴木家的祖上是川越藩的步卒，家裡光是要維持生活已是不易，只得將排行次男的年幼岩治郎出養給魚販，從此展開了他顛沛流離的學徒生涯。

生性勤勉的他，歷經許多磨難與艱辛，從江戶一路輾轉到長崎，最後來到了大阪，成為洋糖批發商辰巳屋的學徒，深得老東家的信賴，甚至將神戶分店整家讓給了他經營。

聽著岩治郎坎坷的生平，阿米原先對這位比她大上一輪的男人感到的畏懼也逐漸消失了。從今天起，自己將是他最親近的人，他所熬過的刻苦日子與努力奮發，往後都應由自己給予慰藉。

岩治郎說完以後便陷入了緘默，紋絲不動。阿米雖已決心要成為他的支柱，卻不曉得這時候該怎麼做才好。這個飽歷風霜的男子，在新嫁娘面前倏然露出了一抹少年般的難為情，這乍現旋消的表態，引得阿米不禁想湊上前去依偎在他身邊，但女子的羞赧與再婚的身分，加上面對陌生男人的尷尬，使得阿米全身僵硬，無法動彈。

阿米心知，在這樣的時刻想起前夫委實有失婦道；可此時眼前的人若換作是惣七，必定會從相貌平庸的阿米身上尋出寥寥可數的優點，稱讚她的美手、誇獎她的秀髮、讚美她的氣質，以溫柔的話語化解兩人的尷尬，幫著新嫁娘撫平心中的慌亂無措吧。阿米被惣七厚實的胸膛攬抱住的甜美時光，彷彿把她融成了糖蜜。當惣七對她低聲傾訴「妳是為我而生的女人」的時候，阿米感到全然的陶醉，甘願為他化身彩蝶，變作嬌花。那段目眩神迷的回憶，使得阿米頓時渾身發燙。她赫然回過神來，驚覺自己的失態而慌張無措。

為了掩飾自己的狼狽，阿米突然脫口問道：「請問老爺……您是否想過要買一艘船呢？」

「什麼？」岩治郎自然露出了滿臉不解。

「嗯……我是想請問，您喜歡釣魚嗎？」阿米趕忙補上一句。仔細想想，阿米竟然希望他能如同卜算師說的，買艘船送給她盡情享受釣趣，這個想法未免太荒謬了。

「不好意思，我沒那個閒工夫去釣魚。做生意才是最重要的呀！」

這番話說得沒錯。盡責的一家之主便該認真工作，腳踏實地賺錢，守護全家人過上安穩的日子，這是只懂得溫柔體貼的惣七所辦不到的。

「我的問題真蠢，希望您別嫌棄，往後還請多多照顧如此愚笨的我。」阿米慎重地平伏施上一禮。

岩治郎恰似把握住這個絕佳良機，不發一語地將阿米推倒了。阿米雖驚訝他的粗暴，但腦海中回想起結實壯碩的惣七，已經替代了岩治郎理當醞釀的甜蜜氣氛與前戲了。阿米那留有惣七情欲烙印的二十五歲肉體，很快就變得濕潤且接受了岩治郎直率的衝動。

只顧發洩自身欲望的岩治郎不停地喘息，在他身下的阿米耳畔卻只傳來惣七體貼的溫柔低語，彷彿呵護著易碎的瓷偶般輕聲問她痛不痛、要不要緊？阿米在新丈夫的身體下面，和已經分手的惣七結合在一起。

阿米的柔情回應，讓岩治郎瞬時渾然忘我。這個熬過重重磨難，總算爬出人生谷底的男人，過去日復一日唯有咬牙撐忍，連快樂也如同夢境的片段般短暫；但從今天開始，這一切都已近在身邊，伸手可得。他一次又一次睜開眼睛，確認了自己懷裡的柔嫩嬌軀是真實的。他總算能和阿米共同扎根建立自己的家，享受到安寧的慰藉。當然，此刻的他作夢也沒料到，妻子日後竟能將鈴木這個姓氏鐫刻在歷史的豐碑上。

「這是我剛過門的媳婦兒。」

岩治郎挑了個黃道吉日，帶我一起拜訪近鄰的商家和主顧們。

至於隨行的親友代表，鈴木家這邊請到東家辰巳屋的松原恒七先生，以及岩治郎當學徒時的朋友，也是辰巳屋的女婿，並且同樣沿用辰字店招、接手經營辰巳屋大阪分店的藤田助七兄陪同；西田家這方則由仲右衛門和竹藏兩位兄長相陪。

雖說神戶是個新興的都市，可做生意講究的仍舊是義理人情。沿途拜訪一家家主顧的時候，我深深體會到神戶是個多麼龐大的城市、有多少業種繁雜的居民住在這裡。

我們拜訪的不只是同業和主顧，還包括船運商和旅舍，甚至是挑夫，以及在碼頭裝卸貨捆工們的工頭等等，他們全是岩治郎的事業中不可或缺的環節。在這些我以往根本不曉得的各行各業分工合作之下，才能維持整個社會的運作，令我大開眼界。我這才明白，原來貿易這門生意是無法僅憑一個人就能做成的，必須靠著和各行業種的通暢往來，才能夠推展順當。

從今而後，如何與這些店家在生意上，進而在私人交誼上維持長久親睦的關係，正是老闆娘的責任。透過這趟拜訪，讓我愈發體認到這份責任的重大。

鈴木商店這一帶的店家都是門面窄小、縱深狹長的格局，忙碌工作的店面和裡屋只以一幅門簾隔開，從古至今的商家屋宅都是這樣區分裡外的。幸好我是在姬路二階町的商家長大的，已經住慣了，況且這邊門前的寬敞馬路，更是讓人感到格外開闊。姬路的二階町正如其地名所顯示的，座落於此的富裕商家皆為兩層樓房，二樓還甚至鑲有細格花窗。不過，由於房屋不能比武士宅邸蓋得更高，雖是兩層樓房卻十分低矮，住起來很不舒適。

相反地，在神戶蓋房子就沒有這些顧忌了，不論是庫房或是員工宿舍，都蓋得高挑又舒服，甚至有商家闊氣地連裝飾屋簷都安上了。這裡的商人，許多都像從川越老家輾轉到這裡落腳的岩治郎一像，皆是懷抱著雄心壯志，遠從近江、長崎、大阪等全國各地來到神戶開店的老闆。也因此，他們不必受到承襲傳統或堅守老字號的束縛，憑靠的唯有一身膽識和機敏，以及在這裡闖出一番天下的豪情。

我成為這家鈴木商店的「老闆娘」以後，首要職責便是扮演好「母親」的角色。店裡除了有三個二掌櫃是岩治郎的左右手，還有五個被喚作學徒的十二、三歲小店員，全都住在一起。

像這些生在貧窮農家的次男和三男們，由於沒有田地可繼承，通常在還沒讀完小學之前，就被送進商家當學徒，由商家供吃住。他們在天還沒亮就被叫起來工作，上午打掃店面，其他時間要整理、堆疊或搬卸商品，以及聽從差遣使喚，直到夜幕低垂還在忙著工作，每年只有過年的正月十六和中元的七月十六兩天得以休假而已。有些學徒的窮父母早已預支了好幾年的薪俸，在借款抵銷之前，這些學徒根本領不到分毫金錢。在他們看來，工作只有勞累繁重，沒有任何樂趣可言。

「至於家裡的瑣事，去找阿石教妳。」

從丈夫手中接收的第一個女傭是年齡足可當我母親的阿石。這個面無表情、身材高大的中年女子，還真是人如其名。她沒好氣地向我欠身致意。看來，岩治郎到了這個年紀不僅不近女色，就連雇來幫傭的女子也不在乎姿容。

除了阿石以外，還有一個打雜的小女傭。在我來到鈴木家之前，整間店只靠著這兩個女人張羅九個男人的餐膳、洗衣、以及所有的日常起居。

「米的用量是每天一升，分別在早上和傍晚炊煮，沒吃完的就捏成飯糰存放起來。」阿石說道。聽她的口音，應該和家父同樣是丹波人。

岩治郎的規定還不止如此，用膳時的配菜只有一點點醬菜和湯汁。至於用膳的時間是手邊的事處理暫告一段落的店員根據老闆的指示，依序到裡屋扒飯果腹。

「店裡全都是年輕人，只煮一升飯不夠吧？」

在米糧豐足的播磨長大的我，不由得脫口反問了一句，怎料立刻惹來阿石的銳眼瞪視，並且毫不客氣地頂了回來：

「不滿意的話，請直接和老闆說去！」

我不覺得岩治郎會輕易答應，只好閉口不提了。

我緩緩地打量了用來營商和起居的兩個不同空間。一幅門簾，便隔開了店面的工作處所，與裡屋的私宅空間。

由於鈴木商店並非零售商，因此砂糖進出貨的經手數量非同小可。向洋行買來的砂糖，裝在大草編袋裡堆疊在店門口，隨著頻繁的進貨出貨，店裡的塵埃漫天飛揚。

「可是，打掃店裡是學徒們早上該做的工作呀！」

不願意多攬工作的阿石，在我還沒說之前就先開口拒絕了。負責炊煮餐膳的阿石，或許自以為是她供學徒三餐的。

「話是沒錯，但那個名叫國松的學徒，腳似乎不大方便，要他擦拭高處，未免太可憐了。」我又忍不住嘴快說道。

「既然這樣，不如就請老闆娘幫他擦吧！這裡可沒人有閒工夫分擔別人的工作呢！」挺著胸脯的阿石強硬地回嘴。

體格健壯的阿石從上方低睨，令我感到一股難以名狀的威嚴壓迫。我時常沮喪地想：這個家的主婦到底是誰呀？

「可不可以定個時間大家一起吃飯呢？」我曾經怯懼地問了岩治郎。與其大家都在不同時間用餐，不如一起吃飯，一來方便工作告個段落，負責烹煮收拾的人也好做事，而且能讓年幼的學徒們感受到大家庭般的溫暖。

可是這個提案立刻遭到了駁回。岩治郎臉色鐵青地說：

「笨蛋！要是吃飯的時間大家都扔下工作，不就錯失商機了嗎？開店時每個店員負責的工作都不一樣，告一段落的時間也不同呀！」

一旁的阿石露出了一副早知道這結果的勝利神色，得意洋洋地撤下了餐具。

岩治郎說的確實沒錯。

「那麼，不然……」我接著要求的是餐膳的菜色，「只吃米飯配湯汁，未免有些乏味。雖然不能太奢侈，可不可以至少添些海裡或山裡的菜餚呢？」

岩治郎聽完，再一次不敢置信地瞪大了眼睛，但是當他知道我所指的海裡的菜餚是指小魚乾、山裡的菜餚頂多是燙青菜或白蘿蔔泥，這回倒是一下子就答應了。我舒了口氣地望向裡屋，阿石頗不是滋味地別過臉去。不同女人對於裡屋的操持與廚房的掌理，可說是百款百樣。長年來負責打理這個家的裡屋與廚務的阿石，與初來乍到的我產生衝突，也是在所難免的。

岩治郎雖對大小事務都嚴格要求，但吃的菜色始終與員工完全相同，相當難能可貴。往後，不論店鋪規模發展到多大，這成為鈴木始終不變的一貫方針。

他的立意雖好，卻也使得有些正值發育的學徒，由於營養不足而染患了腳氣病。總得讓店員保有健康的身體，才能夠奮力工作。

「不過，」岩治郎沒忘記事先提醒我，「每天能吃的米飯分量是固定的，要是增加了配菜使得大家多添飯，到時候可就不夠囉。」

由於我沒能切實領會到他的忠告，果真惹出了紕漏。

有個二掌櫃去京都出差，事情似乎很順利，於是買回了醃漬蕪菁的名產。我很高興地當天立刻端上桌讓大家一齊享用。那滋味真是太棒了，使得眾人食欲大開，紛紛加添第二碗、第三碗飯，不到眨眼工夫，整個飯桶就見底了。這件事惹來岩治郎的破口大罵：

「妳打算吃垮這家店嗎！」

岩治郎用人苛刻，總想盡量縮減供膳，而向來徹底執行主人方針的正是阿石。

「妳瞧瞧，我不是告訴過妳了嗎？」

儘管我被阿石奚落了幾句，但她仍然一如往常，盡責地收拾裡屋的麻煩。多虧阿石從隔天起，巧妙地挪減一些米量來彌補，總算有驚無險地度過了這次的難關。

我覺得自己從岩治郎和阿石身上學到了許多寶貴的經驗。不，應該說在我不知不覺中，日積月累地受到他們的深遠影響。回想起來，我之所以日後會對鈴木商店的每個員工，近乎囉唆地訓勉其遣詞用字、飲食習慣、禮儀容表等一切生活方式，皆是源自於這段日子的體驗。只要我先教育好員工，他們也就不會遭到岩治郎的嚴厲斥責。從此，我擁有了兩張面孔，在岩治郎的面前對店員要求嚴格，背著他時便對店員十分溫柔。

這話說起來輕鬆，其實我可是花了許多年，才總算能夠拿捏得宜呢。

此外，儘管阿石始終不情願，但我還是將打掃店面列為女人家到店裡做的唯一工作。男人們的粗手粗腳，總是沒辦法把店面擦得乾淨亮潔。而準備大量的擦拭抹布，也就成了我終生的職責。

還有，在店裡的各個角落插飾花草，亦是我不曾間斷的工作之一。

「做生意的哪裡有空賞花呀？」

這個舉動又引來了阿石的埋怨。假如不是位處城市裡，便能隨時欣賞到美麗的自然風光，可工作繁忙的店員根本沒空閒攬勝賞幽，那麼，至少在他們身旁擺飾幾株當季的花卉，即使是不經意瞥見的瞬間，也能溫慰人心呀。

回想過去那段難忘的日子，我第一次出嫁的婆家「漆惣」是傳承多代的老字號，況且丈夫惣七只是次男，當家的公公地位崇高，他的話如同天子詔令一般令人敬畏。再加上店裡的商品是生漆，絕不允許揚起半點灰塵，就連咳個嗽都得小心翼翼，每天過得謹小慎微。因此，惣七哥經常趁著公公沒留意時逗弄我一下，或許成了那段時光裡唯一能夠鬆口氣的機會。

相反地，這裡當家的就是丈夫，我身為妻子，職責就是打理店面和裡屋大小瑣事。縱使阿石忠實地遵照岩治郎的意思去做，但那種苛刻的做法可沒辦法拓展鈴木家的格局。當我領悟到，自己的使命是輔佐專心致志開創事業的丈夫，把他無暇管理的裡屋打點得適妥得宜，這真是最有意義的職責了。這必須一肩扛起的責任，敦促我蹈厲奮發，期許自己要成為助力，讓生活過得更美好。倘若店員們能夠如實感受到我的用心良苦，可就再高興不過了。就這樣，我一天比一天更加堅強。

結婚第二年，繼承人德治郎出生了，岩治郎簡直欣喜若狂！他笑容滿面地把還在喝奶的嬰孩使勁地一次又一次抱舉得高高的，嚷嚷著這整家店的都是你的哩！我趕緊從他手中接下嚇哭了的德治郎拍抱安撫。平時小氣吝嗇的他，甚至罕見地買了新的和服腰帶送給了我。

最令人驚訝的是，就連向來神態冷峻的阿石，竟也露出了宛如孩童拍撫玩偶般的溫柔表情，幫著我帶孩子。和我單獨相處時，不曾多說一句話，也不曾展現笑容的阿石，對德治郎說的話卻比糖蜜還要甜。小嬰孩沒有任何力量，只靠自己什麼也做不了，卻能夠輕易辦到大人使盡全力也達不到的事情，真是不可思議呢。

家父和兄長們也歡喜地送來各色賀禮。這時候的我應該是天底下最幸福的太太了。我驀然想起了前婆家的公婆當年令我備受委屈的冷嘲熱罵，現在真想向他們挺胸炫耀：瞧瞧，我如今過得這般幸福呢！哎，我真是小心眼。

當我揹著孩子走在街上哄他入睡時，眼界又變得更加寬廣了。那時候，社會普遍都當孩子是寶，大家只要看到小嬰孩無不湊上前來逗一逗，順便和我聊上幾句，也擴展了我的人際關係。不管是孩子的斷奶、夜啼、生病等育兒的疑難雜症，街坊路人全都成了為我解惑的老師。

在這個時候，我忽然在榮町的熱鬧人潮中，看到了一個酷似惣七哥的人。

那高達六尺的魁梧身材，即便在洋人眾多的神戶也不多見。我趕忙追了上去，卻在貨車和行人的熙來攘往中，失去了他的身影。

生下了孩子以後，我一門心思全擱在做母親上，早把當年的往事拋卻腦後，過著平順的日子了。因此，當他的身影在我腦中甦醒過來的瞬間，已不再像早前那般思念起他的聲音、他的呼吸，還有他指尖的溫熱了。這股奇特的感覺帶來了些許落寞，以及幾分莫名。

不曉得惣七哥是否已經續弦，生下一兒半女了呢？——我手上忙著縫綴幼子的衣服，思緒卻飄向了遠方。想起懷抱在那厚實的胸膛裡的是其他女子，已不再令我坐立難安，而能心氣平和地接受那個畫面。我也想到了我們雖然分住在姬路和神戶兩地，卻活在同樣的時光流逝之中。儘管再也無法相逢，我希望他能和我過得一樣幸福。我將這樣的祈願，默默地託付在手上的每一道縫目之中。

三年後，次男出生了。丈夫將孩子命名為米治郎，讓我有些感動。

「這回從妳的名字裡取一個字來。他也是妳的孩子呀。」

在那個年代，女人只被當成生下孩子以繼承家業的工具，甚至有句俗諺是子女貴賤隨父不隨母。我很驚訝岩治郎認為孩子是夫妻兩人的無上寶貝，讓我這個妻子也能共同擁有。

男孩本就淘氣，更何況家裡有兩個，光是這樣已經讓我分身乏術了，多虧阿石總是幫著照顧正值頑皮的德治郎。

「來，小德少爺跟阿石到那邊去，母親正忙著呢。」

阿石拿我忙著照料米治郎作為藉口，得以一個人盡情獨占德治郎。

她年輕時有過自己的家庭，自從獨子亡故以後，便來到這裡幫傭。或許小孩子隨心所欲時哭又笑的溫情力量，漸漸打開了她緊閉的心房。

不過，縱使阿石百般疼愛，孩子還是最喜歡黏在母親身邊廝纏。有時候德治郎也會緊緊揪住我的裙角不肯放，想要和我待在一起，可是阿石口氣嚴厲地訓誡他，「小德少爺，不行！不可以打擾母親！」個性馴良的德治郎只好死了心地任由阿石帶走了。

又過了三年，三男岩藏出生，我更是忙得分身乏術，不過這麼一來，鈴木家的未來可說是堅若磐石了。我為鈴木家生下的全是男孩，完成了了不起的使命。

從此，丈夫更加專注於事業。明治二十年，岩治郎被任命為由外國貿易決算的匯兌業者組成的神戶交易所的理事，該組織之後從神戶貿易工會升格成神戶商業銀行。以他這樣一個年輕時家境貧寒且不曾讀過幾天書的人，日後能夠文件撰寫妥貼，問候酬答得宜，一切都歸功於其自身的發憤努力。承蒙神戶各界賢達的信賴，使得小店生意昌隆，增聘了更多員工。為了孩子，為了店鋪，我也同樣勤懇努力，日子過著十分美滿。

扶養三個孩子雖然勞累，幸好不只是阿石，學徒們也對比自己還小的孩子們十分疼惜，經常陪著他們嬉玩。德治郎和米治郎全都是在店裡頑鬧長大的，店裡的學徒們既是玩伴也是兄長，甚至可以說是社會的縮影。不可否認，過去一屋子全是男人的冷清店裡，隨著我這個「母親」，以及三個孩子的「弟弟們」陸續加入，使得裡間的範疇往前擴移，與店裡交融成為一個完整的家庭。

或許女人不計一切地為別人努力時，正是最幸福的時刻。於公，要扶持丈夫，讓他安心在社會裡工作，守護他的事業堡壘，使他的員工們充滿活力地愉快工作；於私，則要讓孩子們無病無厄地順利長大。我幾乎沒有多餘的工夫顧得上自己了。

儘管忙得不可開交，現在回想起來仍十分感動。那真是我一生中最充實的短暫時光了。

3

在阿米回憶的那段甜美日子中，出現了幾個重要的男人。此時仍是幼苗的他們，其後成為在鈴木商店的茂密森林裡培育出來的參天巨木。

明治十八年，亦即阿米生下了三男岩藏的翌年，來到店裡工作的是十九歲的柳田富士松。這個年輕人是岩治郎的東家辰巳屋老闆年邁時在外面生下的遺孤，性情相當溫良敦厚。他幼時才出養不久，親生父親旋即撒手人寰；到了他長大成人的時候，又遭逢養家家道中落，可說是備嘗磨難。儘管他並非嫡長子，但既然進入父親的分號，相當於在屬下的店鋪裡工作，應當是抱持了極大的決心。最重要的是，他盼望從沒落的養家那悲慘的苦境裡掙脫出來，他渴望在這神戶裡搖身成為頭角人物，這股熱切的志向應當極為堅定，使得岩治郎對這個做事紮實穩健的店員也分外看重。

在收下他當店員以後，阿米把他當天穿來店裡的破爛衣服，珍藏在庫房裡許多年。往後每逢他受到挫折，阿米便會把它取出來，砥礪他回想起自己淒涼地來到鈴木商店棲身那天的初衷。事實上，每當富士松在店裡遇到打擊，阿米只消不作聲地攤展出這身衣服，他便認清自己再也沒有退路，唯有咬著牙向前挺進了。

比富士松晚一年進到店裡來的是金子直吉。當時他二十一歲。直吉是透過了富士松的居中說合，這才來到了店裡。

富士松所負責的營業區域是土佐[6]，眾多當地的客戶都尊他是「來自繁華神戶砂糖批發商的掌櫃先生」。某天，其中一位老闆央託他可否向店東引薦一個很有潛力的傢伙。這位老闆說的就是直吉。為人謙善的富士松心想，這不失為促進商誼的方法之一，遂帶著推薦函回來呈給岩治郎，而岩治郎當然也盤算著可賣個人情給那家店，往後將有利於提升銷售業績。在富士松前往土佐帶直吉回來神戶的路上，他發現這個人雖然只比自己大一歲，但只要有空便攬冊耽讀，說話逗趣，口條話術格外吸引人，令他大為佩服。

有件小插曲就發生於他們在細雨中從神戶港走到元町商店街的時候。小雨濛濛不歇，兩人打算一起買洋傘。直吉向賣傘小販詢問洋傘的材質、產地、透過什麼途徑運來這裡賣的連串問題，鉅細靡遺，最後還比定價多添五錢付了款。

「我以為他是土佐的鄉下人，沒想到還挺有都市人的豪氣嘛！」富士松忖思，直吉大概是想買個賀禮慶祝自己即將在鈴木展開的新人生。誰知道直吉仔細端詳那把傘，笑著說道：

「我多付了傘錢，並不是要擺闊或是瘋了喔。方才聽說這把傘是學習西洋的技術，使用上好的材料做得堅固又耐用，完全具有十錢的價值，可定價只有五錢，這不是賠本了嗎？」

直吉說，自己這些從商的，正是有能力為商品訂出合宜價格的人，而不是只做生產者和消費者之間的仲介。假如他只依傘販的定價購買，可就沒有資格當商人了。況且，勘估出商品的正確價值，也能讓生產者們了解到，自己的技術是低廉的或者高昂的。直吉的這番論述，確實說服力十足。

「他這麼說也挺有道理的嘛。」

對於向來只管拚命認真迅敏地辦妥交付工作的富士松而言，直吉闡述的這套生意經，讓他霍然眼界大開。從一天起，直吉不管上哪兒，總是不分晴雨地隨身攜帶這把洋傘，每逢有機會便向眾人宣揚猶如武士道精神的理論，使富士松對他欽佩不已。

然而，這兩位對於鈴木的日後榮景有莫大貢獻的男人，當時可吃了不少苦頭。

「你連這麼簡單的計算都不會嗎？都照你這般胡亂撥打算盤，這家店可要垮啦！」

岩治郎怒斥店員的罵聲，今天又從店裡傳了進來。

那是一如往常打烊以後的時段。阿米正在幫依序到裡屋吃晚膳的二掌櫃和學徒們添飯，映入眼裡的是一個個瑟縮著的學徒們，以及把飯碗擱了下來的富士松，宛如自己遭到責罵般臉色煞白。直吉被岩治郎的厲聲狠罵，從店裡穿過門簾清楚地傳進裡屋去了。

「富士仔，不再多吃一碗飯嗎？」

「不了，我已經飽了……」

對富士松來說，這頓晚飯原本應該吃得更開心才對。神戶的電話即將開通，他今天代表商店去申請裝機，抽到了十五號的前面數字，連岩治郎也罕見地稱讚他「辦得好！」可沒多久工夫，岩治郎的大好心情旋即急轉直下，把直吉罵得狗血淋頭。別說是富士松了，大夥兒全沒了食欲。

「喂，別一聲不吭的，你倒是說說怎麼回事呀？」

「稟告老闆，……我是為了讓對方願意再上門光顧，以退為進，答應就這次讓他延後付款。」

霎時間，傳來砰的一聲悶沉碰擊。

6　日本舊制的屬地名，位於今日的高知縣，屬於四國島的南部。

「你還真了不起呀，竟敢向主人頂嘴！」

性格暴躁，話未出口先動手是岩治郎的壞毛病。老來得子的他對兒子百般疼溺，對店員卻總是疾言厲色。

阿米趕忙掀簾而來，迎面看到的是丈夫與直吉兩人僵持不下，對臉而立。捲起衣袖的岩治郎手上抓著一只算盤，而原本掛在直吉臉上的眼鏡可能是被算盤敲頭時不慎從耳朵拍落下去的，兩眼無神地望著虛空。

「如果知道錯了，好歹馬上去把款項要回來！」

阿米的出現，讓岩治郎急忙找了個台階下。他連看也不屑再看一眼地撇下這句話，便頭也不回地走出店外，大概是去參加早前約好的聚會。

昨天，直吉才剛因為寫壞了收款明細通知的明信片，在眾人面前遭到了岩治郎的辱罵。岩治郎甚至還當著大家的面罵道，要從他的工薪裡扣除明信片的錢。其實老闆沒有必要說得這麼狠。

連著這麼幾回下來，簡直像在宣稱直吉無能似的，可岩治郎經常發作的壞脾氣對誰都是這樣，況且平素直吉的拚勁也是同儕們無不佩服的，使得岩治郎對他的嚴厲喝叱分外引來關注。

「老闆的脾氣就是這麼急躁，這也是沒辦法的事呀。」

阿米拿手巾抹去直吉額上傷口滲出的血珠。這個身形矮小男人泫然欲泣地強忍著難堪的對待，穿著留白圖案染織粗布衣的肩頭微微地抽抖著。

再也無法視若無睹的富士松，跟在阿米身後過來了。可他什麼也無法做，只能咬著牙看著同事痛苦的身影。

「來吧，快些來吃飯。如果是不成材的傢伙，老闆才不會費神動怒呢。正因為老闆當你是個人才，才會狠下心來數落你呀。」

阿米添著飯，試著擠出話來安慰他。可對成年男人來說，也許不需要別人的憐憫。

「我沒事。……待會兒就去商請顧客盡快付款。」

直吉慌忙地扒了飯，便打起精神出門去了。阿米只能在他身後叮嚀路上小心，目送他離開。

在競爭激烈的商界裡，阿米一介女子毫無置喙之地。當男人一旦投身於商場，即便年紀再小、工作再生疏，都必須靠自己完成使命。

直到街上的商家都打烊了，阿米依然在微暗的燈光下縫著衣服，等候著直吉回來。她得趁著夏天預先備妥幾個月後的冬衣。這個大家庭把孩子算在內有將近二十個人。任憑阿米每天再怎麼縫製衣物，總趕不上進度。

等到直吉穿過便門回來的時候，已經是四十五分鐘以後的事了。

「回來啦，辛苦你了。」

阿米對直吉說道。他吃了一驚，想不到阿米竟然還醒著等門。

「結果如何？還順利嗎？」

「稟告老闆娘，託您的福，廠商明天就會全額付款了。」

直吉說道。他提出的交換條件是，賣出貨物時必須連帶支付的船運費全由鈴木商店負責，對方才答應早些付款。

「恰巧有批砂糖賣給了新潟的尾崎商店，載運的舢舨還有空間，只要一起裝貨就不必多花一毛錢了。」

唯有腦筋動得快的直吉才想得出這種妙計。就算是苦差事，只要處理得當也就皆大歡喜了。

「這樣呀。只要能收得到款項，在老闆面前就能抬得起頭了。」阿米宛如自己的難題得到了解決般，舒了一口氣。

「我說，直仔，」阿米開了口，隨即欲言又止。她顧慮接下來想說的話，或許逾越了女人家的分際。「你要不要考慮買賣砂糖以外的商品？」

主業的砂糖生意全由岩治郎和富士松包辦掌管，輪不到直吉插手，這也是沒辦法的事；相反地，若是直吉買賣的是他們不經手的貨品，不就有了他專職負責的生意嗎？阿米提出的正是這個建議。

「若要問該做什麼買賣才好，你應該比我還熟門熟路吧！」阿米又若無其事的添了幾句，「不一定非得向洋行批貨進口不可，可以把日本的商品賣給洋人呀！」

銳利的眸光乍然穿過直吉的眼鏡射了出來。這正是他探尋已久的答案！經驗老道的岩治郎靠的是長年信用做大生意，直吉取巧的做法每每令他膽戰心驚，也常惹得他大動肝火。假如是連岩治郎也沒碰過的生意，應該就另當別論了吧。

「這事也不急，你慢慢考慮。……先吃了這個吧。」

光是在洋行間奔波已經很疲憊了，何況還磋商到那麼晚，想必直吉的肚子早就餓了。阿米把一小塊留存已久的豆沙凍糕包在懷紙裡遞給他。

「多謝您。可是……」

直吉正陶醉在熱切的狂喜之中，比起來，收到豆沙凍糕已算不上什麼開心的事了。開發只有自己懂的新商品買賣這個嶄新的目標，使原本精疲力竭的直吉振奮不已。

「不必客氣。那麼，早些睡吧。」

直吉目送阿米進入了裡屋以後，視線重又落回了豆沙凍糕上。

即便戴著眼鏡，他仍看得出這塊豆沙凍糕的表面已然變得乾硬。岩治郎向來禁止奢侈，猜想是阿米將別人餽贈的豆沙凍糕小心翼翼地收藏在廚房裡，就這樣擱放到過期了。

直吉仍大口吞下了豆沙凍糕。信誓旦旦的決意從體內迸發出來，和嘴裡的甜味交織在一起，讓直吉陷入恍惚迷離的思緒。

這是鈴木商店大掌櫃的年少往事。金子直吉，多年後被稱為日本經濟界的怪物。正是這個男人，將鈴木拓展成獨一無二的綜合商社。

你是說直仔嗎？

是呀，可真是奇妙的緣分哪。

他進來店裡的時候，老么岩藏才剛滿三歲，只會說些簡單的字。老大德治郎喜歡拿他尋開心，故意教他說些「多少錢」啦、「算便宜點」啦，大家都覺得很是逗趣。尤其是喜歡小孩的直仔，特別受到孩子們的喜愛，經常陪著德治郎和岩藏玩耍。

這段時間，幸虧有這家店和他們大家，我才能熬得過來。丈夫活躍於商界、店裡生意興隆、孩子日漸成長，聽起來一切幸福美滿，實際上並非諸事如意的。

我曾經擁有過無比的幸福，甚至想過要向姬路的前公婆炫耀一番，可那幸福卻離我而去了。或許這是老天爺給我的懲罰，教人不該這般沾沾自喜。剛滿七歲活潑頑皮的次男米治郎，只不過是三天三夜的連續高燒，竟被老天爺給帶走了。

在那個衛生不完善、醫學不發達的年代，少有家庭生下的孩子能全數長大成人的。失去了孩子的母親，並不是只有我一個而已。嚎啕痛哭的我心裡明白，這樣的悲劇並非只降臨在我身上而已，可一想到用盡辦法仍救不回的稚兒所受到的痛苦，只能接二連三地向神佛祈求賜助。

丈夫安慰我還有兩個孩子，但不管有幾個小孩，這世上只有一個米治郎。我雖然知道不能再哭了，可看到那孩子留下來的小碗小匙，以及成堆的衣服，淚水便止不住地淌了下來。

可是，成天光顧著哭也不是辦法。十歲的德治郎對著總是睹物垂淚的我問道：

「母親，米治郎不在讓您很寂寞嗎？只有我和岩藏，不夠填補米治郎的份嗎？」

說出這段話的德治郎真惹人疼惜，我忍不住把站在身旁的他緊緊抱在懷裡，不停地撫著他的頭。是啊，我不只是米治郎一個人的母親。剎那間，我的孩子讓我明白了這一點。

我於是更加疼愛另兩個孩子，並且嚴格地教育他們。儘管丈夫很重要，商店也很重要，可若真要比較，我的回答肯定是這些孩子們的性命比什麼都重要。我經常對孩子們說一定要把你們兩個健康帶大，培養成傑出的人才，而兄弟倆也總是異口同聲地響亮應好。

那時萬般央求神佛留孩子一命卻未能如願，我從此更加修身慎行，發誓要讓老天爺願意鼎助賜福。當時的我約莫三十五歲上下，想來還真年輕呀。

現在來談談直仔吧。

直仔是個多麼盡忠守義的男人，我想不必再多說了吧。

我是「母親」，直仔是店裡的「孩子」。可是，對一個不是親生的孩子，該如何善盡母親的本分，委實相當困難。

不過，我當時年紀還很輕，覺得自己能夠克服任何難關。

倘若在這些孩子們身旁的是親生母親，看到他們奮力工作到深夜的模樣，應該會加倍疼惜他們吧。所以我認為，自己的職責便是讓這些孩子們吃飽穿暖，至少每天都能暫時忘記工作的辛勞，儲備明天繼續打拚的氣力。我的願望只是這樣而已。

由於當時年輕力旺，還經常勸阻挽留想要辭職的員工。畢竟岩治郎時常不分青紅皂白把店裡的孩子臭罵一頓，任誰都做不下去。

老實說，每家店的員工流動十分頻繁，很多員工總做不久，有的是被老闆革職，還有些人待不到一年就走了，店裡的人事就這樣更新除舊。流入神戶的人口年年增加，正在謀職的新面孔俯拾皆是，店家在招聘人員上毫無困難，因此除非遇上了非常特殊的狀況，才會有老闆慰留主動離職的員工；可若輕易答應放他們走，等於放棄了好不容易才培養出來的幫手。身為「母親」的我不惜瞞著丈夫，必須護著店員到最後一刻。

嗯，那件事應該是發生在直仔才來店裡兩年的時候吧。當時岩治郎每回出門，總要直仔在人力車的前方像個傳事人般開路跑腿。

富士仔吞吞吐吐地問道：「老闆娘……，直仔，什麼時候才回來呢？」

直仔以母親身體欠安為由返鄉探病，卻遲遲沒有回來店裡。富士仔覺得他是自己帶來的人，很在意到底怎麼了。雖說富士仔的年紀比較小，可在店裡是前輩，已經升上「二掌櫃」的職務了，直仔到現在卻還是個學徒，沒能做過半件像樣的工作。不僅這樣，還被派付連小學徒也做得來的人力車的領路傳事，說來實在委屈。

即便我向岩治郎商量，他也擺出直仔在不在都無所謂的態度，一貫如常地回答：

「不想回來的傢伙就別回來啦！店裡總能應付得過來。」

多年後，我試著思索，為什麼丈夫那麼討厭直仔呢？也許他憑著往昔吃苦的經驗所培養出來的獨特直覺，早早便洞悉了直仔大起大落的面相吧。事到如今，已成了得不到答案的謎團。

「是啊，都過了五天了。」

這事我也很掛心，自從直仔返鄉以後，每天都暗暗數算著日子。

「富士仔，不好意思，可以麻煩你陪我走一遭嗎？」

聽到我的徵詢，富士仔嚇了一跳。因為我說，想去一趟土佐。

一天早上，阿米站在金子家依著山腳下搭建的簡陋茅屋一隅。

「直仔，我們來接你了。」

直吉嚇得不知所措。因為他藉口中生病的母親阿民精神奕奕地正準備出門幹農活，那口田每天都得有人照料才行。

「家裡雖然簡陋，請到裡面坐。」

「不了，沒時間慢慢歇喘休息，傍晚就得搭船回去了呢。」陪同的富士松從阿米背後笑著補充，

「昨晚睡在船上，今晚也睡在船上，沒有一晚能睡到榻榻米，這可是急行軍哩！」

在那個年代，若是還沒嫁人倒罷了，無論有什麼事由，身為主婦都不能隨意扔下一家子出遠門去。阿米請大哥仲右衛門幫忙圓謊，誆稱家裡做法事得回娘家一趟，頂多只能離家三天而已。家裡託請阿石照顧的孩子們讓她放心不下，算好了搭船快去快回。之前，有次阿米回娘家，回程時不巧遇上加古川洪水氾濫擱了路，以致於回家遲了，竟使脾氣暴躁的岩治郎怒火沖天，甚至撂下了狠話要離婚。

「沿途的海上風光實在賞心悅目，土佐真是個綠意盎然的地方呀。」

不論旅程的目的為何，看見不一樣的風景和形形色色的人總是令人愉快。尤其位處南方的土佐群山翠意蓊鬱，和阿米看慣的播磨及神戶的山嶺樣貌截然不同。儘管這趟並非遊山玩水的旅程，仍使阿米分外開心。出差做生意時四處奔波的店員們在備極辛苦的工作中，能有青山綠水好風光來抒解身心，這使阿米感到十分欣慰。

「直仔，你看看這個。你知道這是什麼嗎？」

阿米彷彿打從一開始就看穿了直吉的母親沒有生病，因此並未多問阿民太太的病況，逕自揭開了一方小絹帕。裡頭躺了兩只白色的小紙包。

阿米再剝開了其中一只白紙小包，不必多問也知道那是店裡販賣的砂糖。純度不高的霧白色糖粒是這個時代特有的顆粒模樣，不待嗅聞就能分辨出來是砂糖。接著，她打開了另一只小包，裡面是飽含水分似的純白色結晶顆粒，看起來彷彿就要熔化了。

「這是——土佐特產的樟腦哪。」直吉囁囁道。

阿米與富士松相視點了頭。

那是他們在來到這裡的路上，從神戶航行到高知浦戶港下船以後，看到堆在碼頭上的桶子旁邊掉落的樟腦粉末，便向工人索討了一小撮來。

阿米帶著笑意，以指尖從兩個小紙包裡分別沾取了一些，輕搓著讓顆粒灑落下來。

「嗯，就當我隨口說說，你也隨意聽聽吧。這兩種白色的顆粒，都是我們日本人家裡的奢侈品，卻是西洋人一般家庭的常備用品。我只是覺得這兩種東西還真像呀。」

直吉再次端詳著阿米，試著弄懂她的意圖。

「雖說日本已經進入文明開化時期，可除非能像西洋國家那樣，讓每個日本家庭都可以便宜買到這兩種白色的東西，否則哪能稱得上是現代化呢，不是嗎？」

他們此刻正站在清貧的金子家門前，這段話聽來格外具有說服力。這一家人素來只能勉強顧上填飽肚子的主食，別說是樟腦了，就連砂糖也幾乎買不起。

「直仔，既然如此，你覺得是誰可以把這些東西變得價格低廉，讓所有人都買得起呢？」阿米凝目注視著直吉的眼睛，沒有移開。「難道不是我們這些商人嗎？」

目前的鈴木雖然只著眼於砂糖事業，可做生意靠的是手腕。只要腦筋得快，處處是商機。

「假若如你有心一展抱負，讓國家變得富強繁榮，怎可以還蹲在家裡呢！做賣買不光是為了賺錢致富，費盡辛苦更是為了讓國家、讓人民過得幸福安康呀！」

阿米說得沒錯。重點不在於老闆是否答應讓他放手去做，而是他必須主動出擊做出成績來才是。

直吉垂下了頭。

自從他回到土佐以後，每一天都過得頹喪又消沉。突然返鄉的直吉讓阿民太太心生狐疑，多次催他怎麼還不回店裡去？每次直吉總是顧左由而言他，咕噥著說不如在附近開家小店鋪算了。以直吉機靈的經商手腕，或許拿微薄的本錢在故鄉做些小生意來餬口不成問題。可他自問，這樣的小買賣，果真能滿足自己的弘大志向嗎？一想起榮町的繁華景象，不由得激起滿懷澎湃的心潮。

「我竟然忘記了……」

出生在這貧困山村的他，為了幫助家計，曾經拾揀紙屑去換錢，十歲上下便開始工作，輾轉在好幾處商家做過小學徒。自從某家當鋪老闆的傍士久萬吉雇了他以後，他一邊看店，一邊抽空研讀店裡典當的書籍，通曉了許多連大學生也不懂的艱深學問。當東家捲入了法律案件，他自告奮勇為老闆出庭辯護後，更證明了他的機智與聰敏。

其實原本東家也不相信，縱使刻苦自學的直吉再怎麼聰明，這個區區二十歲的小伙子，怎可能和幹練的律師分庭抗禮？可是兩次民事訴訟，居然全讓他勝訴了。這破天荒勝利不僅贏得大家的另眼相看，東家也發現他絕非泛泛之輩，將來必定大有可為。

土佐本就是維新志士輩出的藩國，更是自由民權萌芽之地。土佐男兒們總是抱持著以天下為己任的恢宏眼界，當鋪的老闆也同樣具有真知灼見。他認為不該讓直吉埋沒在土佐這個鄉僻所在，應當前往與洋人頻繁往來的繁華神戶盡情施展長才，期許他為國家貢獻一己之力。當鋪老闆看出直吉身上散發著眾所矚目的光芒，提筆為他寫下了推薦函。

倘若只為了養家活口所做的小生意，上哪裡做都行；可自己當年懷抱著遠大的理想，毅然離開了土佐的山村故鄉來到日本的水都神戶，不就是想要和洋人做貿易，賭上國與國間的利益以賺取空前的鉅額獲利嗎？阿米喚起了他的初衷。

「我……要回去神戶！」

假如他繼續賴在高知不走，恐怕將會改寫鈴木商店此後的歷史吧。阿米的起心動念，扭轉了直吉的人生。沒有阿米，就不會有日後的金子直吉；沒有日後的金子直吉，絕對不會有後來的鈴木王國。阿米親手啟動了鈴木商店的歷史轉盤，就從她沒有放棄金子直吉這個男人的這一刻起。

「直吉，你一定要拚命工作以報答老闆收留的恩情，絕不能忘記啊！」

兒子今日就要出遠門了，卻還是得下田幹活的母親阿民，用她那被太陽晒得黝黑的偌小臉孔低頭致歉，不停地向阿米彎腰央託。

「老闆娘，真的非常對不起。……從今天起，絕對別讓直吉回來土佐，也不必給他休假，直到他成為日本第一的商人那天！」

世上不會有母親情願讓孩子離她遠去。看見阿民太太決然為直吉送行的模樣，阿米感到十分敬佩。

直吉在心裡向母親發誓，自己再也不會迷惘了！直到光耀門楣的那一天，他才會衣錦還鄉。

「太好啦！直仔，真是太好啦！」富士松猛拍著直吉的肩頭，高興地不得了。

直吉下定決心，自己的家就在這裡——在阿米的面前，在朋友的身旁。唯有那裡，才是自己的歸處。

我所做的事情，和女人家縫繕衣物很像。不管補的是衣服還是抹布，總之要整好形狀，交疊縫合得堅固耐用，以盡量發揮每塊布的效用。經過了長久的穿用，直到布料變得透薄甚至裂綻以後，再拿棉線在抽紗裂口處來回縫繕補強，補好了讓它得以繼續使用。我做的僅僅是這樣而已。

縫繕的「繕」這個字的寫法，不是左邊是糸字、右邊是個善字嗎？身為女子的我唯一能做的，就只是在心裡念想著：要把它縫補完善、要把它縫補完善……。

我的念想沒有白費。直仔回來以後，賣力工作的模樣委實令人刮目相看。

雖然不把人當人看的岩治郎，仍舊如同往昔地臭罵他：「你回來做啥！」

可直仔再也不會把這些話往心裡去了。經過了這次事件，他最大的收穫便是發現，每回就算被老闆辱罵是蠢蛋、是白痴，只要之後交出了好成績，老闆也只能摸摸鼻子了。砂糖生意全由岩治郎和富士仔處理，直仔則開始做起樟腦買賣，也逐漸做出了亮眼的銷售佳績。一轉眼，就這麼過了五、六年。

他工作起來總是一股腦兒只管悶頭往前衝，甚至還被大家封了個「煙囪男」的綽號，對經商愈來愈投入。他常在老闆尚未交辦前早一步嗅到商機搶先出手，賺回了高於預期的豐厚利潤，而他最拿手的絕活是在商品便宜時進貨放著，等到漲至最佳價格時再脫手。

相對地，富士仔比較穩紮穩打，絕不下冒險的賭注。即便進貨成本低廉，也基於擱在倉庫徒占空間的單純理由，只要漲到還算不錯的價錢，他就很乾脆地出清。庫存絕不久留是他做生意的特色。

他們兩人宛似一對車輪般同步轉動，勤勉工作，相互砥礪，光憑腿腳走遍了京都、大阪、明石、姬路等關西一帶的零售店跑業務，開發了更多客戶。直仔甚至花了好幾天路程，把業務範圍拉得更遠，拓展到土佐及九州。話說回來，哪怕是經驗豐富的人，總會有營商不順，或者碰上很難達到預定業績的時候，可直仔寧願多跑幾家客戶，也從不在達成預定數額目標之前回來。

我知道大家每天到家時已經累得兩腿既瘦又腫，因此我的另一個任務便是帶著笑容迎接他們歸來。

「阿石，直仔和富士仔已經回來了，快把洗腳盆端出來！」

日子過得真快，這時候已經是直仔來到店裡的第八年了。他們在還沒鋪上瀝青的砂土路上走街串巷了一整天才回到店裡。每個人腫脹的腳上都沾滿了灰塵，腳趾甚至磨出了水泡。我讓他們把腳泡進洗腳盆的熱水裡幫他們洗腳。當時的行旅裝扮還是穿著和服、綁腿與草鞋，他們脫下鞋來在熱水裡舒展疲憊的兩條腿時，感到這一整天的勞累就是為了這一個美妙的瞬間了。

「我今天大老遠地跑到了明石，趕明天要去京都呢。上一回客戶井口先生給我吃了個閉門羹，這次我非要討回公道不可哩！」

大夥兒舒服地泡著腳，自然也聊得很起勁。每天的差旅費是十錢，若是遠赴明石，光是來回就得買上兩雙草鞋，還有便當錢。在如此拮据的費用中，直仔和富士仔還能從中攢下三錢或四錢存起來，不由得令人佩服。

「大家都累了吧？吃了飯以後，先洗個澡再好好睡一覺。」

當然，趁他們去泡完澡時，我早已備妥洗得乾淨又晒得鬆爽的浴衣讓他們換穿了。至於他們脫下來的外出服，我明天同樣會把小腿或手肘處裂綻的口子，盡量仔細綴補得不顯眼。

每兩天燒一次泡澡的熱水，是家裡的女人們吃重的工作之一。雖然榮町裡開著好幾家澡堂，可岩治郎在家裡蓋了浴室，作為他唯一的奢侈享受。

從準備薪柴和提水，直到生火與顧火，這一連串繁複的作業得做到所有人都洗完澡才能結束。

至於洗澡的順序也有嚴格的規定。第一個入浴的是男主人岩治郎，這在每一家都是一樣的，接下來是小孩子，然後是店員，最後一個洗的總是我。這些辛勤工作的年輕男人用過的浴室，總是留下滿地的汙垢，輪到我洗澡時可得順便刷洗乾淨。他們是為了這家店辛苦工作的員工，我雖是老闆娘，但對商店的營收沒有直接貢獻的女人，等到最後再洗也是應該的。

我每天的工作，不是從外面尋覓商機，而是讓大家有乾淨的衣服可穿暖，有熱騰的飯菜可吃飽，使大家每一天都能過得同樣舒適。儘管日子沒有太大的變化，光是和活力充沛的年輕人聊聊天，讓我有了自己和他們同樣認真活著的真切感受。

4

自從嫁進鈴木家，轉眼已過十七年歲月了。丈夫岩治郎榮任神戶商工會議所的議員，成為社會敬重的人士，生意做得一帆風順。鈴木商店在神戶建立起來的信譽已經受到社會各界的大力肯定了。在旁人眼中，即將步入四十歲的阿米是個諸事順心的大商店老闆娘。她依舊秉持著身為店員和孩子的「母親」的初衷，隨時注意與守護著大家的身心健康，每天祈禱眾人出入平安。

直吉這一生最敬服的人就是阿米，幾乎就像自己無法違抗在這世上呱呱墜地的宿命。

當富士松帶著他來到神戶的鈴木商店，第一次穿過店簾的剎那，站在店裡的老闆娘恰巧返身回眸。阿米和這家店是一體兩面，阿米就像是上天為他選擇的母親。

這位老闆娘這般看重他，不惜特地搭船渡海前去土佐接他回來。無論如何，直吉都一定要報答這份恩惠。雖然老闆娘讓他了解到，要為國家、為人民營商的遠大志向，可現在的直吉暫時把最大的目標訂在為主人的「家」努力奮鬥。

因此，他總是在大家都還沒起床的清晨就出門去了，直到其他人早已結束工作的深夜，才回到了空蕩蕩的店裡。

只要他出了遠門，便豎起耳朵隨時蒐集情報，留意哪些是當地的必需品？哪些商品便宜或變貴了？他學習到不能等到老闆下令才去做，而要主動尋找商機，才稱得上是機敏又有才幹的商人。

即便是去洋行請款，他也絕不會收了貨款就走，必定藉機央求對方給點生意做。有許多國內少用的物品，卻是洋人喜歡的東西。由於他死纏爛打賴著不走，洋行的人只好隨口敷衍，要他找來「mint」，便想把他趕出去，他偏又不死心地纏問著「mint是啥？」當他終於弄懂原來是「薄荷」以後，儘管納悶著洋人要這玩意做什麼，仍然到處奔走蒐購回來。洋行沒料到他真找來了薄荷，在驚愕中仍以超乎意料的高價買了下來。

直吉不畏艱辛的努力，終於在營收上開始看到亮眼的成績了。到了此時，就連岩治郎不得不認同他是店裡的重要戰力了。

正當鈴木的店員們像這樣茁壯成長的時候，一樁意想不到的事件撼動了鈴木的根基。

明治二十七年，老闆岩治郎突然撒手人寰了。

鈴木岩治郎，享年五十四歲。他的一生始於動盪的幕府末年，從最底層嘗盡磨難奮鬥向上，終於在明治年間建立起享譽神戶的大商號。

岩治郎的身體向來硬朗，不曾臥病在床，沒人料到他竟會突然病倒，短短不到一天時間便溘然謝世了。他做事向來專斷獨行，就連離開人世也如此瀟灑地揮袖離去。

我先是第一段婚姻黯然分手，這回又與丈夫死別，四十二歲已成了遺孀。

這時長男德治郎是十七歲，么兒岩藏才只有十一歲而已，他們現在還沒辦法繼承這家店。讓兒子們負笈東京飽讀學問，是岩治郎這輩子的夢想。

這個國家對於成年人的法定年齡是指取得選舉權的年齡，亦即能夠繳納超過十五圓稅金、二十五歲以上的帝國男子。只要扳指數算一下就曉得，德治郎還要八年才能成年，八年的歲月，可不是一眨眼就過得了的。

話說回來，就算在兒子成年之前由我暫時接下這家店，想在這神戶日新月異的國際市場裡經營砂糖及樟腦的批發，也決不是一個女人做得來的事業。況且鈴木早已不再是隨處可見的街坊上的零售鋪，已經成為員工數多達二十人的進出口盤商了。

「真是可惜呀，好不容易才把店擴展到這個規模，現在也只能結算清楚後，把店收掉了。」

前來參加告別式的某個親戚，這樣勸我死了心。

「妳還真命苦哪。現在只能善盡母親的職責，把孩子們好好扶養長大，才能讓岩治郎在九泉之下瞑目了。」

大哥仲右衛門也看法相同，他認為自己能做的就是把無依無靠的妹妹和孩子們接到家裡照顧，直到孩子長大成人為止。雖然大哥也有自己的家庭，這麼做必定會增添大嫂諸多麻煩，可這是身為長男的責任。

女人家無法只靠自己一個活下去的，非得要依附著家裡的男人——父親、丈夫或兒子，才不會受到社會的排擠。當女人失去了身為一家之主的丈夫以後，便只能回到娘家依附在大家長底下過日子。

事到如今，我腦中唯一的念頭只剩下無論如何，都要把這兩個失怙的孩子拉拔長大。不幸之幸是，收了店以後結算的錢，還夠支應兒子們讀到高學歷，完成丈夫的遺願。丈夫所留下來的九萬圓資產，足夠寡婦省吃儉用過日子了。

我的人生，到此算是暫時告一段落了。想到這裡，心裡不無悲澀地長嘆了一聲。接下來，只盼眾家親友都能惠予關懷兒子們。除此以外，我心裡不敢有其他的奢望。

我原本是這麼打算的，直到那一天——是的，就是治喪結束，做完第三十五天法事的那一天。阿石前來喚了一聲，「老闆娘，門口有人想來慰唁。」

畢竟岩治郎走得毫無預警，前來弔唁的親友有些是在出差時接獲了噩耗，有些是直到現在才聽到這個消息，所以陸陸續續都有人前來弔祭，我以為這位客人也是這樣的。

可當我出去一看，門口根本沒人。我納悶地往前探走了一步，籠罩在夜幕裡的榮町商家早已熄燈打烊，路上看不見任何人跡。我又轉頭朝巷弄的另一側看去，就在鄰家圍牆旁的陰影處，瞥見了一條身影。

霎時間，那道比圍牆還要高的人影，竟在我的眼前倏然消失了，令我的心臟突地險些停止了跳動。難不成，那是惣七哥嗎？

不會吧……。自從離婚二十年以來，我們相隔神戶和姬路兩地，連現況都未曾聽聞。一個早已斷了訊的人，怎麼會出現在這裡呢？

不過，也不是全無可能。岩治郎的驟逝，想必已是街談巷議的熱門話題，只要惣七哥出門洽商，一定略有耳聞，即便來探望我是否安好，問一聲失去丈夫以後的日子該怎麼辦，也沒什麼好奇怪的。也許令人難以想像，可他就是這樣一個男人。他不在意體面、不故意賭氣、不講求虛榮，從小就一直陪在身邊保護我。或許他原先沒打算要做什麼，只是無法眼睜睜扔下我不管，但在打烊的店門口前等我的時候，忽然發現還是不應該見面吧。

惣七哥。我囁嚅著這個思念的名字。

守寡的我，往後只能在神戶的某個角落，靜悄悄地過著小日子，扳指數算著孩子的一天天成長，偶爾回一趟姬路，回憶著過去的歲月點滴。或許上了歲數以後，還能夠重拾童心，和惣七哥在護城河畔喝著茶、釣著鯽魚，笑看著一旁的孩童們嬉戲……。哎，我想得太天真了。

失去了能夠庇護我的丈夫以後，無助的孤獨使我立刻想起了他。我們倆早沒了緣分。縱使拆散了我們姻緣的公公已不在人世，但我心底很清楚，即便兩人都恢復了自由之身，可覆水早已難再收回了呀。

忽然間，船運商後藤屋老闆那張皺紋滿布的臉陡然出現在我的面前，打斷了我的聯翩浮想。他的店面和鈴木商店之間只隔著一戶鄰居。

「嘿，阿米太太呀，您怎麼啦？我想和大家一起誦經，是不是來得太早了呀？」

我連忙擠出笑容，「哪兒的話，請進。」說完，忍不住嘆了口氣，方才真是胡思亂想呀。

我帶著後藤屋老闆進去裡面。店裡後方掛著學徒們從門口收下來的店簾，染成赤褐色的布招上有個留白的[辰]字。這飽經風吹雨打的店簾處處可見斑駁，布質也變得稀薄，宛如岩治郎的人生寫照，令我一陣悲從中來。

「辛苦您了……」

我低低地感謝他一聲，卻彷彿看到岩治郎滿臉不高興地俯視著連前夫也放心不下的我。

我絕不能讓大家擔心！我絕不能讓惣七哥憂心如焚，趕來這裡探望！即使未來的日子充滿艱辛與苦澀，也必須把這一切全藏在店簾後面，不可以被外人瞧見。這幅店簾似乎如此告誡著我。

當我回到親友們齊聚的客廳時，已經在心中掛起了染有「阿米」的布簾，挺起胸膛，告訴自己一切都沒問題了。

「讓各位久等了。」

正當我環視在座親友，準備向各位致詞的那一刻。

所有人都低著頭，料想我即將宣布收起這家店。我赫然發現人群中唯獨有一個人坐直了身子，眼神堅定地望著我。

那個人是直仔。他簡直像從黑暗的硬殼裡伸長了脖子渴求著希望之光的烏龜，渾然不覺自己的模樣滑稽，凌厲的目光十分堅決。

我看到了那雙躲在厚重鏡片後面的眸光濕潤，淚水幾乎要奪眶而出。那專注眼神彷彿深怕漏聽了我即將要說出的一字一句。

你的眼淚為誰而流？——我從遠處的上座，無言地質問直仔。

向來被岩治郎瞧不起的直仔，總不可能是為了思念故人而淌下了感傷的眼淚吧。

下一秒，我恍然大悟了。

他悲傷的不是岩治郎的死去，而是與他們休戚相息的這家店即將要關門了。

接著，我看到了富士仔的臉。富士仔雖然沒說什麼，可這家店畢竟是他父親一手奠下了基礎後，再交給了別人的分店。店簾上的辰字商標，正是父親用生命投注心血的證明，他應該不忍見到由別人之手卸下這塊店招吧。還有，不能忘記我收藏在庫房裡的那身破爛衣物。還記得那一天，富士仔毅然來到店裡，決心從此要與鈴木商店生死與共。此刻的我更應該深切體會到他的這番赤誠。

一幕幕情景交替浮現在我的腦海裡：小學徒們大清早拿抹布擦拭店面的模樣、二掌櫃搬運貨物的身影、大掌櫃就著小燈記帳到深夜的面龐……。他們別無所求，這家店就是他們人生舞台的全部了。

直仔以眼神責備了我——說什麼必須由你把老百姓還買不起的昂貴砂糖和樟腦降價普及，由商人來貫徹真正的文明開化社會的，不正是老闆娘您嗎？可以現在就收掉生意嗎？卸下店簾真的好嗎？

當初我遠赴土佐，親口說服直仔的話語，此時此刻重重地打在了我自己的心上。

我不能收了這家店！

這股堅定的決心，連自己也感到不可思議。

我窺探著已經化為一座小牌位的丈夫。

不行嗎？——我悄悄地問了他，可當然聽不到他的回答。

我抬起頭環視了店裡，岩治郎的一輩子都奉獻給這家店了。倒不如繼續守著這份家業，即便是慘澹經營，也比關門大吉來得讓他更高興。沒問題的！我們一定會繼續守護你留下來的這家店，這家你一手建立起來的店！

想一想，這正是老天賦予我最大的「補繕任務」。這一塊失去了主人、破了一個大洞的布簾，得由我想辦法像往常一樣縫補起來。女人手裡的針線，就是這個功用。我下定了決心，這就是我人生的正確目標，再也不要讓惣七哥擔憂了。

我重又望向在座的親友們。

「望請各位往後同樣大力襄助鈴木商店！」

眾人聽到我竭誠的懇求，頓時面面相覷。

阿米太太剛剛說了什麼？她說要繼續開店嗎？——這番央託讓他們一時難以置信，不禁向左右尋求確認。

我向阿石使了個眼色，讓她把等在裡面的兩個兒子帶了過來。還是小學生的岩藏，和剛上高等學校、身穿制服的德治郎來到眾人齊聚的面前，未脫稚氣的臉上掩不住緊張的表情。他們的出現，亦再度勾起大家對留下兩個小孩的岩治郎走得太早的不捨與唏噓。

「這些小孩還沒辦法繼承家業，還請各位多加提攜關照。」

我讓他們倆分坐在我的左右，再度向大家欠身行禮。

「對吧？你們兩個就算父親不在了，也同樣要努力精進，成為傑出的店主，對吧？」

客廳裡陷入了一片驚疑的靜寂。要成為店主？要繼續開店直到孩子長大接手？

德治郎知道四座的視線全都集中在自己和弟弟的身上，慌怕得說不出話來；相對地，年紀幼小不知天高地厚的岩藏則迎著我的眼神，語氣堅定地應接答道：

「是的！我要當個了不起的生意人！」

答得真棒！這是我平素對他們的庭訓。不可以只當個追求利益的商人，要永遠抱持著增進人民與社會福利的經商態度。

「說得真好，岩藏。你的志向真偉大！」

鮮少稱讚孩子的我給予的讚美，聽得岩藏滿臉笑容。

「德治郎呢？你也會好好地繼承這家店吧？」

這孩子生長在父母言不可違的時代，何況父親才剛逝世，身為兒子的孝心激發他必須輔佐寡母的骨氣。性情體貼順從的德治郎當然不會當場拒絕，而是以清楚的聲音回答了「是的」。

「各位親友，您們已經聽到孩子們的回答了。儘管力微勢單，我們母子會一起努力，守住這家店。敬請各位不吝指導，栽培年紀尚小繼承人成為出色的店主！」

我並未遵從眾家親友們商討得出的關店提議，而是在這一刻高調地宣布一如往常繼續做生意。放遠望去，直仔方才險些淌下的淚水，此刻閃耀著歡喜的晶光。

我彷彿聽見了他對我說：老闆娘，您這番話說得太棒了！好的，我發誓不惜赴湯蹈火，也必定會扛起這個店號，直到少爺們長大接棒。

不過，我這麼做並非為了直仔，而是為了我自己，為了兒子們的未來。

如今回想起來，赫然發現當初的這個決定，竟不僅只是為了自己、孩子和店員，最後甚至已經與國家社稷的未來密不可分了。

然而這時，有一個人冷靜地看著我。

「我了解妳捨不下這麼大的店，可妳要怎麼經營下去呢？」

大哥仲右衛門低聲問了我。還得等上個幾年，德治郎才能長大繼承家業，實際參與經營，也難怪大哥會擔憂。

「大哥，可這家店既沒有欠款，也有往來二十年的長期客戶，還有先夫親手培植的店員，即便由身為女人的我接掌店務，總不可能維持不下去吧。」

從現在起，我被賦予的最新使命是兢兢業業地守護這塊先夫留下來的褪色店簾，不能讓它破損綻線，直到交到兒子的手中，由他親自染上簇新的色彩。我的冷靜連自己都難以置信。

「大哥，有個請求。可否請您當這兩個孩子的監護人，直到他們長大成年？」

我只是一介女子，再怎麼樣都無法成為一家之主；可即便是未成年的男孩，只要在監護人的看顧之下，就可以守住這個家。

所有的努力與辛苦，僅僅需要熬到德治郎成年的那一天為止。只要撐忍到繼承人德治郎能夠接下第二代岩治郎的名號就行了。

我重新又默默地向岩治郎的偌小牌位行了禮。德治郎和岩藏就交給我了，可憐小小年紀早么的米治郎，就麻煩您了。

親戚們一籌莫展地相視無措，但沒有任何人能義正辭嚴地站出來反對。

直吉由衷欠身趴伏。自己只是一個店員，根本沒資格對商店的未來置喙，沒想到老闆娘簡直像有讀心術般，竟然當眾宣布會繼續經營這家店。

直吉激動得不能自已，仔細聆聽著阿米做出這個嚴肅決定的後續安排。

另一位監護人，則由岩治郎在大阪辰巳屋工作時的同事、亦同樣掛著辰字店招的大阪辰巳屋的藤田接下了這份重任。和岩治郎情同手足的他，不客氣地對阿米說道：

「阿米太太，妳做了個要命的選擇哪。做生意可不是妳想的那麼簡單哩。」

阿米聽到了這段話，更覺得自己只能勇往直前了。

「我曉得，所以才要請藤田兄大力幫忙。」

阿米非常清楚未來的路有多麼艱辛，身子止不住地發抖。沒有了岩治郎，商店該怎麼維持以往的經營呢？當外界知道是由女人當家，會不會有騙子上門訛詐呢？即便發生了嚴重的事件，一個女人家就連出面接受法律制裁的權利都不被社會允許。

店員們在女老闆之下，是否仍願意努力工作呢？即使大哥和藤田兄慨然允諾，擔任兒子的監護人，在經營上當真不會增添他們的麻煩嗎？阿米一下子擔憂這個、一下子又煩惱那個，往後必須親自面對的重重險阻在腦中縱橫交錯，當即體認到在現實生活中，想繼續開店是多麼不容易。阿米愈想下去，怕得起了一身的雞皮疙瘩。

至於那些親戚們，即便還不了解阿米的堅定信念，到最後也只好不置可否地接受了這個決定。

阿米暗自下了決定，別妄想什麼要擴展事業了，若能維持沒有赤字的現狀交到兒子手中繼承，就該謝天謝地了。誰會料想得到，再過不到十年，這個遺孀的商店居然躍升為世界聞名的龐大企業！

這天晚上，阿米把所有的店員召集到店裡的帳房來。

「你們都聽到了，以後這家店照樣掛起店招，和往常一樣做生意。」

自從老闆過世以後，不知道該何去何從的店員們終日惶惶不安，這時總算放下了忐忑的心情。

「你們往後得比以前更加賣力工作才行！外人以後對鈴木的評價會是換了女老闆就不行了，還是就算老闆不在了，光靠店員照樣經營得有聲有色——端看你們怎麼做了！」

向來溫柔的老闆娘不假詞色的嚴厲訓示，店員們無不陡然繃緊神經；但下一剎那，阿米又恢復了往常的語氣鼓勵他們：

「沒問題的。一家店的興衰勝敗，全憑上上下下的幹勁。只要拿出誠意做買賣就行了。」說完，阿米向店員們跪膝齊手請託，「一切就拜託大家了。」

您們等著看吧！——阿米在心裡對著亡夫以及惣七，喃喃說道。

店裡的人一起欠身趴伏回了禮。他們已經習慣了老闆岩治郎狂烈的脾氣，提到老闆，只會聯想到嚴峻苛求，可往後的老闆換成總是像慈母般呵護他們的阿米了。阿米老闆如此懇託，大家當然會更加奮發賣命工作。

這家店將由阿米和自己守護下去！每個人的心裡萌生的團結與使命感，促使鈴木商店邁入了嶄新的時代。

而以女老闆領軍的這個全新體制，揭開的不僅是鈴木商店，更是日本經濟界的歷史新頁。

5

服完七七四十九天的喪期以後，鈴木商店一切如常地開了大門。瞧見小學徒們如同往昔忙進忙出的模樣，市街上的人俱是看傻了眼。街坊間口耳相傳，紛紛讚揚我沒有把店收起來，也沒有回去娘家，真是女中豪傑、忠貞烈女呀！當然，這也可能是因為士族商法[7]徹底失敗以後，一個弱女子為了爭一口氣，矢志要在這連大男人也不易經商成功的神戶裡，闖出一番事業給眾人看看。

不過，我並不如大家所以為的那般氣定神閒。

那還用說嗎，這家店向來都是由先夫一手打理的；甚至可以說，岩治郎就是這家店、這家店就是岩治郎。從桌上的帳簿，堆積的庫存，乃至於掛在店門口、飄揚在陽光下的店簾，全都沁染著他的氣息，依從他的理念運作至今，可現在儘管店鋪的位置依舊，其靈魂人物的岩治郎卻魂魄已杳。在這樣不尋常的狀態下，到底該怎麼扛起先夫遺留下來的重擔呢？我重又深深感受到岩治郎的重要性。

岩治郎過世不久的那段時間，我簡直是拚死拚活地晝夜工作。一天又一天，我刻意待在不惹眼的內帳房裡，瞪大眼睛盯視著該支付的傳票、撥打著算盤，心裡叨念著的是千萬別讓生意規模縮減、

---

7 明治維新以後，多數的武士階級被轉為士族，為了維持生計而從商，卻因不善經營而常以失敗收場。

別讓營收出現虧損、得要發放得出員工應領的薪餉。好在我做事本就嚴謹細心，至少記起帳來還算仔細，不曾有過疏漏。

當時的我，宛如專心致志地縫繕那面破了一個大洞的店招。既然破了，便乾脆俐落地裁掉破處，拿另一塊布來補上。至於還沒裂開，但質地已經變薄了的部位，就以針線重複綴繡丁字縫目加強韌度，以免以後綻出一道口子。

光是守成已讓我應接不暇，遑論想出什麼出奇制勝的經商妙招。既然不可能由我這個女人拋頭露臉去接生意，主要的工作便全都委由富士仔和直仔兩位掌櫃負責。店裡新的運作體制是，富士仔仍舊堅守原先和岩治郎掌理的砂糖部，而直仔則探尋其他的貿易商機。

由女人當家，必須比男人當家時更需花些腦筋。不能干涉過深，可又得讓店員知道，老闆總是在他們身後投以溫情關切的視線。

各地的客戶多多少少仍給些生意做，作為對故人的追思哀悼，這可以說是岩治郎的厚德載福吧。儘管在外國的影響之下，日本的經商方式也逐漸趨向追求最大收益，但當交易雙方皆是日本人的時候，人情義理仍具有相當大的影響力。

然而，等到岩治郎過世的同情漸次淡忘了以後，鈴木才真正開始面臨到生死存亡的嚴峻挑戰，而目標躋身現代國家之列的日本，亦正值關鍵的時刻。明治二十七年，大日本帝國以亞洲盟主的寶座作為賭注，與大清帝國爆發了日清戰爭[8]。

一支又一支軍隊接連搭船前往中國，高昂的鬥志也充斥著整個神戶港。

不論是市井小民與物品運輸，全都在這股戰爭的巨流中奮勇前進。當然，戰爭的結果是由已先擁有現代化武器的日本獲得壓倒性的勝利。彼時軍隊整備仍屬古舊的清國，根本不是日本的對手。當國民獲知在黃海海戰中，日本艦隊正面迎擊清國最主要戰力的北洋水師艦隊並且將之擊沉後，全國陷入一片狂喜的慶賀氛圍。

日本戰勝以後，從此取代了清國，榮登亞細亞的盟主。基於這份使命感，與清國簽下了對日本有絕大利益的講和條約，不僅要求清國讓其屬國朝鮮獨立，最重要的是，清國必須支付鉅額的賠償金。日本沒有濫用這筆賠款，而是拿去推動國內的現代工業，這和生意人的經商策略有異曲同工之妙。之後，在八幡建造的煉鐵廠，以及日後促使鈴木商店開創全新局面的重工業，皆是這時候在日本國這片土壤上播下的種籽。

不僅如此，條約中還要求清國割讓遼東半島和台灣，成為日本的領土。沒錯，正是台灣。這片土地之後也和我們這家店有著不可割捨的深厚緣分。關於台灣的部分，容我稍後再談。

對於領土狹小的日本而言，史上首見的幅員增拓，著實值得額手稱慶。贏得了這場勝利的日本，挾著旭日東升之勢，急起直追歐美先進國家。

對於世界脈動的嗅覺相當敏銳的神戶商家，以及鈴木的店員們，每個人無不卯足了全力工作，尤其直仔更是埋頭苦幹。

員工們都知道，金子的早膳總是以最快的速度站著吃完，沒有人趕得上他。他連吃飯的時間都

8　日本稱為日清戰爭，中國稱為甲午戰爭，國際間通稱第一次中日戰爭。

嫌浪費，寧願拿來多跑些生意。大家對他的衝勁總是投以驚愕又尊敬的眼光。

連三餐都只求果腹的他，更不可能花心思在衣著上了。

「直仔，你能不能別穿得這麼寒傖啊？」

他手臂上的棉質袖套都快要磨破了。早上我來不及叮囑直仔把它翻個面穿，就被他溜出門了，等到傍晚他回來店裡，還是這副德行。大概沒人想得到，這個經常出入怡和洋行（Jardine Matheson）和太古洋行（Butterfield & Swire）等一流洋行、不修邊幅的戴眼鏡男子，居然會是鈴木商店的大掌櫃吧。

「可是我哪有時間去管身上穿什麼呀！」他把我的忠告當成耳邊風。

「直仔，拜託你，出門時換上這套衣服吧。」

當時，店員們外出時穿的仍是印染的和服、腰間繫上博多產的扁硬角帶以及圍裙，一派舊時的商家員工打扮，直仔當然也不例外。可既然是當家掌櫃，這身衣裳未免太寒酸了，所以我委託位於元町、招牌上印著「金」字圓形商標的柴田洋服店，用斜紋嗶嘰布料為他訂做了方便行動的立領衣服。

「謝謝您，我收下了。」直仔一反常態地坦然收下，但那張嘴可不饒人，「如果人類也能全身長毛，根本不必穿衣服，可就方便了。」

「你說什麼呀！像你這種懶得洗澡的人，要是全身長滿了毛髮，裡面不知道會冒出多少蟲呢！」我也不甘示弱地反駁。

店裡的人聽我們這一來一往，也忍不住哈哈大笑了。

「先不說那個了。富士仔好像有事想拜託老闆娘呢。」

見到苗頭不對就立刻採取攻擊，向來是直仔的最佳防禦策略。眼下他同樣腦筋一轉，馬上把話題拋向在一旁大笑的朋友身上以躲避我的反擊。

忽然被迫接招的富士仔，斂住笑意地說他希望再雇用一個男人。

「他和直仔是土佐同鄉，父親是樟腦的山林主。現在來到了神戶，我已經帶他來到附近等著了，可以請您見他一面嗎？」

聽起來，富士仔看中他將會成為直仔的得力助手。

不過，當我第一眼看到他帶來的這個男人時，錯愕得連一句話也說不出口。我到底該怎麼說明當時的狀況才講得清楚呢？

來到我跟前的男子帶著一封土佐議員寫的推薦函，自稱是田川萬作。僅僅是此刻重提他的名字，都讓我的胸口感到一陣酸楚。這個令我難以忘懷的男人，將會對我的人生造成難以預料的絕大影響。

如同阿米不知道該如何形容這個男子才好，出現在阿米面前的田川，確實擾亂了她平穩安寧的生活。

首先，他的穿著就造成了極大的震撼。為直吉訂做的立領衣服已是店裡的大膽嘗試了，田川卻是一身標準的西服裝扮。慣穿舊式和服的鈴木商店裡裡外外，看到他身穿三件式的高級訂製西服，頭戴厚挺的毛氈圓頂帽，無不陡然瞪大了眼睛打量這套新奇的服裝款式。

更令阿米震懾的是，當田川脫下帽子朝她粲然一笑的瞬間，那笑容宛如一支利箭，霎時射中了她的心口。

田川笑的時候，左頰會露出宛如少年般的純真酒窩，那模樣像極了前夫惣七。他約莫比富士松小十歲，算起來大概二十歲左右，其實還很年輕，可由於很早就離家進了社會打滾，外表看來比實際年齡還要成熟。惣七是阿米的青梅竹馬，所以她曉得惣七每一段成長過程中的容貌變化。眼前的田川，竟然和她十七歲時嫁的惣七長得一模一樣，即便把兩張臉重疊起來，恐怕也不會出現分毫誤差。

田川出生在富裕的家庭，讀到高等學校時中輟去了大阪，先從事樟腦生意，之後又嘗試過多種行業卻總是大起大落，就在這時候遇到了富士松，他馬上把田川引見給直吉。直吉也基於土佐同鄉的情誼，以及他有意涉足的樟腦事業恰能借用田川的豐富經驗，兩人可說是一拍即合。

可就連田川的這些來歷，阿米也根本沒能聽進耳裡。

這時的阿米已經四十三歲了。二十幾歲時，她享受過丈夫的疼愛；三十幾歲時，她體會到成為母親的幸福；到了四十幾歲的現在，她已經掌握到做生意的訣竅了。身為女人，她以為自己已經嘗盡了人生的酸甜苦辣，萬萬沒想到，今天竟又重新燃起了十幾歲時深埋在心底的愛火。

「久仰大名，我是田川萬作。……承蒙您撥冗賜見，田川萬作非常榮幸！」

他的語氣透露出由衷的高興，和他見面的人應該不會不舒服。這種很快就能與人混熟的性格，用在做生意上應該能加分不少。就連岩治郎也不會討厭這種爽朗的態度。

出乎意料地，阿米卻別過了臉並且提高了嗓門斥責：

「這算什麼？分明是個日本人，偏要模仿洋人的打扮！」

連阿米也沒有想到自己居然會做出這種反應。頓時，整間店陷入一片寂靜。富士松和直吉根本來不及出言緩頰。

田川本人當下啞口無言，但旋即露出那股充滿魅力的笑容答道：

「真是抱歉。今天是來接受老闆娘的面試，我卻失了分寸。由於平常都和外國人做買賣，這種穿著比較沒有隔閡，談起生意來也比較方便。」

他不卑不亢的回答無懈可擊。可這完美的神態，更令阿米想起了惣七。當惣七去接逃回了娘家的阿米時，即便面對阿米父母的斥罵，他依然毫無懼色，謙恭有禮地接受了岳父母的責備。

阿米當時躲在隔扇後面聽著他的回應。事後，她不曉得懊悔過多少次，為何那時候自己沒有從隔壁房間衝出去跟著惣七回家。縱使像這樣在神戶過著幸福的日子，她依然心懷歉疚。

但是，這一切早已過去了。從那時到現在匆匆二十載，自己不是已經和他在不同的地方，各自過著不同的人生了嗎？

眼前的男人根本沒有任何過錯。阿米彷彿懺悔般細聲說道：

「如果要在這裡工作，你得換套衣服才成。」

說完，阿米轉身離開。直吉和富士松交換了眼神，一齊鬆了口氣。至少，阿米暫時同意錄用了。

說起來，他和那個人到底長得像，還是不像呢？

我和前夫分手快二十年了。如果真把他們兩人湊到一塊來比較，不曉得是否果真長得一樣。總之，他們兩人有幾項共通點，總會令我很快地聯想到另一個人。

想必大家瞧見我的反應，都以為我討厭田川吧。因為他每次走到我附近時，我總是氣呼呼地站起來走人。

是啊，都四十歲的女人了還這樣使性子，未免丟人現眼。都活到這把歲數了，怎麼還會只因為長相神似，心頭小鹿便撞個不休呢？

對於我的感受最敏感的，恐怕是直仔吧。畢竟他拚了命地想擴展生意版圖，也是希望能得到我的認同與讚許，因此無時無刻總是窺察著我的反應。

直仔之所以會帶著田川投身樟腦事業衝鋒陷陣，大抵也是基於那個原因吧。他一定想盡了辦法，盼望能扭轉我對田川的厭惡，讓他得到認同。

砂糖價格的波動幅度很小，但樟腦可就不同了，漲價時價錢陡然飆升，做起生意來格外刺激，大撈一筆時的成就感更是極度滿足。相對地，跌價時當然亦是暴跌到谷底。性格踏實的岩治郎便是討厭那種賭博似的買賣性質，所以才一路堅持只做砂糖生意。

樟腦，在現代人的眼中只是過時的產品，但在每一個時代中，總有某些商品只在某段時期具有價值與其必要性。打個比方，在大量製造汽車時，所需要的必備原料除了鐵以外，還有橡膠，雖然容易被忽略，卻不能沒有它來製造輪胎。在我們那個時代，衣服和樟腦就有著如此密不可分的關係。

那時候的衣服所費不貲，被當成珍貴的財產，可不是能輕易購買或隨便丟棄的東西，大家都對擁有的衣物格外珍惜，在收納上也非常細心。當時的衣料全是一些棉、麻、絹等天然纖維，在保存上更需要特別費心。因此樟腦在那樣的時代裡，成為不可或缺的重要物資。

再加上，樟腦是那時候才剛發明不久的賽璐珞的原料之一，因此歐美先進各國無不大量蒐購。

賽璐珞——直到被塑膠取代之前，有很長一段時間是最適合用來製造眼鏡框、玩具等形狀複雜物品的工業技術產物。

「這次又進了這麼多貨啊？」

我還記得那個時候，每當看到搬進店裡的馬口鐵罐，總是忍不住說上一句。

國內的樟腦產地分布在四國和九州一代，所以主要的出貨港位於高知、長崎、鹿兒島、延岡、大分等地，再從那些港口載到神戶港集貨。來自這些地區的船隻繁忙地駛進神戶港，每天都在碼頭上卸下數量龐大的貨物。每一艘貨船抵達國際碼頭時，總會卸下三十到四十個大木桶吧。

這些樟腦全在神戶匯集起來，大量賣到國外去。說起貿易的總量，可是國內消費量所遠遠比不上的。不論是美國或歐洲的樟腦供貨量都極少，因此物美價廉的日本製樟腦，成了彼時最具代表性的出口商品。畢竟當時從外國進口了各式各樣的舶來品，可日本卻沒有較具經濟價值的商品輸出，更何況日本方面沒有徵收關稅的權利，使得貿易赤字更形惡化。樟腦於是成了當時最有希望用來縮減貿易逆差的出口產品。

基於特殊的地位，樟腦有其獨特的用語，比方製造樟腦的人稱為「製腦人」、整個樟腦業界稱為「腦界」等等，僅僅用一個「腦」字，便足以代表「樟腦」了。

「所以說呢，樟腦可是賣呀賣呀賣翻天啦！……可問題呢，就出在進口貨物上。」

為了國內的發展，日本亟需從西洋大量進口的機械等各種式器具。無奈洋人藉機掐住我們的這個弱點，把那些舶來品課徵了極不合理的天價關稅並且哄抬價格。

「可對方想大量傾銷的印度棉花，幾乎不課關稅。要是讓他們以那麼便宜的價格賣進來，國產的棉花可就吃不消啦。所以我們國家對於進口的東西，必須盡快能夠自己制訂關稅，否則根本沒辦法和歐美對抗呀！」

事實上，洋人在印度和中國都以先進文明的優勢，簽訂了不平等條約以確保其領先地位。

「說到底呀，不管是賣給他們還是向他們買，都得求爺爺告奶奶地鞠躬哈腰，歐美人簡直像是君王，而我們只是他的臣子似的。不過呢，風水輪流轉，總有一天要給他們好看！我們日本人可不像他們之前交手的國家那般好欺負哩！」

田川的話裡並不是只有抱怨或批判，還畫出了希望的夢想。現下他已經完全熟悉了店裡的生活，不僅敢向直仔和富士仔這些大前輩直抒胸臆，也能夠以淺白的方式解釋給學徒們聽懂。儘管年紀還輕，可他面對外國商人時的強勢作風，連我也感受到那股熱力。

他站在國家最前線從事貿易的角度，基於不平等地位的憤慨而暢言大論天下事，從國際市場的世界視角予以剖悉本國的隱憂。

「我們這些神戶的生意人，可是站在第一線和外國人接觸的日本人耶。我們必須代表國家讓洋人徹底明白，千萬別小看我們日本人！」

他宛如血氣方盛的志士直言不諱，聽者也感到痛快豪氣。不曉得這是因為流動在他的血液裡先天下之憂的土佐志節，還是他的本性就是如此純潔真誠。

「我當然認為幫店裡賺錢比什麼都重要，可是……，可是每一個神戶的商人在和外國人做生意時，都一定要將獲勝當作是自己的使命才行呀。」

我只是碰巧停下腳步聽了一段他的高談闊論，可他或許以為我聽了不高興會罵人，趕忙搔著頭又補上了一段辯解。當田川第一次拜會我以後，大家都在私底下說我很不喜歡他，他很擔心萬一這下子我更嫌惡他，急得不知該怎麼辦才好。那模樣著實惹人疼愛極了。

我對自己當時耍孩子脾氣的態度，也一直擱在心上。直仔陸續帶進來了不少新店員，有的當過教師，有的也曾在洋行做過事，可我偏只對田川的一舉一動格外留意，也許是這個原因吧。

那一天也因為這樣，我才會湊巧聽到了直仔和他的對話。

「田川，你聽說了嗎？依照現在的漲勢，應該會漲到每斤三十幾圓哩！」

「嗯，您是說賣價吧。」

「現在店裡還有多少庫存？」

「讓我算一算……，大概抓個五百左右吧。」

「有辦法再多進些貨嗎？去找全國的掮客收購，管他一千還是兩千，全都買了啦！」

「這數量還真大呀。……我想，若是把平常下單的數量加倍，也不是買不到吧。」

「好，剩下的就是等著賣了。漲到四十圓時，再一口氣全賣掉！」

直仔說得眉飛色舞，開心得朝我笑著說道：

「老闆娘，看來咱們這回可遇上天大的好機會囉。好極了，這回可是勝券在握啦！」

直仔說，樟腦的價格正以前所未見的速度開始騰飛。聽說是因為台灣被割讓給日本統治後政情不太安定，港口遭到封鎖，根本無法載運貨物。這麼一來，台灣特產的樟腦想必暫時無法出口。直仔是在第一時間從熟稔的英文報紙記者那裡獲知了這項情報。

「假如台灣不能出口樟腦，那麼大家一定會轉而購買日本的樟腦吧，價格一定會飆漲的。」

直仔不動聲色地前往所有的洋行兜售，接下了比往常更大額的訂單。他看準每斤可賺二十圓，盤算著賣得愈多，就能賺得愈多。

「你現在已經買到多少貨了？」

「目前有兩百左右吧，我一定會想盡辦法籌到的。」

田川彷彿被直仔奮昂的拚勁嚇到了，趕緊把點算完的樟腦數量拿給直仔看。

「我現在就去大分和鹿兒島再多籌措一些。別擔心，很快就可以備齊了。」

他的報告讓直仔不禁皺起眉頭。

「都已經到了緊要關頭，現在才要出門補貨啊？真拿你沒辦法。……好吧，先把買到的運過去吧。」

「遵命。我一定會買齊下單的數量送過去的！」

看到田川的十足信心，直仔滿意地笑瞇了眼睛。

「很好。你去完那裡後，緊接著也繞到和歌山與高知，把所有能買到的貨全都買來，我就留在這邊使出吃奶的力氣拚命賣！」

那些違法的掮客沒辦法和外國商人直接交易，所以他們向來只能來鈴木上門推銷，唯獨這次雙方的立場逆轉了。

「乾脆趁這個機會把那些臭掮客一腳踢開，殺去產地直接向製腦人進貨吧！」

在樟腦的業界裡，製造者勢單力薄，我們這些銷售者則是財大氣粗。人微言輕的製腦人透過掮客出貨到神戶時，必須被抽佣五分到一成，有時還要扣掉高利貸的昂貴利錢。在這整套計費公式中，製腦人尤其可憐的要算是被扣除所謂的水損費了。由於樟腦含有水分，在儲存或運送過程中會減耗水的重量，因此會被扣除儲運損耗，而最後的賣價也僅能任由掮客開價給錢。

「這次就不扣他們的水損費吧。我們這次不惜多花成本，也非得要把貨品湊齊來！」

到了這時候，直仔已經變身為無人可比的大膽賭客了。他不停地在訂單上填入驚人的數字，只在形式上向我報備一聲：

「只要供貨減少，樟腦一定會漲價。我想趁現在先找到買家大量接單，可以嗎？」

雖然他的口吻像在徵求我的同意，實質上是根本不待我回答早就做出決定的報備了。不過，只管帳簿的我，確實沒有能力插手實際的買賣。

「可是，要賣給人家的樟腦都備妥了嗎？」

往常總是在店門堆得像小山一般高的樟腦貨袋，此時根本沒個影子，換作是誰都會納悶不解吧？可直仔一派從容地說道：

「沒問題的，很快就會到貨的。話說回來，就算貨來了也不會堆在這裡，咱們只是過路財神哪。就算堆在這裡，也不會多生出幾個錢子兒哩！」

說完，直仔豪氣地大笑。這下我可不能當作沒聽到了。

「那不是叫作『買期貨』嗎？」

假如岩治郎還在世，絕不允許店裡的人去碰這個。

「是沒錯啦……」心裡打著如意算盤，已經被這筆賺頭灌大了膽子的直仔臉上，閃過了一絲怕被我阻止的怯畏笑意，旋即正色說道：

「現在如果不做，就會錯過了最佳時機。這次假如沒有迅雷般的動作，可就賺不到錢了。」

他語聲鏗鏘地保證。我又接著問了他：

「接下那麼多訂單，真的可以籌得到那些貨嗎？」

含笑聽完的直仔，臉上的笑意更是游刃有餘地回答道：

「您不必擔心，一切都交給我們就好。我們可是這一行的老手哩。」

他話盡於此，完全沒有實際買賣經驗的我，再也沒話可說了。

直仔這次在接下訂單時，手上並沒有現貨，也就是所謂的「賣空」。這是鈴木商店，也是直仔本身第一次以這種方式做生意。直仔心裡的算計是，樟腦的買進賣出一向毫無困難，所以不管要從信得過的客戶那裡調來多少貨，想必易如反掌，才會做出這個決定。現在也只能全都交給直仔安排了。

「您等著看吧。這一局，就靠樟腦幫我們賺進白花花的銀子囉！」

一股強風忽地從店門口吹了進來，把我頭上的店簾吹得掀捲起來。不知道為什麼，我的胸口有股不安在隱隱擾動著。

這是明治二十八年，當全國還陶醉在日本贏得了第一次對外戰爭的勝利餘韻之中，鈴木商店卻即將面臨一場風暴的前夕。

6

「金子先生，樟腦每斤已經漲到三十三圓了。」

「這樣啊，那麼應該還會繼續上漲吧？非常好。貨買得如何啦？」

「由於訂單數量太大，到現在還沒有全部蒐購到。」

「你說啥？……那目前我們手頭上到底已經調到多少現貨了？」

「報告金子先生，……差不多是三百斤。」

「你說什麼蠢話啊！我都已經賣掉三千斤啦！」

「是的，我知道……」

直仔的預測是正確的。歐洲對於賽璐珞的需求日漸增加，原料之一的樟腦即使價錢稍漲，還是有許多買家搶著買，怎能錯過這個大好機會呢。

可惜的是，直吉失算的關鍵在於，他還沒真正見識過這世上一山還有一山高。

清國和日本同屬樟腦的生產大國，尤以台灣為主要產地，但是，清國的市場已經全部把持在歐洲的外國商人們手中了。清國政府也企圖藉由施行專賣制度等方式與之力抗，卻成為與外國交涉多次紛爭的原因，到最後，終於屈服於外國的強大武力之下，締結了樟腦條約。換言之，樟腦雖是清國的產業，實際上全盤交易只能任憑外國人宰割。

現在，樟腦的價格即在他們的操控之下，遠遠超出了直吉的預測，漲勢一發不可收拾。

倘使我們手上握有現貨也就罷了，可直吉誤判情勢，以為很快就能調到貨，毫無限度地拚命接下了訂單，數量總計高達三千斤，著實令人咋舌。直到這時候，直吉這才對於漲個不停的樟腦市場，開始覺得有些不妙了。

根據他的盤算，若是依照往常以每公斤二十幾圓買進，四十幾圓賣出，就能賺上一倍。但怎麼也沒料到，不過一轉眼時間，價格已經從五十圓漲到六十圓了。

當然，即便是這樣的高價，直吉還是得咬牙進貨。就算以六十圓買入，也只能依照合約以四十圓賣出，因此賣得愈多，鈴木的損失就愈大。

這中間到底發生了什麼變化？驚愕的直吉前往拜訪美國的新聞社。記者低頭看著矮小的直吉，透過二掌櫃的翻譯嘆著氣嘀咕：

「（他不知道嗎？倫敦那邊正在大量蒐購呀。）」

日清戰爭才剛結束，台灣內部的局勢尚未明朗，暫時封鎖港口是無可避免的措施。如此一來，歐美各國就無法從台灣進口樟腦，只得轉向供貨量居次的日本採購。英國的期貨炒作高手諾斯已經預測到未來的樟腦供需情勢，很早就布局全世界並大量蒐購囤積，動用驚人的財力一口氣買進十萬斤了。只垂涎眼前小利的直吉，根本不是這個世界級賭徒的對手。

「我很同情你。不過，不是金子先生的錯。對手太強了。」

美國記者以簡單的日語表達遺憾之意，給了直吉很大的安慰。直吉總算見識到，這些比日本早三百年進軍世界貿易，並以印度為亞洲據點，征服全亞洲的歐美國家所擁有的強大實力了。

但是，阿米對這些經緯一無所悉。她只是碰巧目睹了性格溫厚的直吉白天對田川的嚴厲斥責。

而現在從裡屋往外看去，只見單獨留在帳房裡的直吉雙手抱胸端坐良久，一動不動。阿米察覺到一定發生了嚴重的事態。

夜深時分，店裡的其他人早都去休息了。直吉時而撥打著算盤，時而唉聲嘆氣。阿米終於忍不住，從背後出聲說道：

「直仔，如果數字不多，我可以掏錢補上。」

阿米認為，一定是因為帳簿和現金兜不攏，直吉才會這麼煩惱。以為店裡只剩下自己一個的直吉，被阿米的聲音嚇得跳了起來。

阿米問的不是「怎麼了？」，也不是「還好嗎？」，而是直接告訴他如果虧損的數額不大，她可以幫忙補足，讓直吉大吃一驚。阿米只要觀察店裡每個人的舉手投足，就能了解到他們發生什麼事、心裡在想什麼。

可直吉卻讓對他恩重如山的阿米與鈴木商店，陷入了繼絕存亡的危機之中。他好似聽到岩治郎的怒罵聲從某處傳來：我早跟你講過不能這樣做啦！

「瞧你苦著一張臉，真不像你平常的作風。到底是多少錢呀？把錢補上了不就沒事了嘛。」

幸虧除了店裡的資金以外，阿米還有一筆可以自由動用的錢，也就是丈夫的遺產。為了孩子的將來著想，她孜孜矻矻地打理著母子三人的生活費。只要夠生活，暫時用不到的錢，可以儘管挪用給店裡。好比在店簾布料虛薄的部位縫上加強的布塊，以抵擋吹襲店招的強風。

直吉明白再也瞞不下去了。

「對不起。……我已經……無計可施了！」

直吉雙手平伏，向阿米磕頭謝罪。

此時若換做是面對岩治郎，恐怕不會輕易饒過他，不曉得會遭到哪些難聽話破口大罵，而且不是用算盤扔擲，就是把他踢飛出去。都怪自己不夠老練，才會招致如此慘重的失敗。就算被打，也是咎由自取。

今天稍早，從九州空手而返的田川被直吉罵了頓狗血淋頭，甚至責怪他：「都是你拍胸脯保證能調到貨，我才會拚命接訂單呀！」可是，這不是田川的錯。所有的原因都出在自己身上，是自己在一開始發下豪語要靠樟腦大撈一筆的。

事到如今，光憑一己之力，已經無力可回天了。

當我聽完他的敘述時，頓時啞然以對。我心裡曉得，趴伏在榻榻米上的直吉正等著我的指示，得向他說幾句話才行。

「這樣啊……。這也是沒辦法的事哪。」

身為店主，絕不能露出張惶的神態。可是，我該說些什麼才好呢？

事實上，高達六萬圓的虧損，根本不是我的私房錢能夠負擔的金額。

「我們在這裡愁眉苦臉的也不是辦法。……走吧！」

直仔茫然地看著我。這時候的他，腦中已經一片空白，就連「要去哪裡」也沒想到要問了。

我不能只責怪直仔一個。若是我也懂樟腦生意，當初就能阻止他了。話說回來，現在的我也沒辦法故做輕鬆地告訴他「沒問題的」。

我們在穿上染有店徽的短外褂時，兩個人都不發一語。我心裡完全失了方寸。唯一明白的是，方才聽到的金額，是足以撼動鈴木商店根基的天文數字。

不，不光是錢的問題。商人一旦答應了對方，不管發生任何情況，都非得交貨不可。假如可以用錢擺平，虧損的部分以後再想辦法賺回來就行了；但調不到的貨物，可沒辦法用魔術變出來。

丈夫胼手胝足撐起的這家店，再一次面臨是要關門大吉，抑或繼續經營的關鍵時刻了。要把店簾剪碎，還是該縫綴補強？我應當拿起的是剪刀還是針線？我必須做出二選一的抉擇。

我交代阿石幫孩子們張羅吃的，便和直吉出門去了。這時能商量的人，也只有長兄如父的大哥了。大哥先是在神戶事業有成，後來將據點轉移到關西財界的樞紐——大阪的北濱從事土地與股票的投資，累積了龐大的財富。大哥曾勸我把店收了，可我們主僕偏不聽勸，結果落得了如此下場。

此行等於去向大哥豎起白旗。從神戶搭上了火車，我們兩人在二等車廂裡始終沒交談過半句話。當初是否應該聽從大哥的規勸，將店收起來才對呢？這股軟弱的念頭掠過我的心頭。

丈夫的面孔在我的腦海裡時現時隱。他在世時，成天總是滿臉不高興，性格古怪又難以討好。我和直仔，現在到底該怎麼做才會讓他滿意呢？

「怎麼啦？是什麼風把你們兩個一起吹來的呀？」

儘管大哥察覺突然造訪的主僕兩人神色有異，可在聽完來龍去脈以後，還是掩不住大驚失色。

「怎麼會這樣？……那麼，現在樟腦的價格到多少了？」

「或許已經漲到六十五圓了。」

直仔答道。消沉的語氣更顯得事態已經到了無可挽回的地步了。設若要依照他接下的訂單把樟腦如數交貨給各公司的話，損失金額或許會高達七萬圓。不過，這還是在假設能夠以每斤六十五圓調到現貨的前提之下，所做的估算而已。

「直吉，還調得到現貨嗎？」

大哥問了直吉，但直吉只無奈地搖搖頭。因為田川到現在還沒回來，不知道他到底跑去哪裡買貨了。

「怎麼會這樣……」

倘使手上有現貨，頂多只是賠上這整家店罷了；若是沒有貨物，就成了無法履約的詐欺騙徒。不論是哪一種，總之鈴木商店已經沒有明天了。到了這個地步，我腦袋裡浮現的只有「倒閉」這兩個字。難道我唯一的一條路，就剩下投降認輸，倒店逃跑嗎？這麼做，不僅會招來世人的抨擊，也無法在神戶再起爐灶。難道沒有別的方法了嗎？

「大哥，可以請藤田兄一起來商討嗎？」

若是以如此不名譽的手段搞垮這家店，岩治郎地下有知，絕不會瞑目的。倒不如也請情同至親的藤田兄也來聽取事情的始末，否則等我將來去見岩治郎時，連該怎麼向他解釋都不曉得。

「這是怎麼回事啊？現今赫赫有名的鈴木，店裡的頭面人物全都來啦？」

藤田兄滿心以為是要找他這個監護人商量德治郎的升學問題，一派輕鬆地來到這裡。當他聽到竟是商店迫在眉睫的緊急危機，連半句話也說不出來了。

「直吉，我們也要一併討論你的懲處，你先去外面晃晃，到傍晚再回來。」

大哥臉色鐵青地命令直吉離席。

「遵命。……一切有勞各位了。」

直仔以氣若游絲的聲音告退以後，走出了房間。

事後我才聽說，在那段時間裡，他縱使明知是無謂的掙扎，仍試圖多買一點樟腦。當時他根本沒有考慮自己的去留，滿腦子祈求的都是讓商店逢凶化吉、讓商店度過這個難關。他抱著最後一搏的決心，走進位於安治川橋旁的藤澤商店，刻意輕描淡寫地問了店裡還有樟腦嗎？

「樟腦？有啊！」

聽到店主回答，他的心臟險些跳了出來。豈料，店主又繼續接著說：

「我是很想說有啦，不巧剛剛才賣完哩。」

「你賣了多少錢？」

直仔連忙催問，店主心情大悅地回答七十五圓。就在我們還在抱頭商討的期間，樟腦的行情依然持續飆升，勢如破竹。

直吉還不死心，又繞去肥後橋下的福永商店，得到的是相同的答案。更令他錯愕的是，這裡是用八十圓的價格出清了存貨。這簡直是一場噩夢。

同一時刻，在房間裡的我們個個眉頭深鎖，長嗟短嘆。研商內容的只有一項，那就是該如何在不增添他人麻煩的情況下結束這一切。如若鈴木就這樣垮了，不只大哥丟臉，連藤田兄也沒面子。這兩位同樣以信譽作為座右銘的篤實商人沒有多說半句廢話，嚴肅地商討著後續的處理。

「怎樣？妳還想繼續經營下去嗎？趁這個機會乾脆收了吧。」

大哥說完，藤田兄也緊接著對我說道：

「阿米太太，就算要繼續開店，也得好好處置惹出這麼大風波的直吉吧。」

他們兩人建議我把店清算以後收掉，將那些錢拿去賠給客戶，帶著剩下來的錢，離開鬧區避居鄉間的布引一帶，靜靜地過著小日子。有那麼一瞬間，我恍惚地覺得這個主意聽起來也不錯。我彷彿看到，只要放棄掙扎，拿起剪刀把快要裂開的簾布一刀剪斷，所有的問題全都迎刃而解了。

不過，讓我下定決心的是大哥的這段話。

「妳能夠撐到現在已經很了不起了。岩治郎憑自己闖出的這番事業，能夠做到這樣已該心滿意足了。就算這家店由妳這個弱女子親手卸下店招，不但沒有人會怪妳，也不算是蒙羞。」

我非常了解大哥是出於善意的安慰。可大哥的這番勸詞，無疑是暗喻著他沒把女子當人看，所以即使沒能貫徹原先的決定也不必慚愧，就算踐踏誠信和道義亦不算羞恥。

真是這樣嗎？

不對。我下意識地用力搖了頭。

女人可能無知，也或許無能。若是沒有父親、丈夫或兄長擔任監護人，就不被社會所容許，這也是事實。可正因為如此，正因為是從呱呱墜地的那一刻起，便注定身分地位都比男人矮上一截的女人，才必須加倍努力，竭力展現出不輸男人的誠心誠意，這樣才對呀！即使是女人，既然身而為人，就必須遵守信義才行，就必須依循禮儀才行，不是嗎？

在面對店簾的時候，哪裡還分是男是女呢。只要身為商人，不管遇到任何磨難，都必須把它深藏在店簾的背後，一旦把店簾掛到門上，都得展現出不愧青天的清白至誠。這才是商人的信用、商人的精神。

一股難以言喻的激情，猛烈地翻攪著我的胸口。我好不容易才壓抑下來，雙手平伏在眼前的榻榻米上。

「大哥，對不起，我想要繼續經營下去。」

我只言盡於此。

我為鈴木商店選擇的不是剪刀，而是針線。就算賭上這口氣，我也一定要拿從沒用過的堅韌粗線，把快要裂開的這塊店簾縫補起來。這塊不惜違抗所有人的勸阻也要守護的店簾，我將不惜任何手段與代價，繼續守護下去才成。

我伏地觸額央求，忽聞頭上傳來了兩人的嘆息聲。

先開口的是最了解我的大哥。他深知我的性子，在這樣緊要的時刻，一旦說出口就絕不會退讓。

「也沒辦法了。」

「仲右衛門兄，這樣真的好嗎？這筆虧損可是高達八萬圓啊？」藤田兄驚訝地問大哥。

大哥依然雙臂抱胸，閉著眼睛不發一語。

「嘖！」我聽到藤田兄嘀咕了一聲，鐵寒著臉說道：

「真是的，岩治郎兄怎麼會娶到一個跟他的臭脾氣一模一樣的媳婦兒啊！」

帶著嘆息聲的這句話，深深地敲進我的心坎裡。難道，當我努力守著岩治郎留下來的這塊布簾時，我自身也在不知不覺中，化為店簾的襯裡、成了布上的縫目嗎？

就在這時候，隔扇外傳來了直仔回來的聲音。我們渾然不覺時間的流逝，可窗外已是暮色漸濃了。

「是直吉嗎？進來。」

從大哥菸管裡噴出來的煙氣，披籠在垂頭喪氣、沒精打彩的直仔身上。

「唉聲嘆氣也沒用。要在神戶繼續做生意的話，至少得善盡人情義理……。樟腦這行你是專家，你要盡量把虧損減到最低程度，知道嗎？」

我們最後得出的結論是，把手上的樟腦全部分送給客戶，不足的部分以現金補上。為了消弭客戶對鈴木的忿怒，並且儘量保住鈴木的信譽所需的鉅額資金，大哥和藤田兄也幫忙奔走籌措。

九萬圓，不，十萬圓？這便是買回多年信用的金額。

就連我們是否還得起這麼一大筆錢，也只能全部央託大哥代為處理了。

不過，趴伏在榻榻米上的直吉，想必在內心吶喊著得救了吧。哎，我這話並不誇大。倘若我們做出的結論是把剪斷店招、收掉這家店的話，也就意味著他的商人生涯就此結束了。

「萬分感謝！萬分感謝！直吉我一定會拚命工作，把這些錢還給您們！」

真是千鈞一髮。要是一個沒留神，我就會失去了這條年輕的生命。聽說，當直仔發現全大阪的樟腦都已賣光的剎那，就連平素絕不輕言放棄的他，也認定此命休矣，開始考慮起該上哪裡自盡。

可是，畢竟有些客戶不會接受僅以金錢全額賠償，而連一撮樟腦都沒有奉上吧。因此，即便數量微薄，還是應該送上一些手邊的現貨。但現在把店裡的樟腦全都加總起來，也僅僅只到訂單總量的五分之一而已。

縱使如此，就算踏遍日本，再也買不到樟腦了。每當想起那位看不見的期貨炒作高手諾斯巨大的黑影，不禁淌出一身虛汗。無論如何，至少店是留下來了。直仔下定決心，往後得在店簾裡面盡量縮衣節食，不惜任何手段也要存活下來，總有一天要東山再起。

「可以幫我把田川叫來嗎？」

或許是阿米心頭那股不祥的預感，才會吩咐阿石找來田川。那一天，他直到深夜才回來。時辰已晚，直吉也不在，阿米自忖看到田川的臉免不了要罵他一頓，因此原本打算一切留待明天再說，可眼下又改變了主意，覺得還是應該趁著今晚先跟他說上幾句。想必他一定極度自責給直吉造成天大的困擾。

今天稍早，店裡收到由奧圖萊瑪斯商社（Otto Rimarse）透過律師發函，信中以嚴厲的口吻催逼鈴木商店必須立刻履約送貨，於是整樁事情爆發出來，鬧得店裡上下全都知道了，只怕大家會對田川嚴加追問吧。

房間裡沒找到田川。他和直吉的想法一樣，仍拚命在所有可能買得到樟腦現貨的地方逐一尋訪，即便能夠多買到一小塊也好。

阿米交代其他二掌櫃，看到他時吩咐他來一下，便進了裡屋。等到孩子都睡了，整理好家務以後，最後一個留在店裡的掌櫃也做完工作了。必須早起的學徒們來向阿米道晚安，回到閣樓上休息。商店已經收了市，接下來沒有什麼急事需要阿米處理了。她把縫衣籃拉了過來，打算一邊縫補，一邊等候田川回來。

這家店都到了最後的關頭，阿米做的竟不是查核帳目，而是縫抹布。她不僅苦笑起來，譏嘲自己的無能為力。可即便現在翻查帳本，謄寫在那上面的金額也無法扭轉情勢了。

我把一切都交給你了。——阿米回想起自己對直吉交代完以後，用手撥開門簾走進裡屋的剎那。那幅門簾好比是隔開商店和裡屋的結界。這家店是她的，她卻把一切都託付給這個矮小的男子，自己退居到裡屋去了。若以戰國亂世做比方，就像全軍的將領把一切交託給陣前的士兵們，自己則坐鎮後方運籌帷幕。然而，她此時應該待的地方只有裡屋，也唯有家中的這地方了。

不論社會大眾會怎麼看待鈴木，也不管最終的結果是什麼，她已經準備好剪刀，隨時都可以剪斷店簾了。

很神奇地，隨著手中縫紉的細小縫目，腦中紛亂的思緒也漸漸平復下來。

店裡和裡屋中悄無人聲，只聽見掛鐘的滴答聲響，和手中不停前進的縫針，譜成了奇妙的和諧節奏，週而復始。

油燈裡的火焰微微晃動著。原本稀疏布紋上的空白處逐漸被補強的縫目填滿，讓阿米聯想這家店同樣搖搖欲墜的未來，或許再也沒有任何方法予以補強了。

「您找我嗎？」

突如其來的聲音，使得吃了一驚的阿米被針刺到了手指。

「好痛！」

指尖頓時冒出了血珠，令原本神思漫遊的阿米倏然回過神來。她連忙把手指抿在嘴上止血。

「……怎麼那麼晚才回來啊？」

阿米掩飾著自己的心焦，將視線從指尖移向了田川時，終於察覺到他的異狀。

他臉色發白、全身顫抖，在空中飄忽的目光躲避著阿米的注視，完全不是平時總讓阿米回憶起惣七的那個男人。

阿米更仔細地打量了他，赫然發現他的懷裡有個形狀奇特的物件，隱隱露出的細筒狀前端裹著黃色的棉布。

「你……你想做什麼！」

話聲未落，阿米已經伸手抓向他的胸口。田川身形一晃躲了開去，阿米撲了個空，跌趴到榻榻米上。可她沒有就此罷休，當即爬起身來，衝上前去和田川糾纏搶奪，終於趁著他倒向榻榻米的當兒壓住他肩頭，而藏在他懷裡沉甸甸的物件也依勢滑落下來了。那是一支有著原木柄的簇新匕首。

大驚失色的阿米伸手攫住那柄刀，田川亦驚惶失措地豁勁抓住阿米的手想要搶回來，但因為太過用力，竟失手將阿米撲倒下去。衣裙凌亂的阿米根本來不及發出驚呼，便已仰倒在榻榻米上了。她抬眼往正上方的田川看去，只見他死命地哀求：

「還給我，……求求您，還給我吧！」

說著，他哭個不停。

儘管阿米仍大口喘著氣，仍比田川先鎮定下來。她起身俯望著已鬆手趴伏在榻榻米上的田川，眼神中滿是對他這魯莽念頭的嗔怪。

自從當年遭到了阿米的訓斥以後，田川便穿回了和服。從那以來，阿米心裡老想著有一天要告訴他，當時她生氣的真正原因並非因為西服的穿著不合宜，可總找不到恰當的時機，怎料到今天竟會發生如此嚴重的事態。

「如果你以為能夠以死謝罪，可就大錯特錯！」

阿米估忖著田川差不多冷靜下來的時候，對他說道。這番話是否過於冷酷無情了呢？

但她非說不可。身為主人的自己同樣責無旁貸。她早已決定，哪怕豁出一切也非要繼續經營下去，想必直吉也有相同的信念。她想告訴田川的是：既然如此，你也和我們一起並肩作戰吧。

「除了尋死以外，你應該還有其他的貢獻吧？」阿米沒有抑揚頓挫的聲調顯得分外冰冷。「你給我活著，直到鞠躬盡瘁以後再去死。」

她明白這會把田川愈是逼入絕境。可無論如何她絕不能流露出溫柔的那一面。

「我們不惜千辛萬苦籌來致歉金，再奉上為數不多的現貨，就是為了佐證鈴木不是大騙徒。剩下的全都交給你們了。等到度過這場危機以後，我再把這東西還給你。」

對於全力拚搏的男人，安慰是多餘的。之後就讓時間撫平他的悔恨，重新站起來。倘若他被就此打倒，表示這個人也不過爾爾。阿米要說的話都講完了，她讓田川退下去。

關上隔扇後，阿米旋即長嘆了一聲，聲音大到連自己都聽見了。

惣七哥。——為什麼這時候會想起這個遠方的人呢？可他們兩人雖長相相似，卻不是同一個男人。此刻的阿米，重新又對再也尋不著的惣七湧起了濃濃的思念。

我將匕首遞給直仔時，把他嚇了一大跳。既然田川是直仔的直屬部下，當初也是他決定要雇用的，之後的懲處自然也該由他來決定吧。

「給您添了天大的困擾……」

直仔只說了這句，便將匕首收進懷裡。

為了表示自己記取教訓的決心，直仔去理了個大光頭。從這時候起，光頭就成了他的註冊商標。儘管店裡的人都知道他闖下了大禍，也給大家帶來不少麻煩，但所有的人不但沒有責怪他，甚至連踏實經營砂糖部並且穩健成長的富士仔也調撥了一些資金給他，「直仔，這些拿去用吧。雖然金額不多，多少總能幫上一點忙。」對於這些一路扶持走來的伙伴們默默的援助，直仔不惜以剃髮明志：現在雖然造成大家的麻煩，日後必定會投桃報李，償還這份濃情厚意。

接著，就到了重要關頭了。

我們心裡根本沒有任何策略，有的只是毫無掩瞞的真誠以對。唯一的方法，便是依照簽約的順序拜訪各家洋行，誠心誠意地向他們從實陳述眼下的窘境。

事實上，直仔也為此說得唇敝舌焦。他極力說服客戶一切都怪自已失察以致於無法買齊貨物，更使鈴木遭受到來自四面八方的批評，恐怕就要倒閉了；承蒙貴寶號平日諸多關照，說什麼也不能增添麻煩，雖然試著履行義務，無奈心有餘而力不足云云……。

「賽門先生，您看怎麼樣，雖然數量不多，但送來的貨物已經我們是盡一切努力籌來的了，不足的部分，可否以三千五百元美金通融一下？」

外國人和關西商人不同，既無法動之以人情，也不能講之以義理。直仔已有和洋行貿易的多年經驗，比誰都明白這些洋人的眼中只看得見利益而已。

對方想當然爾地雙手抱胸，端出一副盛氣凌人的架勢。直仔一聲不吭地直視著對方的眼睛，接著從懷裡掏出了某樣物件。

是那柄匕首。

直仔隨即當著賽門先生的面，將刀身拔了出來，

「倘若您不願接受我的懇求，我實在沒有臉面對老闆。請容金子直吉在此切腹以向老闆謝罪！」

一旁的翻譯嚇得根本來不及開口，但此刻根本無須任何言語。田川為了自盡而買的那柄匕首所發出的不祥妖光，正銳利地射向他們的眼簾。

想必當時的賽門先生一定怕得渾身發抖吧。

外國人最初看到日本人切腹的地點，正是在神戶。明治初期，在西國驛道上的備前藩砲兵部隊，與打算穿越行進隊伍的法國水兵發生了糾紛並且出手致傷，最後演變成引發事端的隊長在各國使節面前當眾切腹謝罪的結局。風傳歐美人原先將切腹蔑視為民智未開的陋習，但當他們目睹切腹者面對死亡不慌不亂，按部就班的儀式十分完美，而且日本人皆將此禮法奉為圭臬，無不感到驚嘆並且稟報母國此一震撼性的真相。從此，洋人便將切腹列為來到日本之前的必備知識了。

「等等！請等一等呀，金子先生！」

「您願意接受我的請求了嗎？」

賽門先生發出呻吟，淌出的冷汗從額角滴落下去。

這場角力，由直仔取得了勝利。對方其實也很清楚，即便拿出合約這張王牌強逼鈴木履約，日本國內根本沒有樟腦的貨源了。況且他們已在紗織品買賣上賺了一大筆，遂很乾脆地不再追究了。不過，賽門先生還是以粗淺的日語親自說道：

「嗯。不過，金子先生，錢，有點，不夠。」

他仍極力堅持違約金必須支付四千美金，毫不退讓。哎，英國商人實在精明哪。

於是鈴木商店依照行規，在付了四千美金的違約金之後，終於保住了體面。

直仔代表鈴木出面的「交涉手段」，當天就傳遍了整個租界——鈴木商店雖然無法調到足夠的樟腦，但是不足的部分必定奉上金錢賠償。如果洋行仍舊嚴正要求必須依約履行，金子直吉將會當場切腹，那我們外國人不就成了《威尼斯商人》裡面的猶太人了嗎？

這個傳聞成為極大的助力，使得直仔接下來的各項交涉盡皆順暢無阻。

「我說，直仔啊……」

我把特地留存下來的豆沙凍糕遞給直仔，兩個人終於露出了睽違一個月的笑容。

「手上沒現貨卻做空頭買賣是不行的，可你這回做的不就是那種事嗎？」

我想表達的是，再也不許做這種手上沒有商品卻和人交易，也就是賣空的生意了。這種動歪腦筋、只顧眼前小利的買賣，光受一次教訓就嚇破膽了。這就好比一針一線雖然辛苦，積少成多總會縫出一大幅簾帷來。

不過，直仔的腦袋瓜裡記取的是更大的教訓，並且是遠遠超乎我這弱女子所想像得到宏偉視野。直仔發現，做生意講求的是「篤實的買賣」，不能做手頭沒有貨物的「虛浮的生意」，這也成為日後直仔經商時一貫堅守的原則。

從此，不論有多麼誘人的情報傳到他耳裡，他總是先說出那句口頭禪：

「讓我想想！」

並且提醒自己必須再三深思，千萬不可被眼前的利益沖昏了頭。直仔經常這麼對店裡的人說：

「想要做大筆生意，最重要的是一定要先掌握市場的行情。」

換句話說，身為貿易商，必須隨時隨地放眼世界，倘若眼界只侷限在日本國內，就無法從神戶拓展經商的範疇了。透過那位陌生的英國人，他第一次發現到原來世界的貿易中心是倫敦。這也是這次教訓的另一項收穫吧。

我能做得到的，唯有感謝大哥慨然以其信譽協助籌錢，以及直仔至意誠心的盡力交涉，而我只能更加勤儉持家，努力早日清償借款。這就是男人和女人的不同；不，應該說這是只求守住招牌的女人，和滿腦子想的是為了擴展事業版圖而採取攻勢的頭號掌櫃，兩者間絕大的差異吧。

直仔萬分感念我和大哥他們的覆庇之恩，直到最後一刻仍未視他為棄卒，全然信任幾近走投無路的他；其實仔細想想，我們也同樣在直仔的大力奔走之下，得以保全了生路與聲譽。我們和直仔，已經成為搭上了同一艘命運之船的生死伙伴了。

「這豆沙凍糕真好吃呀。」

直仔一邊嚼著無比甜糯的豆沙凍糕，在心裡暗暗發誓。直到很久以後，我才從他的口中，聽到了他此時立下的誓言，那就是絕對不再讓東家陷入危機之中。不僅如此，他還要拚命賺錢，使東家富甲一方，以彌補這次害大家擔驚受怕。多年後，我們將會知道，他這一刻許下的諾言有多麼堅決。

第二章　海風

遠海向天穹　滾浪縱目忽見影　浩渺煙波間
慢櫓輕楫一葉搖　濛曉拂霧曳引舟

1

自從失去丈夫以來首度遭逢的驚濤駭浪，總算平安度過了。這好比另拿一塊很大的襯布墊縫在下面，終究保住了險些裂開的店簾。

不過，既然要繼續做這一行，往後想必同樣會遭到一陣陣滔天巨浪沖襲而來。

到底該如何行駛在平穩安全的航路上呢？到底該怎樣兒子們才能抵達平安長大的未來呢？這家店的舵手直仔，在這起事件之後，似乎一直在思考這個問題，並且當作是男兒賭上一生的志業。

沒想到就在此時，一艘載著答案的船隻，悠然地駛進了神戶港裡。

從西南戰役、日清戰爭，乃至於接收台灣，每一次當軍隊向西挺進時，總是以神戶作為起點。因此，天皇陛下曾親率大日本帝國海軍艦隊從神戶港出征，之後那裡又經常舉行艦艇的校閱儀式。明治二十九年，我第一次有幸得以拜見船首飾有菊紋御徽的天皇御艦「松島」的雄偉英姿呢。

天皇陛下在搭乘那艘軍艦之前，為了向大楠公稟告日清戰爭的勝利，並且慰祭戰歿勇士的英靈，特地前往別格官幣社[1]的湊川神社參拜。大批民眾為了一睹陛下尊容，天還沒亮，便爭相衝去碼頭等候了。

鈴木商店自不例外。店門前的馬路上擠滿要前往港口的興奮人潮，看得學徒們心動不已。有的掌櫃也託稱要外出辦事，其實暗自溜去了碼頭。就連明年要進中學讀書的岩藏，才剛放學回來，便嚷嚷著要和朋友們結伴去看軍艦。

我才板起臉來喝叱：「不行！」岩藏當即放聲嚎啕大哭了起來，根本勸不聽。他這長不大的厮賴毛病，究竟該怎麼矯正過來，著實令我煩惱極了。自從丈夫過世了以後，我經常努力培養孩子們的領導見識與修為，訓示他們必須精進不懈，早日成為這家店真正的主君，可母親似乎仍不如父親那般威嚴。

「有什麼關係嘛，每個男孩子都想拜見陛下的大船呀。」

直仔和富士仔又這樣寵溺他了。真是的，就連在商場上錙銖必較的兩大掌櫃，只要事關這兩個孩子，立刻變得百依百順，真是讓我傷透腦筋哪。

不過，其實店裡眼下根本做不了生意，整個神戶全是一片歡天喜地，只好答應讓學徒們和兒子們去碼頭看熱鬧了。沒想到，一聽見這個消息，一馬當先衝了出去的可不是高中生的德治郎嘛！這孩子和想要什麼就討的年幼弟弟不同，表面上雖然乖順，或許內心壓抑著和同齡少年一樣的渴望。

光是讓一大群孩子們自個兒去實在不放心，於是我到店裡探看哪個夥計可以帶他們去，結果找到的是田川。我拿了錢託他幫孩子們路上買些糖果零嘴。這等差事不過是看著孩子別丟，就算是老闆我親自出面交代，田川似乎還是提不起勁來。他只有氣無力地應了一聲好，連正眼也沒瞧我一下。

也難怪他這般沮喪。先是藏在懷裡的匕首被我發現了，而且也不是憑靠他的力量讓整起事件落幕的。身為一個男人，身為一介商人，想必有難以言喻的千愁萬緒吧。

儘管煩惱吧！盡情思索吧！人們就是這樣一步步成長的。

1　神社的級別之一。

我沒有對他說出「沒事了真好」這種敷衍的安慰。

但是，這趟碼頭之行，竟為他帶來了柳暗花明的契機。

因為率領松島號軍艦進入神戶港的是直仔的土佐同鄉，也是他的竹馬之友——島村大尉。

這麼算來，他也是田川的土佐前輩。儘管施行廢藩置縣已有二十五年，如今早就沒有什麼土佐藩啦、姬路藩啦等等，可那股人親土親的濃厚情感，依然在世人的生活中起了極大的作用。同鄉之誼的親密程度，幾乎僅次於血脈相連的親情而已。

直仔雖然因為家貧而沒受什麼教育，可島村大尉知道他已經搖身成為神戶知名商店的大掌櫃，對他十分禮遇。直仔馬上找來田川引見，介紹他是自己的部下。

這兩個人想問的是，這艘軍艦接下來要去哪裡。

「這艘軍艦要到吳（地名）和皇軍的艦隊會合，一起前往台灣。」

當島村輕快回答的瞬間，直仔和田川是否感覺到一股南風拂上了他們的臉龐呢？

在不久之前，這座南方的島嶼還屬於另一個國家。日本的艦隊正是要出發去接收這個戰勝了清國之後，割讓給日本的島嶼。

該如何不再涉足虛浮的生意，只做篤實的買賣呢？自從那起樟腦賣空事件以來，直吉一直在思考這個問題。答案其實很簡單。

這次失敗的理由，在於商品是從別處進貨然後轉賣出去的。假如自己能夠生產樟腦，手頭上總是握有一定數量的貨物，即便這是受到天候影響的林業作物，仍可以估算出能夠出貨的數額，如此一來，不但能確保貨額，也能夠自行訂定價格。

悲哀的是，日本國內的生產量有限。直吉雖已與高知及和歌山的山林主洽商，委請他們種植大量的樟樹林，卻還需要耗費數十年的歲月，才能培育為成樹提煉樟腦。日本受限於自身的條件，無法發展為原物料大國或農業大國；如果想要和西洋諸國並駕齊驅，唯有振興工業，將藉助文明的力量大量生產的商品，透過出口貿易的方式賣給外國，方能躋身於先進國家之列吧。

於是，台灣成了具有潛力的寶地。

「大尉，恕我失禮，我聽聞英文報紙上寫說，就算得到了台灣，也只是一塊民智未開的蠻荒之地，對我們來說沒什麼好處呀？」

向海軍軍官提出這樣的質疑未免失禮，可直吉仍像連珠砲似的急著發問。

「哼，那是李鴻章為了要我國放棄台灣，故意編造出來的反話。」

在日清兩國為了討論戰後處理而在下關舉行的講和會議上，清國的全權大臣李鴻章如此說道：

「你們真的要台灣嗎？如果治理得了儘管拿去吧，那可是燙手山芋呢！」

台灣的諸多惡劣條件，更成為這段話的佐證。

從以中原自居的中國看來，台灣只不過是一塊鄙野的「化外之地」。雖然島上有從大陸渡台的中國人，還有以該島為據點從事中繼貿易的西歐人定居，可幾乎遍布全島的多數山地，都由被稱為「生蕃」而尚未漢化的少數原住民族聚成的複雜部族們居住，且各部族的語言及習慣均不相同。更可怕的是，島上還有瘧疾與風土病的流行疫情，當地人為了預防瘴癘侵身而經常吸食鴉片以致於上癮中毒，使得清國在統治上也格外棘手。

這樣的小島就算送給日本一兩個，對我國也不痛不癢。——就算這是清國不甘示弱的表現，未免太過無情了。

相反地，台灣對於清國的懦弱感到絕望，繼而發起了成立「台灣民主國」的獨立運動。他們甚至揚言，即便是交割台灣的簽約儀式，假如清國人膽敢踏上台灣土地一步，必定會立刻沒命。清國代表李經方聞訊後畏懼萬分，甚至向日方請求不要在陸地上，而改在泊於基隆外海的「横濱丸」船上會面簽署。

「不必擔心！雖然清國無能為力，可我泱泱帝國豈有治理不了的領土！」

島村宛如國家的發言人般說道。他自信滿滿的神態，彷彿在保證國家已經完全掌握台灣的現狀，也想出萬全的對策了。日本身為東洋的盟主，為了躋身於帝國主義國家之列，哪怕是遍地荊棘，也非得成功統治領土擴充的象徵之地——台灣。上至出席簽署的首任台灣總督樺山資紀，下至身為皇軍的官將士兵，無不矢志達成這項使命。

「大尉長官，根據我聽到的消息，那個地方的樟腦產量豐富，而且若以基隆為起點，也能夠拓展前往東洋沿岸各地的貿易航路。」

島村聽完大驚。就憑直吉這區區商人，竟能掌握到如此精闢的情報。但是，直吉接下來的央託，可讓他招架不住了。直吉神色自若地接著說道：

「大尉長官，可以讓我搭上這艘軍艦嗎？」

「金子，你、你怎敢有如此大膽的想法……」

在日本的統治之下，台灣遲早會成為一個了不起的都市，也會有大量的移民定居。這麼一來，必然會需要食、衣、住等各方面的生活用品。這時候，最能大顯身手的唯有自己這些商人了。

要去的話就要趁現在！只要有勇氣，現在去就對了！島村可以深切地感受到，這就是直吉想要表達的意思。

然而，「感受得到」和「答應要求」，又是兩回事了。

「讓商人搭乘陛下的軍艦，史無前例！」

島村不高興地皺起眉頭，駁回了直吉的要求。

這是理所當然的。用來作戰的軍艦，怎能作為商業用途。

「你這傢伙真是讓人不敢置信呀。……不過，雖是一介商人，卻立志要為帝國盡力，十分值得嘉許。或許要再過一段時間，才能讓民間人士通航，總之一有最新消息，我會馬上通知你。」

「十二萬分感激！」

兩位故鄉的前輩這番對話，在一旁的田川光是聽來已覺得熱血沸騰。他的體內好似有某股力量泉湧出來。他已經找到了自己想做的事，更是自己非做不可的事了。

太陽旗在海風中翻飛飄揚。甚至可以說，這時候已經吹起第一陣風，把鈴木商店這艘船推向世界之海了。

又過了約莫半年以後吧，發生了一件讓我瞠目結舌的事。直仔和田川兩人一起來向我稟告。

這兩個人在樟腦買賣上已經跌過一大跤，還說什麼想要搭軍艦去台灣的傻話，原以為他們已經放棄了那些愚蠢的念頭，誰知道這回竟然說要把我們的店員混在木匠工頭的隊伍裡送去台灣！

他們從島村大尉那裡打聽到，皇軍已經進入台北城，民心也恢復了安定，對台灣的正式統治終於開始步入軌道了。首先，從拆除清國時代築起的城門要塞，建設一個讓人們可以來去自如的嶄新都市著手，因此必須從神戶徵用數以百計的木匠前往。

「太大膽了……。我想，不會有人願意去那種地方吧。」

「不，請讓我去！」

面不改色回答的是田川。我頓時說不出話來，張大了眼睛直瞪著他，彷彿他臉上穿了個大洞似的；然而，他是認真的。

有個會出餿主意的老大，就會有跟著做傻事的小弟。一臉正色的田川解釋，他父親是山林主，因此他從小就看著父親把砍伐下來的木材運到各地建造房屋，雖然他不會做木匠的細活，但很擅長擺出工頭的架勢分派工作。直仔甚至已經透過同樣位於榮町的船運商後藤屋老闆，弄來了一份有模有樣的推薦函，準備功夫十足周全。

「如果等到人人都能去台灣的時候，就錯過商機了。得趁大家還沒想到台灣之前，親自到當地做調查才行。」

促使他們搶先前往的動機，比表面上所說的理由更為強烈。是樟腦。

在清國統治下，台灣的腦界向來任憑外國商人宰割；在我國領台之後，施行了強大的保護政策，亦即制訂《官有林野及樟腦製造業取締規制》的法規，不准外國人製造樟腦，唯有政府許可的業者，方可從事樟腦行業，甚至更進一步訂定了《樟腦稅則》，可以說已將製造樟腦定位為傾全國之力扶植的主要產業。對於曾經吃過外國商人悶虧的他們兩個而言，這簡直是天賜良機，正好可以在台灣扳回一城，以報在神戶挫敗的一箭之仇。

我既然知道他們的想法，又有什麼理由能夠阻止呢？只能隨他們去，由著他們做到心滿意足為止。

「那麼，就去吧。不過既然要去，就不能空手而回。」

田川伏身受命。眼前的人，已不再是那天將匕首藏在懷裡、臉色發青的那個男子，而是渾身充滿幹勁、熱力四射的男兒了。

我再一次領悟到：哎，他不是惣七哥，而是另一個蓄勢待發的青年。這或許是我到目前為止，最認同他的時刻了。從此以後，我也開始對台灣、對海外產生了興趣。

這一年，店裡的大事則是富士仔娶新娘了。我這個寡婦，其實不該頂著老臉皮攬閒事，可還是特意幫他覓得了和我娘家相熟的棉麻布店女兒，阿村。

阿村是個嫻靜的好姑娘，我和她母親小時候就認識了。更重要的是，同樣生長在姬路的我們，想法契合又值得信賴。既然富士仔已經娶妻，總不能繼續和店員們住在一起，但搬去遠處未免寂寞，於是就讓他們住在隔壁，也好有個照應。阿村非常勤勞，日後必定能善加帶領店員們的妻子勤慎持家，真讓人放心哪。

接下來，就輪到直仔了。

這個滿腦子只有事業，其他什麼都不在意的直仔，轉眼間也過了三十歲，總不好讓他一直窩在狹小的店鋪二樓，又三餐不定，又總是囫圇吞些陋食後便匆忙地四處奔波，得找個能幫他打點儀容，注意健康的賢內助，讓鈴木的大掌櫃出門有體面才成呀。

是啊，我還是打算從姬路的娘家附近，找個體己的姑娘來。尋覓了一番，果然和娘家交誼深厚的瓷器店，有個年紀和直仔十分般配的閨女，於是我立刻請人去說媒。我之所以執著於選擇姬路的姑娘，是希望至少透過故鄉的地緣，和店裡的頭號掌櫃結下不解之緣。

「妳覺得怎樣？」我把隔壁的阿村叫來問了問。「如果直仔也能娶個姬路的媳婦兒，妳也多個同鄉姊妹好照應吧？」

當然，向來不多話的阿村，聽著也點了點頭。

想必有人會覺得這想法太迂腐了。可我們女人最重要的工作，就是守護這個家。屋宅要立起很多支堅固的柱子才蓋得牢靠。那些在任何情況下都不會搖晃的柱子，若是拿人來做比喻，也就是由根深柢固且切斷不斷的深厚情誼所形成的人牆。希望我和直仔也能成為鈴木家不可撼動的支柱。

可是，直仔仍然擺出興趣索然的態度，打斷了我的話。

「我的老婆就是這家店啦！就算娶了人來當老婆，我也沒時間搭理她哩。」

他不置可否地沒有正面回答，讓我好生焦急。不過說媒談親可沒準兒，有時在旁人的順水推舟之下，說不定就水到渠成了。

可當我知道為什麼直仔沒答應我屬意的婚事時，縱是見過了大風大浪的我，仍不禁詫異得瞠目結舌。

「真不好意思，我原本不該逾越本分，把這話說給您聽……」

是阿村悄悄地來告訴我的。她看不下我開始發急，深怕事情發展到難以挽回的地步，於是罕見地管了閒事。

「其實……直仔好像已經有意中人了。」

聽到這句話，我驚愕得幾乎說不出話來。

直吉動了心。

阿米只喃喃念了一句：「怎麼可能……」便再也接不下去了。

他在做生意時雖是舌粲蓮花，可對方的女子光是瞧見他的長相、他的樣態，想必會笑著一溜煙地逃了吧。可是，看阿村的表情不是在說笑。

「是誰？他喜歡上誰了？」

「我不好說。不過，您只要仔細觀察，就會明白了。」

謹慎的阿村，不希望被認為是拿別人的私事向阿米打小報告。

「到底是誰呢？……」

阿米久久沒能找出答案。最後，一語道破的是阿石。她說，對方是岩治郎過世後進來還沒做滿一年的女傭阿千。

「是……阿千？可是她……」

在阿米的印象中，她的年齡比直吉小個幾歲，離了婚後沒再出嫁。當初阿米便是因為可憐她的境遇和自己一樣，再加上是由大阪的藤田介紹來的，雇用她應該不會有錯。

「的確，只要有阿千在場，大家似乎都顯得格外神采奕奕……」

她雖稱不上是美人，但長得討人喜歡又隨和可親，心思細膩，阿米很是讚許，有時候甚至比阿石還要受到重用。

然而，當阿米稱讚阿千時，阿石隨即拉下臉來，少見地說起了壞話。

「她或許在馴服男人上很有一套，學徒們也全都聽她指揮，可我打從一開始，總覺得對她決不能掉以輕心。」

向來沉默寡言的阿石竟然貶評至此，可見非同小可，於是阿米讓她把心裡的話全講出來。阿石先是對自己輕率地說溜了壓抑已久的話感到懊惱而噤口，旋又認為不如趁這個機會暢所欲言。

阿千剛來到家裡時，每當阿石教導她家務工作，她便纏著阿石問個不停：老闆娘是個什麼樣的人啦、已過世的老闆是個什麼樣的人啦，這讓阿石十分惱火。阿千根本沒把前輩阿石放在眼裡，對分內的家務也敷衍應付。

「對主人家的事刨根問底的姑娘一定要格外小心。她一定會把知道的事拿去外面窮嚼舌根！」

阿石斬釘截鐵的斷言，或許會被當成已上了年紀的她對阿千吃醋，但在岩治郎的調教之下，阿石的謹慎與誠實的確無人能及。這兩項都是在別人家裡做事的員工，必須恪守重要原則，若有人違反了這不成文的規定，確實不得輕忽。

此後，阿米遂對阿千格外留意。阿石說的沒錯，不僅是對阿米，甚至對她的兩個兒子，仍經常投以超乎關注的目光。

至於直吉，每當端來洗腳盆的是阿千時，他總會摘下眼鏡、閉起眼睛，暈陶陶地享受溫水浸泡，那副舒爽酥麻的模樣，實在明顯極了。而且如果是阿千出聲慰勞他，您辛苦了，或為他準備遲來的晚餐，他總是特別開心。

從此以後，阿米更進一步發現，只要添飯的是阿千，直吉的嘴角便會上揚；若是阿千問到要不要準備中午的飯糰讓他帶出門，他只是難為情地搖著頭。直吉老實的反應落在阿米的眼裡，總是引來她的分外注意。

假如直吉真的喜歡阿千，成全他也未嘗不可。阿米起了這個念頭，並請託阿千的介紹人藤田再度調查她的身家背景。

但是，得到的訊息仍如介紹函上所寫的，她出生於奈良的五條，十九歲時出嫁，沒有生下一兒半女即於二十四歲上離了婚而已。阿米再央請藤田進一步調查她的父母與兄弟姊妹，卻換來他狐疑的回答：

「是不是發生了什麼啟人疑竇的問題呢？是她之前的婆家棉布鋪拜託我幫忙覓份差事的。我不大清楚她娘家的事，可婆家確實清清白白的。」

看來，阿千的婆家非常珍惜她，只是因為生不出孩子才哭哭啼啼地離了婚。她的公公特地來懇託藤田，務必幫阿千尋個安身之所。先撇開婆家不談，假如生家的父母和兄弟姊妹都有正當的營生，多少總打探得到消息，可這樣不明不白的，恐怕是有難言之隱。

阿米很想幫沒什麼學歷的直吉找個好人家的姑娘，可就算勉為其難答應他娶阿千，至少也得確認阿千的娘家不會扯直吉的後腿。以目前不清不楚的狀況，阿千還是不適合當他的新娘。

雖是如此，也不必刻意阻止他們接觸。阿米繼續靜觀其變，當然，直吉照舊沒對阿千表達情意，也沒有特別採取任何行動。況且顯而易見地，阿千對待直吉的態度，和對店裡的其他人完全相同，並非只對他一人有意思。

「這到底怎麼回事？還要再繼續觀望下去嗎？」

阿米再次找來阿村商量，可兩人也沒能想出什麼好方法。

該不會是直吉成天在男人堆裡庸庸碌碌地工作，尤其在發生樟腦事件以後，光是善後已忙得昏天暗地，碰巧對身邊的女子產生了好感罷了？縱使直吉是個木頭人，鎮日應付商場上的爾虞我詐，這點小小的溫馨也能讓他感到幾分安慰吧。既然如此，阿米更希望能夠盡早給他一個能夠放鬆身心的家。

「真糟糕，沒人需要我的照顧，我就渾身不對勁哪。」

「是呀，少爺們都已經長大了，您得再找其他事來忙才好。」

如同阿村安慰阿米的，背負著母親期望的長子德治郎已經前往東京讀大學，而弟弟岩藏日後也會追隨他的腳步深造。可即便母親對於上了中學的岩藏嚴加管教，畢竟仍是不夠威嚴，怎麼也改不了他的頑皮心性。恰巧店裡有個掌櫃曾當過關西學院的教師，於是阿米決定讓岩藏去住在那位掌櫃的家裡，並且和其他寄宿的學生視同一律，不得給予特別的待遇。

十分溺愛少爺們的直吉和富士松對於阿米的這個決定很不高興，時常藉機去窺探岩藏的狀況。

每當他們瞧見岩藏竟然和其他貧寒的寄宿學生們一起打掃庭院，不由得一陣心酸，有時會出聲幫他打氣，有時甚至忍不住趨前捧起岩藏變得粗糙的手，不捨地淌下淚來。阿米愈來愈痛切地感受到，想在這群忠臣的圍繞之中栽培出繼承人，有多麼地困難。

不管怎麼說，既然已將岩藏託付給其他人照顧，阿米頓時多出了許多空餘時間，眼下閒得發慌。

「直仔的事，比兒子們的還要棘手呢。」

再加上阿石和阿千之間的齟齬，此時也成了阿米的另一樁煩惱。

就在這個時候，鈴木商店發生了一件大事。

一個寒冬的白天裡，從旁鄰的旅館竄出了火苗。

「失火啦！隔壁冒出火來啦！」

東奔西跑的人們放聲叫嚷著，雜沓的腳步聲張惶又緊張，連我也跟著跳了起來。

「說不定會燒過來這邊，快點先把重要的東西搬出去！」

「誰過來幫我一下啊！」

「千萬別讓帳簿給燒了！別忘了那邊還有流水帳本啊！」

店外已經傳來大夥開始逃難的聲音了。幸虧火災發生在白天，店裡有足夠的人手幫忙搬運。我很清楚自己這時候該做什麼。最需要保護的孩子們不在身邊，所以我只要小心自己別受傷增添別人的麻煩，把重要的東西全都帶出去就好了。所幸平時已預作準備，總把寶貴的物品全都用藤蔓紋飾的大袱巾裹紮起來，裡頭有房地契、存摺、印鑑，還把先夫的牌位也收了進去。我確認了包袱裡面的東西一樣不少，便離開了房間。

火警鐘聲開始響起。店裡的人生怕火勢延燒過來，小夥子們忙著分頭把金庫和桌子搬了出去。

「女人家全都逃出來了嗎？」

我問了先逃出來的阿石。

「是，都已經在外面了。」

「好。妳先在外面等著，我再進去巡一圈。」

住在起火處另一側的阿村應該已經衝出來，稍後會幫忙帶領店裡的人。既然如此，身為主人的我，必須對這間屋子做最後的巡禮。由先夫一手打造的這棟房屋裡，曾經充滿兩個孩子成長的笑聲，我那可憐的次兒也是在這裡嚥了氣。雖然不曉得火勢逼近到哪裡而非常焦急，可一想到這恐怕是最後一次待在這間住慣了的房子裡，不由得感到萬分憂傷。

當我走上閣樓，朝直仔的房間瞥了一眼，頓時愣住了。

學徒和掌櫃們的房間裡已經空無一物，所有的物什都搬了出去，唯獨直仔的房間依然如常，什麼東西都沒帶走。大抵是他一聽見「失火啦」便衝了出去，沒再回來收拾。

「怎會這樣！直仔呢？直仔的行李都還在屋子裡啊！」

我連忙到了門外朝周圍的人大聲喊問，聽到的回答更是令我錯愕。

「金子先生爬上了屋頂，正在潑水！」

我隨著某個學徒的手指往上一望，果真瞧見了跨站在屋脊上的直仔，正不停地接過一桶又一桶往上遞傳的水拚命潑灑。

「喂！快去打水，把水桶送上來啊！」

到了這節骨眼還忙著潑水？真是的，這個人實在讓人傻眼哪。

「金子先生，您可得小心啊！」

圍觀的路人也紛紛朝他喊道。稍早逃了出來的阿千，也在人群中焦急地抬頭望著屋頂。直仔應該不是為了要在心上人面前展現勇猛豪氣才會逞英雄。他的個性本就是會一馬當先地搶救火災以免商店遭到波及，根本顧不上自己的私物，這家店對他就是這麼重要。

我把寶貴的物件都放在包袱裡帶出來，可在直仔看來，沒法用布巾裹起來的這家店，才是他最珍貴的寶貝，所以他不惜全身沾滿黑灰，也要奮不顧身地搶救這家店免受火厄之劫。

直仔要的是不惜一切代價也要守護的這家店，相形之下，我只需要一個包袱就夠了。這樣看來，究竟是誰比較富有呢？到底是誰比較幸福呢？我聽著火警的鐘聲，不解地思索著。

我心想，這家店應該不會被燒掉，因為店裡的人全都抱持著堅定的氣魄，絕不讓它燒毀。

多虧大家的信心，我的心情才得以稍微舒緩下來，這一放鬆，忽然瞥見有個小物件掉在腳邊。換做是在平常，或許根本不會察覺到。

那是一個舊得起了毛邊的女用護身符荷包，紅底金線繡著大阪天滿宮的梅花紋飾。大概是誰在帶著行李逃難時，慌忙中遺落下來的。

我心想，這一定是失主很珍惜的物件，等一下得要送還回去才好，當下便解開來查看失主。裡面除了一個神社的護身符以外，還有一張泛黃的和紙。當我揭開一看，霎時懷疑自己眼花了。

上面的確寫了失主的名字，應該是在她出生時，父母祈求讓孩子平順長大而寫下的。一行龍飛鳳舞的草字寫著「命名」，下面是名字「千」。看來，應該是阿千掉的小荷包。

不過，我凝目直盯著的文字是，寫在日期旁邊的父親名字。

大阪，辰巳屋掌櫃，鈴木岩治郎。出現在阿千名字旁邊的，的的確確是這幾個字。

幸好火勢並未波及鈴木商店。鄰家雖然全被燒毀，但鈴木商店只有部分外牆被燻黑，這起火災即被撲滅了。

然而，阿米滿腦子想的是另一件和火災完全無關的事情。

「把阿千叫過來。」

入夜靜謐，大家都已經休息了。阿米取出了那只護身符荷包來。

在她撿拾到以後曾經再三推敲，對於這張紙條代表意義的推測應當是正確的。她一度猶豫過，到底該問清楚真相，還是繼續佯裝不知，最後，她終於做出了決定。

非得問個清楚不可。包括自己不曉得的事實，以及她有什麼企圖，都要弄個水落石出才行。

「您找我嗎？」

阿千推開隔扇進來後，旋即動作輕緩地闔攏門片，態度從容不迫。她頭上的島田髻梳得一絲不亂，身上的條紋棉布和服的前襟妥貼地合攏交疊，可臉上彷彿流露出對接下來會發生什麼事的好奇，該不會是我多心了吧。

「妳……」

我雖然開了口，心情依然十分沉重。大阪，辰巳屋掌櫃，鈴木岩治郎。還有，緊挨在這行字旁邊的母親名字。神戶，花田旅館，阿松。那確實是先夫的筆跡，而且依照寫在上面的阿千出生日期反推回去，也的確與岩治郎迎娶阿米之前，在辰巳屋工作的時期吻合。阿米聽說過，岩治郎在被辰巳屋收留下來之前，曾經在神戶的旅館做過招攬客人的營生，他和阿松應該是在那時候認識的吧。不過，作夢也沒想到，他居然有過相慕的女子，甚至還生下了女兒。

在他生前，阿米從不曾聽他對這件事提起一言半語，向來深信他是迭受磨難考驗，全力拚搏生意，即使想成家也無暇與女子意愛的男人。事實上，他的乏味無趣與一絲不苟，確實曾讓婚後的阿米感到吃不消。可是他，他竟然……。

阿米覺得受騙了。阿米覺得被背叛了。但是，即便她想要詰問、想要責備丈夫，他已經不在這個世上了。

「這是不是妳弄丟的？」

阿米深呼吸一口氣，把荷包遞到了阿千的面前。

阿千沒想到那東西竟然會落在阿米手上，先是驚愣了一瞬，隨即彷彿要將這一切理出個頭緒般閉上了眼睛，片刻以後，才怯畏地伸出雙手取起了荷包，緊緊地捧貼在胸口。

兩人皆不發一語地對峙了半晌。阿米一聲不吭，阿千也沒有開口。

「妳的母親現在在哪裡？」

阿米盡量以平靜的語調問道。

頓了一會兒，阿千也力求冷靜地回答道：

「她已經過世了。聽說生下我沒多久就走了。」

原來如此。或許這件事讓岩治郎過於悲傷，以致於長久以來對結婚興味索然。

忽然間，阿米想到，難道他心裡一直都念著那個女人嗎？不，說不定他至死都不曾忘了她。也許，即便是在娶了自己這個妻子以後，那個年輕時和他生下一女的深愛女子，其幻影始終駐留在他的心底。

這股驀然湧升的激烈情感，連阿米自己都覺得狼狽羞赧。

一切都已是遙遠的過去了。別說是丈夫，連那位女子也早已離開人世了。然而毫不知情的自己，卻在這樣難堪的情況下和他們的孤女見面，阿米不禁對丈夫和那個女子感到忿怒。

「妳曾經和父親見過面嗎？」

「沒有，我從沒見過他。我出生後，就馬上被送去奈良當養女了。」

當年還很貧窮的岩治郎，應該沒有能力撫養孩子。而且，假如是女方家裡擅自決定把孩子出養，也許他也不知道自己親生女兒的下落。

對於阿千崎嶇的人生，其實應該給予憐憫同情。可阿米的心思已經默算到遙遠的未來了。如果她真是岩治郎在和阿米結婚前生下的女兒，便是德治郎和岩藏的異母姊弟，不是鈴木家的外人。萬一自己不幸撒手人寰，會不會成為德治郎的隱憂呢？倘若家財多到足以爭產，總會惹出問題來。阿米唯一擔心提防的，就是她會否成為兒子們的心腹大患。

阿米從懷裡掏出那張紙條，攤展在阿千和自己之間的榻榻米上。那是她方才從歸還的荷包中，事先抽出來的。

接著，她在紙條的旁邊，擱下用懷紙包妥的現金。從形狀和厚度判斷，即便是沒見過大錢的阿千，也曉得那絕不是一筆小數目。

「這是我的心意，用來交換這張紙條。」

阿千的眸光急速閃爍，阿米知道她的眼神正在紙條和現金之間來回逡巡。

「妳沒爹沒娘，想必吃了不少苦頭。我沒法幫上什麼忙，只希望妳能堅強地活下去。」

好一會兒，阿千一動不動。最後，她決定接受這筆錢。她沒有抬眼看阿米，逕自把錢捧舉至額頭表示謝意，再緩緩地收進懷裡。

阿米看她已接受了條件，遂拿起那張紙條，慢慢地撕成了兩半。

傳入耳中的撕紙聲顯得分外空虛。說不定那只是模仿丈夫的筆跡捏造出來的。倘若是造假的，這筆交易簡直是被坑了。但是，為了兒子們……，無論如何都得盡早拔去這根肉中刺，以免養虎留患。

阿千站了起來，只欠身說聲「承蒙關照了」。至於紙條的事，她似乎始終沒打算提起。

阿米朝她的背影說道：

「妳帶著那筆錢，看是要去大阪也好，京都也行。總而言之，妳給我離開神戶。」

赤足的阿千倏然在榻榻米上停下了腳步。接著，她緩緩地轉過身來開口說道：

「非常抱歉，我不能答應。」

她的聲音儘管和緩，卻透出了堅決的意志。她朝下直視著阿米的眼神，雖令阿米有些退卻，仍抬眼迎向她的目光。

「神戶這地方和我非常合緣，我打算拿這些錢去做點小生意。就像我死去的爹把這家店經營到這番局面一樣，我也要勤奮努力拚搏下去。」

阿千以挑戰的口吻，提到了「爹的店」，這句話意外觸怒了阿米。倘若她指的是岩治郎的店，在他死去的剎那已經結束了。今天的這番成績，是當初力抗眾人相勸收店的阿米，和一群盡忠盡義的店員們所闖拚出來的。阿米不由得語氣強硬地說道：

「如果妳說的是我家老爺，請永遠別再稱他為爹。」

阿米的語調緩慢得嚇人，也低沉得懾人。

「聽到了沒？」

她再度叮囑了一回，但阿千只微微牽動著嘴角冷笑，彬彬有禮地鞠躬致意。

這女人未免太倨傲了！儘管阿米自認為已站在她的立場，經過深思熟慮後才做此安排，這麼一來自己卻宛如把她趕出家門的壞人。阿米把手中撕破的紙條碎片，使勁捏得更緊了。

當直仔哭喪著臉衝來房間裡時，我還以為發生什麼大事了。面對火災時毫無懼色、甚至想出派遣夥計喬裝工頭遠赴台灣的大膽計畫的他，這時居然滿頭大汗，連話都說不清楚了。

「怎麼啦？遭小偷了嗎？」

我故意裝傻問了他，其實心知肚明就算店裡遭竊，他也不可能這般著急。

我完全明白他焦急的理由。因為這天一大清早，阿千便悄悄地離開了這個家。

果然如我所料，直仔開口問了，卻沒有直接提到阿千的名字。

「我聽說店裡有人被辭退了，是不是惹出了什麼麻煩？」

若要說是惹麻煩，天底下還會有比這個更麻煩的事嗎？畢竟這女子可是把一件要命的東西帶進了主人家，說不定會把這個家搞得人仰馬翻。

「是啊。不行嗎？」

我故意反問了他。既是這種情況，更不能讓直仔和那個阿千在一起。倘若直仔和主人的私生女結合，難保將來不會成為兒子們的障礙。我希望直仔能是兒子們永遠的盟友，而不是敵人。

「就算少了個人手，在生活上也不會委屈了你們。我會盡快再雇人進來，忍耐個幾天就好。」

我已經請託大哥幫忙介紹值得信賴的幫手了。阿千這件事，實在不好讓藤田兄知道，我只告訴了大哥。大哥聽完也非常震驚，馬上派人去奈良調查了，結果阿千似乎沒有說謊。這麼一來，我們反倒能夠了解，為什麼岩治郎直到快四十歲了還是光棍一個。

「對了對了，我正好也有話要跟你說，恰巧有件好親事上門呢！」

我一定要讓直仔重新打起精神。等到新的女傭進來以後，他應該會逐漸淡忘阿千，但最好的辦法還是趁這個機會，把他和姬路姑娘的婚事趕快定下來。我自己也是，若不找件事情來忙，那件事的陰影仍舊揮之不去。

垂頭喪氣的直仔無力地說了一聲「謝謝」。不過，當他再次抬起頭來時，臉上凝肅的神色連我瞧著都怕。

「您總是把我的終身大事掛在心上，真的非常感激。但是，我還有比成家更重要的事情必須先完成才行。」

他的語調帶著微微的顫聲，一副泫然欲泣的模樣。受到他的影響，我反問他發生什麼事啦，聲音都透著幾分狼狽。

「我想要擴展店的規模，做更大的生意！」

他的這番志向我非常了解，根本不必慎重其事地宣布。可為什麼他的聲音聽起來如此沉痛呢？

「到底要把店變得多大才夠呀？你要賺到多少錢才打算娶親啊？」

我故意半開玩笑似的對他說，試圖讓那嚴峻的臉上露出一絲笑意，可直仔仍是一臉正色地說道：

「十萬圓。等我賺到了十萬圓。」

我之所以沒有立刻笑出聲來，只是因為直仔的表情太認真了。十萬圓可是足以用來新開一家店的錢呢。真要等到直仔賺到這個金額，恐怕已經老得沒人想嫁他囉。

「請相信我，我保證一定會在五年內賺給您看。假如五年之內沒有辦到的話……」

沒人說他得訂出期限來呀！何況我從頭到尾根本沒逼他做出這種賭注般的保證。可直仔偏要賭氣地誇口：

「到時候，我就遵照老闆娘的安排，先結了婚再重新出發。」

聽到這裡，我終於笑了。總而言之，他想說的只是要我給他五年的時間而已。只要等上五年，就會把那個女子拋到腦後。我笑著，沒把這番話說出口。

「不過……」直仔低沉的嗓音戳破了我笑聲裡的敷衍。「不過，假如我在五年以內做到的話，到時候……」

他沒能再說下去。他想說的，該不會是如果能夠賺到十萬圓鉅款，就要離開鈴木商店，獨立門戶了吧。我明白了他的意思，主動開口說道：

「我知道了。到時候，我不會再對你多說些什麼。」

我並不是算準了他不可能在五年裡賺進十萬圓，而是約定憑的是豪氣。何況我很希望現時還在氣頭上的直仔，經過時間的沖淡以後，仍然能和以前一樣，把我當成母親尊敬與跟隨。

「我明白了，也請您千萬別忘了這個約定！」

再三強調的眼神，從他的眼鏡後方射向我，感覺很不舒服，可我也不是那種說了話卻又反悔的人。

「你也別忘啦！」

我不示弱地回嘴。雙方就此定下了這個承諾。

直仔退下去了以後，我全身的緊張倏地放鬆下來，忍不住嘀咕了一句：

「什麼嘛，只不過開除了一個女傭，竟然跑來興師問罪！」

這時，正好來收茶杯的阿石，慢吞吞地在榻榻米上移膝說道：

「有流言說，阿千和店裡的二掌櫃好上了，所以才被解雇了。金子先生恐怕是聽到了這個傳聞，才會大動肝火吧。」

我不自覺地脫口反問：「這是怎麼回事？」

「之前不是先走了一個孫助嗎？大家都說他和阿千好上了。」

我驚訝得連嘴都合不攏了。人們總喜歡把不相干的人兜在一起湊成對。那個孫助很不老實，每回派他出門辦事，總會趁機摸走一些公款。這種人不能留他在店裡繼續做生意，我沒跟別人商量便將他革職了。

「所謂無風不起浪，誰讓阿千瞧著有幾分姿色呢。」

好巧不巧，眾人都當我生氣店裡的人暗通款曲，為了端正風氣便把他們兩個一起解雇攆走了，直仔這才急得像熱鍋上的螞蟻……。

我雖同情直仔的感受，但阿石說的沒錯，若是讓阿千繼續留下來，店裡遲早會出亂子。反正不管動機是什麼，現在的直仔可是幹勁十足，我試著說服自己，這樣就百事大吉了。

可是，更令我錯愕的事情還在後頭。

「接下來，我想央求您一件事。」說著，阿石齊手伏身說道，「既然我向主人講了其他女傭的壞話，也不能留在這裡了，請您准許我離開。」

同時走了兩個女傭，讓我很困擾。況且阿石是先夫生前雇用的女傭，總不能由我辭退，而且阿千離開的原因，也不是阿石造成的。

「不行，我不應當留下來。」

阿石是個牛脾氣，說話算話。儘管我再三跟她解釋，解雇阿千不是因為妳的緣故，她說什麼也不聽。

「我已經上了歲數，實在做不動家裡頭的事了，真是不中用了……」

聽她這麼一提，我倒想起來，德治郎要去東京時，只見朦朧淚眼裡滿是憐愛的阿石，望著身穿高等學校制服的德治郎喃喃說道：

「小德少爺，瞧你多麼英姿煥發哪！」

親手把德治郎從襁褓拉拔到大的阿石，隨著德治郎的展翅離巢，就某層意義上說來，或許她也失去了生活重心。德治郎在抵達東京後，寫信叮嚀阿石要保重身體。阿石一遍又一遍捧讀著寄來的信文，叨絮地念著少爺真是太體貼了，教我怎能承受得起呀。

阿石已經決定，今後要回去丹波的生家照顧姪子，度過餘生。說到底，我又連累了一個墊背的。這次的事，把我自已傷得滿目瘡痍；待我回過神來，身旁已經一個人也沒有，獨留孤伶伶的我。我不惜走到這地步，也非要和直仔做無謂的對抗，可我到底得到了什麼呢？而這整起事件的高潮，正是那個約定——那個十萬圓的承諾。

「可以請您看一下這個嗎？」

某一天打烊後，直吉帶著一件東西來到阿米面前。

「什麼東西？」

阿米隨口問了，跟著發現那是以鈴木商店的名義開立的存摺。

直吉緩緩地翻開了存摺遞給她。阿米狐疑的視線隨著朝下看，旋即倒吸了一口涼氣。存摺上寫著十萬圓存款。

「直仔，你，這是……」

時值明治三十年，距離兩人互做承諾的那一天，根本還不到一年。

這個數目用來償還阿米長兄的仲右衛門及亡夫的摯友藤田所代墊的全數金額後，還有剩餘。當時的他，可說是時來運轉。甚至有和他一樣交不出樟腦現貨而進退不得的同業，苦苦哀求他出面與洋行居中斡旋，意外從兩造收到了合計六千圓的酬金，賺了一筆意外之財。相當珍惜緣分的直吉，日後開了家新公司並請來這位德國商人波普經營，也將當時幫忙翻譯的男子聘入重要的貿易部門。不過，最重要的是，直吉經由這些人際情報網，掌握到歐洲薄荷歉收的消息，並且找到了大量的貨源，更以比平常貴三成的價格賣出，賺進了可觀的利潤。

不僅如此，樟腦價格亦創下了前所未見的歷史新高，腦界的眾家製造業者紛紛看準這波銷路奇佳的大好商機，卯足全力提高產量，頃刻間，市場上湧出了大批的樟腦供貨。這股暢旺的賣況甚至導致神社與佛寺的景觀樟樹也遭人砍倒，被當成製腦原料以超乎行情的價格賣出。一旦商品數量充足，便是手腕高明的生意人大顯身手的絕佳機會。有些貪婪的製造商往往會粗製濫造，直吉即依其品質等級予以大砍價錢，做了不少划算的好買賣。

在神戶做生意，拿人情義理這套仍能吃得開；也只有在這裡，能直接和外國人做第一手交易。直吉在這傳統與摩登並存的神戶可說是無往不利。而今，鈴木岩治郎商店已經躍升為神戶最大的仲介商。甚至可以說，鈴木的日益壯大，已使得神戶成為全日本最主要的樟腦集散中心了。

阿米再次凝目端詳著直吉。在失敗後重新出發、在失戀後揮別情傷的他，是否有了什麼改變呢？沒有。此時映入阿米眼簾的，依舊是那個不修邊幅、滿腦子只有工作、捨棄一切個人欲望享受的男人。

至於，這筆鉅款該如何處理呢？這固然是店裡的收入沒錯，但賺來的人是直吉。

「終於能夠償還當時給大家添麻煩的虧損了。」

樟腦事件的嚴重打擊，幾乎將他傷得皮開肉綻，當時援助資金的不只有仲右衛門和藤田，負責砂糖部的富士松也提供了些許周轉金。現在，包括向富士松勻借的部分在內，都足以全數清償了。

兩人雖並稱為鈴木的兩大掌櫃，可直吉的營商才幹，遠遠凌駕於富士松之上。若說富士松絲毫不嫉妒，那是騙人的。但他仍能由衷甘於屈居第二，全是基於是自己把直吉從土佐帶來的那股自豪。

他認為，是自己在後面守護著直吉，直吉的才能得以開花結果的。從今而後，同樣將會從旁輔佐他，同心協力奮戰下去。倘若沒有這番體悟，他們分別掌持砂糖和樟腦兩個各自獨立的部門，必定會出現相互競爭的意識。

事實上，假如當初沒有富士松的金援解危，直吉早就從商場上銷聲匿跡了。是大家的拔刀相助，讓他得以在這一行繼續存活下來。這筆錢，實在不足以償還當初伸出援手的恩深義重。

「接著，要談到正題了。」

直吉要說的，應該是當初的約定吧——那個十萬圓的約定。他竟能在短短時間裡，成功達成了如此困難的條件，已經足以和他給店裡造成的麻煩扯平了。若是他開口要另立門戶，也沒理由挽留他。阿米不禁嘆了一聲，唯一能說的只有這句話：

「辛苦你了。」

直吉早已按捺不住似的抬起頭來，說道：

「有件事想要再一次拜託您。」

直吉誠懇萬分地雙手觸地，低頭彎身央求。不論他想要求的是什麼，阿米都只能答應他了。想不到，他說出口的央求，旋即讓阿米眉頭深鎖。因為，直吉以最恭敬的態度行禮，說出來的話竟然是：

「我想要娶之前在這裡工作的阿千。」

原來他還沒忘記阿千！不僅沒忘了她，還為了她締造出奇蹟般的豐厚利潤！

我頓時啞口無言。

聽說，阿千離開鈴木以後，便在離這裡不遠的海岸通町開了一家客棧。那家便宜的旅舍專供來自全國各地的商人差旅住宿，布置樸實，生意卻非常興隆。她的本金大部分應該是我給她的那一萬圓，假如沒有生意手腕，絕對沒辦法經營得有聲有色。如果和直仔結為夫妻，說不定還真是一對天作之合呢。

要完成直吉的心願其實很簡單，只要我去向阿千正式提親，他們就能結為連理了。他們兩個並未私訂終身，按理說該由身為主人的我出面締結良緣。可是，唯獨這件事我不能做，說什麼我也辦不到。假如能做的話，當初根本就不必辭退阿千了。

「直仔……，這件事，你就死了心吧。」

我一番苦思之後才擠出的這句話，把直仔氣得簡直要跳腳地立刻回嘴：

「為什麼？」

恐怕這是我第一次看到直仔這般忿怒的眼神。我彷彿再度感受到直仔對阿千那股熱切的愛意。有那麼一瞬間，我略微畏縮了，可這事無論如何絕不能讓步！

「不管怎樣，就是不行！」

我們兩人毫不退卻地同時瞪視對方，直仔依然以強悍的銳利目光逼問著理由，我則以不動如山的堅決意志迎著視線看了回去。

假如你還是堅持要娶阿千，那就沒辦法，你先辭了店裡再去找她吧。——我真能說出這樣的話嗎？倘若他真的不幹了，我的麻煩可大了。雖然岩治郎總覺得店員隨便找都有，可對我來說，和我一起辛苦奮鬥出今天這番局面的直仔就只有這麼一個，任何人都不能取代他。兒子的成長必須仰靠直仔的輔佐，缺了他就不成了。唯有直仔留在店裡，兒子才有未來。

「這樣做對辭了職的阿石也說不過去。」

我最多只能說到這裡，其他還能說些什麼呢？

縱使同樣是對人的愛意，男人對於心儀女子的情愛，終究遠比不上誓死保護兒子的母愛吧。這兩種濃烈的情感在相互比拚之下，看來是我略居上風。因為對直仔來說，服從主人比對阿千的情意更為重要。

沒錯，不論是直仔多麼深愛的女人，哪怕是阿千也好，其他女子也罷，都沒有任何人能夠取代這家店在他心中的地位。鈴木商店對直仔來說，就像天地一樣重要。

直仔低下頭來，閉起眼睛，時而緊咬嘴唇，過了好半晌，終於吶吶地說了一句：「我明白了。」我對他委實感到萬分歉意，忍不住在心裡雙手合十對他默默地說聲：直仔，對不起。

這對我來說，實在是個痛苦的決定。對這家店如此盡忠並且奉獻一切的直仔，我怎麼可能不希望找個好姑娘嫁給他，讓他過上幸福的日子呢？

可是，我為了保護自己的家和孩子，對於直仔想要娶阿千為妻的這個心願，只能狠下心來冷眼旁觀了。

在心底縈繞不去的那股歉咎真是難受極了。以極高的工作效率，更用意想不到的驚人速度實現承諾的直仔，我不僅沒有稱讚他，甚至打從一開始就潑了他一桶冷水。世上有這麼霸道的主人嗎？

「直仔，……不過呢……」

為了要他放棄阿千，我應該提出什麼交換條件呢？——答案只有一個。

「你可以盡情放手去做。」

對，直仔的幸福，應該就只這麼一樣。

「鈴木這艘船，就交給你掌舵了。」

接著，我把剛才那本存摺，直接推還給他。

我可以感覺到直仔的臉由於緊張而變得僵硬。我重又對他說了一次：

「這是你賺來的錢，隨你想怎麼用，儘管拿去用吧！」

我非常清楚，即便這麼對他說，這男人唯一曉得用錢的方法，就是拿來做生意。

這家店再也不必只顧著守成，它早已航向無垠的大海，航向嶄新的時代了。

現在回想起來，那正是我和直仔的約定——我們主從倆終其一生的誓言。只要鈴木商店的傳承血脈不受威脅，我甘願退居幕後不予干涉，把一切都委由直仔執掌操持。這就是我立下的決心。

「直吉承當不起。」

隨即彎跪行禮的直仔，心裡應該不再對我有芥蒂了吧。雖然無法和有生以來第一次動心思慕的女子長相廝守，但換來了能將那股心酸悲痛與熾熱情愛，轉化傾注到更遠大的事業上。

這是我的店沒錯，可我選擇謙卑地主動往後退讓一步。社會上對我的這項舉措無不大表讚賞，卻或許是此時此刻，我能夠做出補償的唯一方式。

3

直吉企盼已久的那陣風，終於吹回神戶了。時隔半年，辛苦化身為木匠工頭潛入台灣探查的田川萬作，終於回到店裡來了。

「說起台北街上的繁榮進步，可一點也不輸大阪和東京呢。外國洋行到處林立，茶葉、樟腦木材的貿易也十分興盛。」

眼中閃耀著歡欣光采的他，報告時的語調洋溢著十足的興奮。

目前正在烏來及太平山上砍伐木材運到台北各處大興土木，不僅興建了莊嚴雄威的總督府，還有醫院、銀行、學校等等建築。他活靈活現地描述了當地朝氣蓬勃的景象。

「不過，台灣的治安還不大安穩。遠離城鎮務農和採樵的中國人，都聚集住在築有土牆圍擋的民宅裡，因為住在山裡的『生蕃』們尚未被日本同化，聽說還保有獵人頭的習俗。」

田川在直吉的房間裡鉅細靡遺地報告此行見聞，房門外則是層層疊疊地擠滿了拉長耳朵往裡細聽的店員們，三不五時發出了「哦」、「哇」的感嘆聲。

「鄰近台北的烏來山上，有難以計數的樟樹遭到濫砍。山腳下蓋了非常多家樟腦工廠，每一家工廠都備有大砲防守。製腦產業現在已經完全屬於總督府的保護產業了，可長久以來獨占製腦的西洋商人們，對這以小賺大的甜頭根本無法收手，遂轉為偷偷製造。而私下交易的暴利也引來覬覦，山裡就躲了很多匪賊伺機搶奪。」

早日遏制這種血腥爭奪，成為台灣總督府將建構交通網列為最優先建設的因素之一，眼下正著手準備沿著西海岸建設一條北起台北、南至高雄的縱貫鐵路。根據田川的轉述，鐵路沿線在一個名為嘉義的城鎮設置車站，從這裡深入山林，有一處叫作「樟腦寮」的地方，有大批製腦從業人員都聚集在那裡，熱鬧極了。

被太陽晒得黝黑、兩頰瘦得精悍的田川帶回來關於樟腦的消息，遠遠超乎直吉最渴望得知的情報。因為他加入了齊藤音作率領的山岳探險隊，和他們一起發現並見證了巨木參天的阿里山上豐富的森林資源。他沿途目睹的形形色色，無不是彌足珍貴的訊息。

可不論聽到多麼令人驚奇的報告，直吉也只裝傻似的隨口應一聲：

「哦，是喔。」

直吉的「哦，是喔」是他在聽別人說話的時候，不時脫口而出的著名口頭禪。通常很難分辨他到底是聽懂了人家的話，還是腦子裡其實在想別的事情，只是說著應付一下罷了。

然而，此時直吉心裡盤算的，並不是台灣那廣大的樟樹林。他暗自琢磨，在濫伐之下，再怎麼豐富的森林資源也終有砍完的一天。倘若任由中國人只垂涎眼前利益而不顧後果的胡作非為，縱使是天賜的寶山，百年後亦將淪為不毛之地。

更重要的是，該如何在製造過程中物盡其用。如果可以提高效率，從等量的木材中提煉出更多樟腦油，便不必砍伐那麼多樟樹了。直吉想知道的是，已經提煉出樟腦結晶體後的樟腦油，接下來是如何處置的。按照中國人的做法是直接把這些油倒掉丟棄了。

「若能再花些功夫，應該可以從那些油裡面再一次提煉出樟腦才對。」

以日本的捕鯨產業為例，整條鯨魚在加工過程中，幾乎沒有任何會被丟棄的部位，從頭到尾全都各有用途。可是中國人與其他民族由於坐擁豐富的資源，即便大量丟棄物資也毫不吝惜，實在令人遺憾。

「應當要徹底善用被砍下的樹木，這才對得起它們的犧牲啊。來想想辦法吧。」

直吉又找到了一項嶄新的奮鬥目標。

他要召集技術精湛的技師，從原本被棄置的樟腦油裡面，再度提煉出樟腦來。擠在門外聆聽的店員們無不訝異地你看我、我瞧你。原本只需轉手銷售的商品，現在改由商人親自製作出來。……再怎麼想，商人都不應該逾越本分撈過界吧？但是，直吉接下去說道：

「你們仔細想想。從古到今的商人都不親自從事生產，只將商品右手買進、左手賣出，即可從中牟取利益。這是不折不扣的『虛浮生意』，所以才會被人認為滑頭卑劣。」

他的滔滔闊論讓大家聽得入神了。他繼而有條不紊地闡述，在廢除武士階級之後進入了文明開化時期，商人應該領銜負責生產事業，並且扛起領導農人與工人責任。

「再也別做賺取蠅頭小利的小生意啦。我們要建立起自己的產業，累積資金與精進技術以自行生產，再直接賣到國外，讓鈴木的商號享譽全世界！」

直吉說得慷慨激昂，彷彿有意講給在門板外面擠成一團的店員們聽似的。

殖產興業[2]。這不只是明治政府的新夢想，更是應當挺身為國的商人們鬥志激昂的男兒夢想，

2　明治政府為了促進國家的現代化而推行的新興產業育成政策。

再加上傾注國力在海外得到的新領土所激發出的豪情壯志，更令店裡的人無不摩拳擦掌，等不及要大顯身手。

「各位，怎麼樣？既然同樣是做生意，不如闖出一番轟轟烈烈的大事業吧！」

一張張躍躍欲試的臉孔前方，坐著與直吉湊臉而談的田川。他那張飽經烈日灼吻的面孔，彷彿依然烘得發燙般漲紅。

倏然間，店裡瀰漫著不同於昔日的氣息，因為田川遠從台灣帶來了異地的風息。

大家都很想多聽些那片陌生領土的樣貌，只要手邊一得空，便纏著田川連珠砲似的問個不停。田川從那邊學回來的中國武術令學徒們深深著迷，他們有樣學樣地伸手抬腿地模仿著凌空飛踢、蛇行刁手、大鵬展翅等等招數，結果挨了掌櫃好一頓罵。田川已經搖身成為店裡真正的英雄了。

就在這陣熱潮尚未退燒之際，隨即捲起了另一陣旋風。這次換成是直仔說他要親自去台灣一趟了。

當然，目前應該還不允許一般民眾前往台灣。正如當初清國對於台灣三年一小亂、五年一大亂感到十分棘手，率領皇軍進駐台灣的歷任台灣總督，也因為遲遲無法弭平動亂而焦頭爛額。

連我們這些小老百姓都已聽聞到最震驚的消息，要數擔任征台軍指揮、身為皇族一員的北白川宮殿下，竟在率兵作戰時在外地戰歿了。這個消息雖然令人痛心，但殿下薨逝之後成為台灣神社的奉祀主神，應當會鎮守在台灣庇佑著千萬皇民。縱使經過了歲月的淘洗，殿下悲壯的命運依然深深地留存在大家的記憶裡，他的事蹟甚至被寫成女孩子玩丟撿沙包時唱誦的童謠，就這麼一代又一代地傳唱下去。

可在如此險惡的情況下，直仔仍是說非去不可。他非得親眼看到那長滿千年神木、鬱鬱蒼蒼的深山老林才滿意，任誰怎麼勸他都不聽。

話說回來，總不能放任他想做就做，浪費寶貴的人生時光呀。當老闆的，可真是件吃力不討好的工作，必須像母親一樣，悄悄地不被人瞧見、偷偷地不被人發現，在背後默默地守護著大家。

「阿村，拜託妳了，知不知道哪裡有個好姑娘呢？」

要是放著無心成家的直仔不管，恐怕他一輩子都娶不到媳婦兒了。這種事就得靠周圍的人幫忙推他一把才成。

「累您為他這麼操煩，金子先生真是幸福呀！」

阿村微笑著說道，對我的憂心給予支持。

之後，向來認為是自己帶領直仔入行的富士仔，從阿村那裡聽到了我的想法，幫忙在土佐找到了好姻緣——直仔曾經當過學徒的那家當鋪的閨女，阿德。

說起來，她雖和直仔是主僕關係，可今天的直仔已是堂堂鈴木商店的頭號掌櫃，論身分完全足以匹配。即便他沒有學歷、沒有家世，光憑他在商界裡的地位，根本不成任何問題。

若是娶了前任老闆傍士家的女兒為妻，不僅可以光耀故里，又能得到堅強的後盾。對方當初也是看好直仔絕非平庸之輩，才會特地寫了推薦函將他送到神戶歷練，對於直仔今日的成就更是歡喜溢於言表，欣然接受這門婚事。

當大家為他的終身大事忙得一頭熱時，直仔卻當成是別人娶親一般，滿腦子想的都是前往台灣的行程規畫。

「新地圖已成，國之春將屆」——他不時得意洋洋地吟誦著近來頗受矚目的正岡子規先生所寫下的俳句。多年以後，直仔嗜尚吟對俳句，甚至還取了個「白鼠」的雅號，可在他拚搏工作的年輕時代，除了做生意以外，對什麼事都沒興趣。

不過，若是報紙上或活躍於文壇的藝文人士們提到了台灣，哪怕只有隻字片語，都會令他激動不已。只要報紙上出現了「台灣」兩個字，他必定會仔細耽讀，這使他儼然成了台灣的萬事通。在神戶發行的又新日報報社，就在鈴木的總店正前方的對街上，直仔每天早晨先在自己的辦公室裡讀完報紙，便馬上出門到報社，直接找記者討論台灣情事，這已經成為他不曾怠惰的日課。

他雖發出豪語「欲攻下敵地，必先見聞當地」，可他的腦袋裡面，應該已經塞滿盡心費神蒐羅來的台灣資訊了吧。

話說回來，既然那塊土地令他興味盎然，理應也會引來其他業者的關注，可據我所知的範圍裡面，似乎沒有別的商人抱持著同樣的想法。

他還說什麼無論如何都得和那位連在日本也難以有幸拜見的偉大人物——台灣總督府民政局長後藤新平閣下見上一面才行。

子規先生的俳句「台灣溽暑熱，氤氳騰熏天」，再一次吹來了那股炎風。

那是個遍地長滿濃綠香蕉和芭蕉的島嶼，也是個山野密林間潛伏著蚊蟲與土匪的島嶼，更是個得以令人一攫千金的珍寶島嶼。隨著田川帶回來的台灣風息，彷彿正在店簾外的那一方，以其獨特的熱氣捲起了迅猛的炙熱旋風。

田川說得口沫橫飛，讓直吉聽很想去台灣一趟。稍後，田川拜見了阿米，重新又向她報告他們即一同前往台灣，並談了許多台灣各地的見聞。

「老闆娘，恕我這麼晚才來向您報告，這回我又要和金子先生去那邊了。」

阿米含笑細目看著正身端跪在面前的他，宛如這是第一次見到的男人。他看起來不僅僅是全身晒得黝黑，置身於陌生的風俗、陌生的環境、陌生的人群之中，好不容易才生還返國，通過這重重考驗的自信，使他的眼神迸射出強而有力的光芒。

年輕真是最大的本錢。兩年前，慘遭那場重大的挫折後尋死尋活的那個喪氣的男人，今天已經散發出令人炫目的光采了。

「忘了把這個送給您。這是我帶回來的禮物。」

看到他把放在榻榻米上的物件往前呈送，阿米當下吃了一驚。

「這不是……玩偶嗎？」

那是個賽璐珞製的藍眼玩偶。日後還有一首關於賽璐珞玩偶的歌，唱的就是它。

「這是我在台北的碼頭，向一艘從美國駛往上海的商船買來的。」

最後一次有人買來玩偶送給阿米，已是很久以前的少女時代了。對，正是當年仍是少年的惣七隨著父親去京都的時候，特地為阿米買回了用美麗的五彩千代紙裁折成的和服娃娃，她此刻彷彿重又聞到了紙娃娃上熏染的高雅芳香。阿米的目光不自覺地從田川的面容，移向了那個穿著紅洋裝的玩偶身上。

不過，田川買回這個玩偶的動機，當然和惣七的不一樣。

「那就是賽璐珞。是從我們買賣的樟腦做成的玩偶。」

阿米心裡很清楚。田川不是把它買來送給心儀的少女，而是為了幫總是待在裡屋、不知世事的女老闆增長知識，才特地帶回來的。

那玩偶有著光滑的肌膚，細膩勾描的晶亮彩色瞳眸，輕盈的胴體；還有臉部的曲線與手指的複雜造型，在在皆為布料或陶瓷所無法製成的巧奪天工。

「原來如此，難怪全世界瘋狂地愛上了賽璐珞。」

「是的。不只是玩偶，還有鋼筆、眼鏡框等，很多東西都開始使用賽璐珞製造了。這麼一來，還有很長的時間，人們的生活中絕少不了樟腦這項產物。」

他在講的是自己工作上的商機。可阿米的心中仍然和方才收到這份禮物時同樣喜悅，不曾稍減。無論他是為了什麼目的而買，至少在買這件禮物時，他的腦中想的是自己。

「台北的近郊有烏來山還有太平山等等幾座高山，要把樟木砍下後運出來，就得和躲在山裡的盜匪們拚搏一番，運氣不好還可能送了命。」

他描述的見聞，比玩偶禮物更是珍貴。

「蚊蟲漫天飛，台灣土匪起」，這首子規的俳句是阿米對於台灣唯一的印象。她沒有試著掩飾自己的無知，陸續拋出了所有想知道的問題。

「為什麼內亂拖了那麼久呢？只要施展皇軍的神威，那點小事不是一下子就能平定了嗎？」

神戶港經常出現一艘艘軍艦，上面載滿了即將出征台灣的士兵，因此，阿米可以從日本對台灣投注的兵力切身感受到戰役的規模之大，而不僅僅是發生在遙遠的大海那一方與己無關的戰爭。她也聽說了，在台灣陣亡的士兵們，比在日清戰爭中的犧牲的人數還要多。

「如果是兩軍對戰的話，很快就能分出勝負了。可是土匪和普通村民沒什麼差別，所以非常棘手，他們白天躲在山裡頭，到了夜晚才出來偷襲軍隊，根本沒辦法正面開戰起來。」

所謂的匪賊是抗拒日本支配的人們，有一部分是特地從大陸遠赴台灣墾荒，卻被日本搶走了好處的清國人，另一群則是先是被清國人奪走了土地，繼而遭到日本二度侵略家園的被喚作「生蕃」的原住民。

由於來源相當複雜，想要乾淨俐落地掃蕩所有的抵抗者，委實難上加難。

「也難怪清國覺得那地方是個燙手山芋。第三任總督乃木希典閣下甚至上書建言，乾脆把台灣以一億圓賣給法國算了。」

過去曾因為越南主權問題而爆發清法戰爭時，法國也曾經對台灣實行過海上封鎖，若能以區區一億圓買到台灣，對法國來說應是物超所值吧。就連這位在不久後爆發的日俄戰爭中名傳遐邇的英雄乃木大將，也因為征台的死傷過於慘烈，認真地考慮這項方案。

然而，日本從清國手中贏得的遼東半島，卻在俄國邀集法國、德國的共同干預之下，被這三國強行奪走了。由於有此前車之鑑，所以唯獨台灣絕不出讓給任何國家，日本不惜任何代價也非得守住這個島嶼，以向世界顯耀天威。

值此局勢混沌之際，直吉竟然以宛如去一趟有馬溫泉般的輕鬆口氣，向阿米稟告即將前往台灣。阿米聽到愈多台灣的消息，愈是不放心。

「聽說，那裡有直仔想要參見的重要人士？」

後藤新平，官拜台灣總督府的民政局長，況且還是一手掌握台灣統轄實權的人物。總之，那裡是清國至為頭疼、大名鼎鼎的李鴻章亦曾警告過難以治理的地方。

「他可是帝國政府的官員，在我看來，簡直是遙不可及的大人物呢。」

實際上，若是在日本國內，絕不可能輕易登門謁見大官的。可是直吉算準了在日本人還不多的台灣，得以拜會的機會相當高。

「況且，如果要完成金子先生心目中的偉大事業，最好的方法便是與政府結為盟友。只要看看三井和三菱的做法，就很清楚了。」

自從日本終止鎖國以來，才過了三十年。要建立能夠與外國對等貿易的產業，最有效率的方式是先由政府以稅金整備基礎建設，再交由民間經營。然而，當政府被特定藩閥把持，委任經營的對象永遠都是出身薩摩藩和長州藩的事業家得利，像鈴木這樣沒有任何後盾的商家，根本沒有絲毫機會，只能氣得牙癢癢的，眼睜睜地看著薩長閥派的三井、三菱、安田等企業拖走了金雞母。

「以這點來說，後藤閣下不隸屬於任何藩閥，兒玉總督看中的完全是他的實力，親自欽點任命他為民政長官。」

時值第四任總督兒玉源太郎中將管轄台灣。前三任總督可惜未竟其功，於是兒玉總督指名足智多謀的後藤擔任總督之最佳輔佐的民政局長一職，作為統治台灣的王牌大將。他萬分感念長官的信任，赴湯蹈火趕往台灣主持行政事務。

「後藤閣下推行的並非以往西洋人在亞洲各國強硬地以『征伐』的武力鎮壓，而是將其視為日本的海外領土，採行『統治』的政策。」

說得也是，台灣的確已經是日本的一部分，不是只供壓榨的殖民地了。這種政策與使用武力掠奪的鎮壓行動，諸如美國人對原住民所做的、或者西班牙人對南美民眾所做的、抑或英國人在印度所做的種種暴行，完全是截然不同的。

「與其忽然強迫當地人接受日本成為他的國家，不如增進雙方的相互了解才是上策。後藤閣下首先對全島進行了鉅細靡遺的調查：島上有哪些族群？他們使用哪些語言？有什麼風俗習慣？其族群性格與思考模式又是如何？」

從來沒有任何一位中國的官吏，曾經展開過如此大規模的普查。根據數次查察的結果，不僅彙編出住民基本資料登記簿，連早前沒有登錄的田地也量丈出來，台灣的稅收從此大幅增加。

「並且讓名列於登記簿上的住民去上學，教導他們讀寫文字，施予教育。」

原本有各種不同語言和族群並存的台灣，透過日本的轄理，首度被統合成一個國家。

尤其他興蓋了日本紅十字醫院，使得過去甚至被蔑稱為「瘴氣之島」的惡劣衛生狀況有了長足的改善，這是清國及其他國家都不曾達到的政績之一。他發揮精明幹練的長才，決定先興建設備齊備的大型醫院，作為對抗橫行台灣全土的各類傳染病，以及推展公共衛生防治的重要據點。

「畢竟後藤先生的本行是醫生呀！」

不過，他面臨的最大考驗是如何處理鴉片問題。

自從清國在鴉片戰爭被英國打得一敗塗地以來，又飽受洋人引進鴉片的荼毒摧殘，整個國家和人民幾乎如行屍走肉般悲慘。眼下，連台灣也同樣經由清國不斷地運進西洋商人的鴉片。

「鴉片的傾銷是西洋人對支那人犯下的惡魔行徑，簡直是天地不容！」

在鴉片問題上，後藤也提出了英明的論點，其所施行的對策令西洋各國也大為震驚。他認為不能驟然全面禁止鴉片，而應採行漸禁策略使鴉片成癮者逐漸減少，而第一要務便是將鴉片改為政府專賣，交由總督府的專賣局統籌辦理。

他的計畫是，在實施專賣制度後，包括買賣雙方在內的所有鴉片吸食者，都必須向總督府提出申請登錄，除了登記在案者以外，嚴禁其他人吸食。於是，吸食鴉片的人口從此不再新增，而已登記在案者隨著癮症的戒除或是死亡，遂會日漸減少。

「為了要消滅吸食人口，所以對鴉片課徵很重的關稅。」

連阿米也預測得到，其結果便是專賣局得以藉由鴉片獲取莫大的收益。事實上，後藤正是希冀透過這項歲入，早日達成台灣財政收支由紅轉黑的目標，毋須仰靠日本本國撥款補助，即可獨立運作。而鴉片專賣局的歲入用途不必請示本國的財政當局，可以逕行全數投入當地的醫院、學校、鐵路諸項民政事務。

後藤大刀闊斧地推展一項項基礎建設，包括鋪設鐵路、建蓋醫院、設立學校、興建水壩、架設橋梁等等，使台灣得以脫胎換骨，洗刷清國時代血腥猙獰的汙名，不再是那個毒霧之島、瘴氣之島，以及匪賊四起之島。第二次世界大戰結束後，脫離日本屬地的台灣全島再也找不到任何一名鴉片成癮患者，應當可以說完全歸功於日本努力的成果。除此之外，總督府亦在每一處深山僻鄉都設有學校並且因材施教，更有一群農業研究所的技師們殫精竭慮、致力研究，使得台灣成為能將農產品輸出世界各地的農業生產國，這一切在日本統治下達到的輝煌成就，必定會在歷史上留下不朽的紀錄。換句話說，日本將台灣完全視為本國的領土，投入鉅額的國稅與人才經營，因而振興台灣的文化與產業，更令台灣能憑藉自己的力量立身於世。田川便是親眼見證到日本政府在這個時代中所付出的貢獻與犧牲的其中一人。當然，關於原住民、清國人，以及自己這些日本人之間的侵略與對抗侵略的無情現實，或許在更久以後的未來，他將會嘗到切膚之痛。

「是這樣嗎？那麼，我就不必太擔心直仔了吧。」

阿米像是說給自己聽似的說。

今天的台灣是什麼樣貌，明天以後的台灣又將出現何種變貌，阿米的確已經隱約可以看見那裡的現在和未來；可即便如此，她卻猜不出直吉打算在那地方做些什麼。她唯一明白的是，自從直吉意識到台灣這塊土地將會為日本帶來新機會的那一刻起，他已不再將目標侷限於擴展商店規模與賺取更多錢財，而是將眼光望向了更遠大的方向——他要為民造福、為國牟利。

這志願聽來像是空中樓閣，可阿米也只能依照之前答應直吉的，放手讓他盡情去做。不過，她仍免不了日夜擔憂店員們的安全，這是她身為老闆無論如何都沒辦法卸下的責任。

「辛苦你了，好好休息吧。」

阿米由衷地慰勞田川之後，讓他退下去了。田川變得成熟堅強，阿米聽完他的異地見聞，打從心底對他更信任了。阿米無從得知這家店往後將有何發展，至少她曉得，店員們都已成為茁然自立的好男兒，各盡其司合力地划動鈴木這艘船了。為此她很放心。

「這下可辛苦了。神戶的鈴木，要變成台灣的鈴木啦。」

阿米嘆了一聲，起身移向神龕，輕輕地將玩偶擱在上面，那雙以顏料勾繪的純真眼眸正在笑著。她心想，或許自己也和他們一樣，正身處在這陣從台灣吹來的疾風之中。

4

這段期間，店裡的台灣熱潮未退，直仔的親事仍須加緊籌辦。真是辛苦富士仔了。婚禮預定在土佐舉行，但考慮到直仔的人望與地位，也得在神戶辦一場符合鈴木大掌櫃身分的大型婚宴，並且邀請往後盼仍多予惠顧的商家大老闆賞光蒞臨，這一切全仰賴富士仔奔走安排，任務可說勞累繁重。

我和阿村則代替直仔遠在土佐的母親阿民太太，忙著張羅新郎的服裝和新房。就連有土佐的親友前來安排婚禮事宜，也得熱情地款待一番。在這忙得不可開交之際，細心的阿村成了我最為得力的幫手。

「真是忙得我頭昏眼花，得趕緊再找個女傭進來才成。」

我忍不住發了牢騷，沒想到阿村把這話擱在心上，隔了幾天，富士仔就來找我磋談再雇個幫傭的事了。

先是阿千離開，緊接著連阿石也走了，好長一段時間家務都忙不過來，可自從發生了阿千隱瞞真實身分混入裡屋工作那件事以來，總覺得新雇的人難以信任，這段期間總找隔壁的阿村過來幫忙，再加上原本還有個女傭阿梅，就我們三個女人打理裡裡外外的瑣事。

不過，隨著直仔的婚禮日漸逼近，以及生意上的交際往來愈趨廣闊，況且阿村肚子裡又懷上了第二胎，不好再繼續仗賴著她，老實說，真的很想快點找到人手進來。

「哎，阿梅呢，阿梅不在嗎？」

我壓根忘了方才派阿梅出去辦點雜活，連聲叫喚她趕緊備茶給忽然造訪的客人。這位上門的貴客不是別人，而是兒子的監護人藤田兄，他特地前來商討要寄到東京給兒子的學費事宜，好巧不巧和富士仔碰上了面，許久不見的兩人拉開了話匣子聊得起勁。

「真是的，怎麼還沒奉茶上來呀？」

說著，從裡屋傳來一聲清亮的應答，我心裡正納悶著平素總是一副半死不活德行的阿梅今天怎麼說起話來這麼有精神，便從裡面走出一個沒見過的女孩來，用托盤端著煎茶和茶點過來了。那小女孩瞧著還不到十歲上下。

我正訝異著怎不是阿梅出來，只見富士仔笑著說：

「噢，才剛到這裡就開始上工啦。……我就是為了這孩子的事情來的，是不是可以留她在這裡學些規矩呢？」他又接著說道，「她年紀還小，也得讓她去上學，或許還要等些時日才能成為有用的女傭。我想，若能當她是女學僕[3]住下來也不錯，這段時間呢，我也會盡快找個女傭進來。」

接著，他當場訓斥了小女孩，指其奉茶的順序錯誤。

「哎呀，妳要先端給老闆娘才對呀！」

沒想到，那女孩恭敬地彎身行禮，臉上毫無懼色地回話：

「這是老闆娘對客人的奉茶，當然應該先端給來賓才對，不是嗎？」

富士仔反倒被搶白了一頓。

3　大戶人家或商家裡的寄宿學生，有時亦需幫忙家務或商務。

「說的好，這可是阿米太太請我喝的茶！妳還真聰明呀。」藤田兄朗笑著端起了茶杯。

「我怎麼那麼糊塗……」

富士仔難為情地猛抓頭，隨即正式介紹了那個女孩。

「我方才吩咐她，在客人回去之前，待在裡面等著。」

女孩曉得在說她，抬起頭來瞅望著我的表情回答道：

「我聽到您直吩咐送茶過來，可裡面誰也不在……」

就連和先夫同個性子不講變通的藤田兄，也出聲稱讚她：

「做得好！在裡屋工作的人就要懂得見機行事，而且妳沏的茶真好喝。」

說畢，他把茶一飲而盡了。他曾經和岩治郎一同艱辛地打拚砂糖的生意，隨著年歲漸長，那股硬脾氣被磨得圓滑多了，瞧著眼前年紀和孫女相仿的孩子，臉上洋溢著疼愛的笑容。

女孩身穿黃底條紋的八丈織和服，繫著藏紅色的腰帶。她那雙聰慧的眼眸和身上的穿著，都令人感到倏然一亮。不知道為什麼，那股清朗的明亮，讓我分外的懷念。或許因為是兒子們離家上了中學和大學以後，家裡少了那份喧騰所致吧。

「妳叫什麼名字？」

「我叫珠喜。」

她嗓音清脆的應答很得體，可以看出家教十分嚴謹。

「她是客戶央託我帶來的。那位商家老爺因為續了絃，遂將這孩子交由亡妻的娘家照料，可孩子的祖母年歲已大，希望讓她到大戶人家裡學習應對進退，過幾年可以婚配了，再送她出嫁。」

「望請您多多指導。」

都還不知道我答不答應，稚氣未脫的她已竭力模仿著大人的教導，雙手平伏在榻榻米上，深深地彎跪行禮，那模樣不禁令我露出了微笑。就連先帶她去遊覽神戶再來到這裡的富士仔，也很滿意地看著這個不多時前還好奇地東張西望、沒一刻靜得下來的小孩，一踏入家裡立刻搖身變成機敏能幹的幫手。藤田兄亦笑瞇了眼睛，讚嘆鈴木已經成了人家想送閨女前來見習禮儀的大商家了。

事到如今，總不好趕走她了。雖不知道她能撐忍到什麼時候，就先留她下來吧。不過，在讓她待下來之前，我最先想問的是她的出身來歷，可當著她本人的面問起又顯得不信任，何況也像是對介紹阿千前來的藤田兄指桑罵槐。他從大哥那裡聽說了阿千的事，已經非常自責了。眼下暫且當作富士仔帶來的人應該錯不了，吩咐她先下去等一下。

我作夢也沒有料到，這孩子竟然又帶來了另一場震撼。

富士仔從客戶那裡拿到的介紹函並未造假，卻沒有寫上最重要的資料。是的，上面沒有提到父親的名字。從介紹函裡可以看出照顧她的外婆家是個殷實的商家，但當初阿千剛來時的情況亦是如此。

我一直等到藤田兄和富士仔離去以後，才問及這個頗為介意的問題，赫然得知了這女孩的真實身分。

「珠喜，過來一下。」

珠喜再度聽到阿米的召喚之前，已先和從後門回來的阿梅打過照面了。阿梅仔細打量著這個年紀比自己小的女孩。她之前完全沒聽說過會多個人來。

「我可是比妳先來這個家的，妳千萬別忘了！」阿梅沒忘了要先下馬威。

「我什麼都不懂，請多指教。」

珠喜也不是省油的燈，她曉得該先主動尊捧阿梅為前輩。但這應對得體的問安，卻讓初次見面的阿梅反感，覺得這小孩真惹人厭。

阿梅是木匠家的女兒，出生在離這裡不遠的宇治川。她雖不愚鈍，卻也不算機敏，三不五時便會遭到阿米的責罵。現在才十八歲，當初阿石還在的時候她的年紀更是幼小，所以阿米沒敢把重要的事情交給她，而且就算把事情搞砸了也會原諒她，等到店裡只剩下她一個女傭，她便會佯稱搬出忙不過來，阿米也只能不予計較讓她混過關。

阿梅之所以討厭珠喜，還有另一個原因。她有個祕密絕不能被阿米知悉。因為最近，她才剛和砂糖部的小夥計仙吉要好了起來。為了去和仙吉私會，就得想方設法瞞著阿米，但她覺得十分值得。可現下多了個珠喜，想必往後還得避開珠喜的眼目，不方便極了。

「我先警告妳，我們家的老闆娘是個很可怕的人喔。如果她親自找妳交代事情，妳可得千萬當心！」

珠喜才剛被阿梅恐嚇，旋即被阿米召喚過去，自然而然緊張得繃緊神經。

其實，阿梅威脅她「老闆娘是可怕的人」是聽說店裡的夥計和女傭只因為交往，就被老闆娘以敗壞風紀的理由把那兩人開除了。這個似是而非的傳聞甚至還提到，由於阿千鬧出的緋聞，使得在家裡工作多年的女傭領班阿石，因此被迫負起督導不周的責任，辭職回鄉去了。阿米對待在她身邊做事的女傭們，嚴格得近乎鐵面無私，十分恐怖。

珠喜緊張地進入了內室，看見了阿米正在縫東西，旁邊擱著一只針線盒。

「妳會縫抹布嗎？」阿米劈頭這樣問道。

縫紉是當時的每個女子必備的基本能力，珠喜還算熟練，遂在她身旁坐了下來，接過了布塊和針線。

最適合用來做成抹布的是能夠擦拭任何凹陷縫隙的柔軟布料，比如學徒們穿久了洗得褪色的夏季和服，總會留下來作為縫製的布塊。阿米一得空便會像這樣拿出針線箱一針一線地縫綴，這是她分內的工作之一。

若是布料上有裂了、破了、虛了的地方，就得先密密地補綻，直到夠堅韌了再縫製成適當的大小。或許是珠喜以前也縫過抹布，馬上就學會了做法。

「聽說妳是商家的閨女，爹爹的店在哪裡呀？」

阿米是個重視效率的人，連在面試的時候，也不許自己和員工偷懶。她瞧著珠喜的手上穿針走線已十分俐落，才開口問道。她心想，既然人家把女兒託在這裡，遲早得和她的父親見個面。

「在姬路。」

阿米心頭突地一怔，停下了手上的針線活。

「在姬路的哪裡？」

她又隨口問了一聲，心想，既然是富士仔帶來的，或許是透過同為姬路人的阿村輾轉介紹來的。

「二階町。」

阿米吃了一驚。若是二階町，別說可能是阿村認識的人了，那裡可是阿米長大的城鎮呀！

「在二階町，叫什麼店號呢？」

雖然自己離開姫路不止二十年了，可娘家迄今仍在那裡，只要問出店號就知道是哪一家。富士松也真是的，怎麼沒先問個清楚呢？

怎麼也沒想到，當阿米聽到回答的那一瞬間，心臟險些停止了跳動。

「叫作漆惣。」

阿米持針的手頓在了半空中，那不正是當年嫁去的婆家嗎？

珠喜猶豫了片刻以後，默默地將手上縫到一半的布塊擱在膝上，從懷裡掏出一封書函當作回答。

「爹爹交代過我，等到老闆娘決定收留我以後，問到我的身世時，再把這個交給您。」

信封上寫著「身家資料」。對方稍早已透過富士松將把她就學期間的養育費也一併交給阿米了，未免將一切步驟都考慮得太周詳了。阿米打開書信時，為了讓自己心情平靜下來，忍不住嘀咕著：

「在這節骨眼上怎會跑出這玩意兒嘛！我還以為富士仔辦事很牢靠的呀！」

可是，那封書函的第一行才映入眼簾，阿米的整顆心就全揪成一團了。

信裡先是稱呼「阿米夫人」，接下來的起頭第一句是「真令人懷念」，上面的字體阿米非常熟悉。過去以同樣的筆跡寫下的那封「休書」，讓阿米痛苦地反覆捧讀過多少遍了。她永遠也忘不了，這個略顯稚氣渾圓的字跡。

這是……惣七寫的……。阿米幾乎忍不住要發出呻吟。

阿米歷經了與丈夫死別、孩子離鄉讀書、商店的生死存亡關頭，甚至險些慘遭祝融之災，原以為已經見慣了大風大浪，絕不會因為芝麻小事而大驚小怪，此刻竟然因為區區一封信而像個小姑娘似的心情激動，身體止不住地晃抖，還發出「啊啊」的輕聲嘆息。毫無疑問地，那的確由前夫寫給阿米的一封信。

我們是青梅竹馬的玩伴，曉得彼此的喜怒哀樂，最後終成了眷屬。想當年真是年輕呀，一晃眼已過二十年了。可是，當我捧讀著那封信時，彷彿倏然回到了過去，至今耳畔彷彿可以聽到時光乍然倒流的轟鳴。

住在姬路的日子真令人懷念。我人情世故什麼都不懂，以為所謂男女相愛只是劇場裡歌舞伎戲碼而已，但我們有幸地共同生活著，真實地感受到互為關懷的點點滴滴。惣七哥的溫暖話語，總是讓我感動不已。他在公婆的面前回護著我，總是我最堅實的依靠。我悲傷時他知道如何逗我發笑，我哭泣時他會及時安慰我；總之，他對我關愛備至。有些時候，我甚至覺得自己來到這個世上，便是為了回報他的體貼溫柔。

前塵舊事，誰能想得到，他會是以這樣的方式重又回到了我的眼前。

在往後的人生中，我在獨處時經常反覆展讀這封信。以「阿米夫人」起頭的這封信，接下來是這樣寫的：

從小，我就認定這輩子的結髮之妻只有阿米夫人一位。自從您離我而去以後，我絲毫不想再另結新歡，好一段時間都維持單身，無奈家裡多番催逼，鰥居有失姬路漆惣的體面，只得迎了續絃入門，一轉眼也過了十多年了。

然而，對於與您娘家交惡，致使我倆無妄分手的家父母，我怎樣都無法再次相信他們，我沒辦法由衷孝順尊敬父母，也沒辦法溫柔對待妻子，只任由光陰一天天流逝。

我從未對後妻敞開心懷傾吐心底的掙扎，也不知道她是否了解我的苦悶，詎料她竟撇下女兒，離開人世了。

為了守住這份家業，我不得不另娶繼室，卻又擔心女兒會遭繼母嫌棄，於是把她寄在外婆家。小女雖已平安長至七歲，但年老體衰的岳父母再也無力教養，我正苦於尋思該如何安置小女之際，恰巧聽聞自從貴府老爺過世之後，您憑著一己之力，將貴寶號已拓展成神戶知名的大商號了。

即便如此，我實無道理懇託您代為照料小女。倘若讓兄長知道了，必定會斥罵我忝不知恥。我萬分明白這央託有多麼不合情理，可任我再三深思，這世上唯有您能照料小女，一切都怪我力有未逮，望請惠予海涵。

謹此，我透過信譽卓著的商店將小女送到貴處學習處世禮儀，可否請您答應收留這孩子？我深知自己沒有立場要求您如何做，唯希望寄託您能念在舊日情分上，並祈小女命運造化順遂。我懦愚而力不足，但必定會誠心祈禱您闔家萬福，默默守護這孩子的未來。

回想起來，和您結為夫妻的時光並不太長，可比起自家的兄弟姊妹，卻更能讓我信任，全世界只有您方能照料小女。而這必定是您現今的地位與風範，以及令我難忘的溫婉氣韻使然。萬望您寬宏大量，接受這份懇切的央託。遙祝夫人昌隆清祥，至以為頌。

隨著往下展讀，我好不容易抑住澎湃的心潮，轉折了多時，才能發出聲音來。

等到這內心的風暴狂掃而去，我才向珠喜問道：

「那麼，妳爹爹現在呢？」

「……他已經過世了。」

霍然，我的耳畔猶如爆出轟天的巨響，緊接著是一陣輕微的暈眩。那些珍貴的回憶彷彿正在沒入遠方的水裡，隱約傳來了緩緩下沉的聲音。

從小，每當我難過的時候，他總會挨近我的身旁逗我發笑，直到我展露笑容。分手了以後，那一幕幕仍不時於我腦海深處甦醒，可如今，卻連這最後一縷夢魂，都已悄然飄離塵世了。

聽說他是患了胃疾，遽瘦孱弱而亡的。

這封信勾起了種種回憶，猶如置身於狂亂的漩渦中，在恍惚懵然之中，我彷彿聽見了內心的吶喊：大家全都走了！只拋下我一個人苟活，捱過這數不完的苦悶日子！

對我來說，我需要好些時間方能重新振作起來。我看完信以後，不知已過了多久時候，珠喜倒來一杯白開水，又遞上肘几讓我舒服些靠著，從這體貼的舉動可以看出，她是個貼心的孩子，之前和祖母同住的時候，想必就是這樣服侍長輩的。

「小時候，爹爹都跟妳說些什麼呢？」

我心情終於平復了下來，最想知道的仍是惣七哥的事情。

「他常說起神戶的事。」

「神戶？他常來神戶嗎？」

「聽說在我出生以前，他只來過這麼一趟。」

原來如此，他也曾經來過神戶呀。我乍然想起很久以前，我曾在背著出生沒多久的德治郎到熱鬧的榮町街上時，在熙來攘往的人群中瞥見和他極為神似的身影；又憶起幫岩治郎做法事的那個夜晚前來造訪的那道昏暗人影。這麼說來，也許我瞧見的確實是他本人。

說不定他也和初次造訪神戶的人們一樣，參拜過大楠公，賞覽過櫛比鱗次的洋人館後，接著也來到了榮町，並且站在鈴木商店的前方，凝望著店裡繁忙的景象。

想到這裡，我彷彿有種錯覺，此時此刻，他正站在馬路的對面護佑著這家店和我。為此我心疼起來。以前，父母之所以教導女兒一女不事二夫，想必定是捨不得愛女嘗到這種傷痛吧。

我的情緒平緩了以後，忽然想到，我為了前夫如此悲傷心痛，是否等於沒為岩治郎守住貞節呢？話說回來，這兩任丈夫都已經不在人世了呀。

一轉念，我又想起了另一件事，就是岩治郎還有個女兒阿千，卻一直瞞著我。由於阿千的出現，不僅傷透了直仔的心，也牽連阿石不得不離開這家店，這一切都怪岩治郎種下的惡因，才會遭到那樣的果報。

一個荒誕的想法陡然掠過心頭：既然這樣，就算我照顧我前夫的遺孤，岩治郎也不能責備我吧。

「他沒有帶妳來過這裡嗎？」

「沒有，但爹爹常帶我去丹波。」

聽著她敘述和父親一同到山上採集生漆的種種回憶，宛如我也和他們一起去到那紅葉遍野的山野林間了。

珠喜是個很開朗的孩子。我仔細端詳著她的臉，她的瞳眸讓我聯想到他的眼睛，那個雖然已經和我分手，卻絕不怨天尤人不回首過去，只向我訴說要將所有希望寄託在明天的男人。是的，那雙迎著我的目光的純潔眼眸，和惣七哥的真誠眼神毫無二致。

惣七哥還活在這孩子的身上！——一股激切的念頭射入了我的胸口。

把這孩子放在我身邊，就等於和我從小唯一深愛的男人的分身共同生活。即便被知道真相，現在又有誰會來責罵我呢？

我為了讓兒子們接受高等教育而忍痛讓他們離家，現在商店也已經擴展到超乎我能掌理的規模了，想必冥冥中有股力量，牽引她在這時候來到這裡。確如惣七哥在信裡所說的，我沒有義務要扶養前夫留下的孤女，可現在的我也沒有其他值得去肩負的責任了。珠喜必定會成為我庸常的生活中的嶄新目標。至少長久以來只養過男孩的我，教養女孩可是一件新鮮事呢。

不過，珠喜的父親是怎麼告訴她我是誰呢？想來他應該不曾對她提過這封信的內容，何況更不會有其他人讓她知道我和她父親是什麼關係。我打算等到這孩子長大以後，再親口告訴她來龍去脈。直到那一天來臨之前，就讓我默默地藏在心底吧。

「咦，明天是十號吧？得去參拜荒神爺[4]才行呀，妳陪我去吧。」

「回當家娘的話，方才賣花郎送來了鮮花，我已經插在裡屋的水桶裡了。」

每個月的一號、十號、二十號都必須上神社參拜，也得準備一下供品。對於我突然改變了話題，

4　三寶荒神，類似火神、灶神。

珠喜沒有露出驚訝的表情，並且溫順地詳細回答問話，實在惹人疼愛。而且在沒有人吩囑之下，珠喜又先把供花準備妥當了。

我想向祖先稟報一聲留這孩子住下的事，才剛把神龕裡的蠟燭點上了，便聽到背後傳來珠喜驚喜的輕呼：

「是玩偶耶……」

田川帶回來的那個賽璐珞玩偶，還擺在神龕上。

儘管她做起事來有條不紊，畢竟還是個孩子。何況家裡只有父親，應該不曾買過玩偶給她吧。我伸手從神龕裡拿下了玩偶。說不定，這位和惣七哥長相酷似的男子，特地買回孩子的玩具給上了年紀的我，繼而搭起了我和這女孩的命運之橋，正是出於神明的巧妙安排。

「給妳吧。」

眼眸中瞬時射出了欣喜光芒的她，終歸是個稚氣未脫的孩子。

「店裡還有跟妳年齡相仿的學徒們每天拚命工作，所以妳要和他們一樣努力，學校布置的功課也要用功，絕對不可以貪玩偷懶，知道嗎？」

我不忘對珠喜耳提面命，只見她應聲答好，但懷裡仍將那個玩偶摟得緊緊的。這個和親人緣分薄淺的小女孩，想必是從未得到過心愛的東西吧。看到這裡，我下定了決心，要妥善撫養這個女孩。

風兒從榮町的家吹向神戶港外，飄往更遙遠的台灣。阿米最先教珠喜的家務是，抹布擦拭的正確用法。

「財神爺只喜歡待在乾淨的地方，所以拿抹布擦拭清潔是家裡最重要的工作喔。」

這一天，她使用的抹布是早前第一次和阿米一起縫製的。

「自己縫製的抹布到底好不好用，只要實際用用看就知道了。」

阿米說得沒錯，原先破綻的地方若是補強不足，擦抹時總會被突起處勾到，不太好擦。

「下次縫抹布時要注意了。接下來，抹布要這樣使用。」

縫成手巾四分之一大小的抹布，阿米向來規定在擦拭前要再摺成四摺，約莫手掌大小。

「像這樣，這一面髒了就朝裡摺；又用髒了，再掀開往裡翻，可以連續使用八回以後再拿去搓洗，就不必每擦一次洗一趟了，對吧？」

在搓洗時，最需留意的就是用水的方法。阿米甚至認為，只要看一個人如何用水，就知道他的人格品行。就這層意義來講，珠喜可以說是她見過的善於用水的人。

歷來的每個女傭在搓洗抹布以後，總會潑弄得水桶邊全是水漬，或總是拿沒有完全扭乾的抹布擦拭地板，結果弄得地上濡濕一片，如此別說是擦乾淨了，根本是愈擦愈髒，弄到最後，無奈的阿米經常得親自全部重擦一遍。

就這點來說，珠喜擦拭過後的地板上，連一滴水珠也沒有留下，只透著適度的濕氣，阿米滿意地看著這一地的乾淨清爽，終於不必收拾善後了。

「這也是爹爹教妳的嗎？」

其實不必問也曉得答案，可阿米仍忍不住開口問了。

「是的，不過我常挨罵做不好。」

瞧見珠喜縮著脖子的模樣，阿米不由得陷入了往日的回憶。

看在不知情的人眼裡，還以為珠喜只是有好眼緣，一開始就博得阿米的分外疼愛，不知道這其中還摻雜著複雜的情愫。當然，富士松也因為阿米喜歡珠喜而安下心來，根本不曉得珠喜身上還揣著一封惣七交託的密函。這使得比珠喜早三年來幫傭的阿梅感到很不是滋味。況且，珠喜去上學時，裡屋的大小事情仍得由阿梅一個人忙進忙出。她沒反省自己到現在還是要等到阿米逐一吩咐才會動手做事，卻把不待叮嚀便機敏地完成工作的珠喜當成了眼中釘。

「阿梅姊，請問小缽收在哪裡呢？」

起初，每當珠喜有不懂的問題請教時，阿梅總是使出拙劣的手段作弄她，不是故意說成擺在其他地方，就是給個不確定的答案。不久，珠喜便恍然明白遭到捉弄，於是向她抗議，阿梅也不甘示弱地挑明反駁：

「妳不是什麼都會很聰明的嗎？那就別問人，自己去找啊！」

連珠喜好不容易才抹拭乾淨的走廊，阿梅也存心拿著濕漉漉的抹布淌落水滴，再佯裝無辜地道歉一聲：「哎呀，不好意思，我沒留意到。」就算了事。

每回阿梅的搗亂都害珠喜得重頭再來一次，但好勝的她絕不甘願吃悶虧。

「阿梅姊這樣搗亂的話，我的工作可要落後呢。或許您覺得欺負我很開心，可真要算起來，這簡直是在添老闆娘的麻煩！」

珠喜不留情面的回擊，讓阿梅霎時臉色發白，趕忙安撫她說：

「妳可別到老闆娘跟前說三道四的喔！」

說話條理分明的珠喜，若是去向阿米告狀的話，這下子阿梅可要吃不完兜著走了。珠喜當即逮住這個大好機會，得意洋洋地挖苦前輩女傭，說道：

「這個嘛，我可得想一想……」她又接著說，「昨天晚上，當班的仙吉哥不曉得偷溜上哪兒去了，該不會是跑去買俄羅斯麵包吧？」

精力充沛的年輕人容易肚子餓，光吃飯配醬菜和湯汁根本填不飽。半夜常有賣麵包的俄羅斯人以及消夜烏龍麵的賣麵郎來到榮町沿街叫賣，每當學徒們聽到了小販的吆喝聲傳來，便一骨碌爬出被窩，手裡攢著少得可憐的零花衝出去買消夜。他們躡手躡腳地偷溜出門，小心翼翼地別讓老闆娘發現。無奈的是，阿米就睡在位於店面和裡屋之間，被稱為「中房」的內室，大夥兒都非得從她的頭旁邊溜過去才行。學徒們倒還其次，要是被發現身為應當監督他們的二掌櫃仙吉居然領頭跑去買吃的，少不了要挨上一頓好罵。現下只要和仙吉扯上干係的事，全都可以拿來要脅阿梅，因此她一聽到珠喜的意有所指，頓時急了起來：

「求求妳……，我們和好吧，千萬別把仙吉哥的事情說出去！」

珠喜欲告訴阿梅的是，與其誆騙耍花招而弄得自討沒趣，倒不如跟夥伴齊心和睦相處，日子過得才輕鬆。

從那以後，珠喜在阿米的生活中逐漸愈來愈被看重了。

明治三十一年，直仔終於踏上了台灣的土地，他每天不敢稍有懈怠依照計畫地展開行動。此行的主要目的是拜會後藤閣下。當然，如此位高權重的大人物，即便申請拜會也未必能輕易獲得晉見。

但直仔使出他最拿手的本領，經過了漫長的等待，總督府終於拗不過他的磨勁，同意接見了。

多年後，坊間出了一本關於直仔的傳記，文中對他有這樣的記載：「後藤伯爵與金子意氣相合，很是欣賞他的才幹，當即對他極為信賴」；可是，在後藤閣下的傳記裡，卻完全沒有提到直仔的相關事績。

書裡完全沒有提到兩人的會面，反倒令人懷疑是否有意隱瞞。後藤閣下與鈴木商店的深厚交情，日後曾被在野黨與報社大張撻伐二者有所勾串，因而刻意藉此撇清雙方的關係吧。哈哈哈，也許是我以小人之心，度君子之腹吧！想必後人在回顧這段歷史的時候，都會給予正面的評價，因為清廉的直仔與政界及財界本來就沒什麼掛鉤，這在黑金橫流的日本政治歷史中，更樹立了值得讚譽的典範。不管怎麼說，直仔有幸拜見國家的傑出的行政長官，對他安身立命給予很大的影響。

這一回在台灣負責引航帶路並全程陪同直仔的田川，詳細地轉述他們二位在初次會晤的內容：「金子先生對後藤閣下提出建言：缺乏天然資源的日本在工業發展上已經落後世界各國，因此，勢必要強化加工貿易。首先要充實港口設施，進口原物料加工以後再對外輸出，並且必須將台灣建設為這種轉口貿易的中繼站才行。」

他一開口就提出了日本應以工業立國、台灣應以貿易立國的論點。不過是一介商人，竟然高舉著國益論，未免有些托大了吧。

仔細想想，不覺得很突兀嗎？一個在神戶的商店裡當掌櫃的，憑什麼滿腔熱血地談論起國家政策來呢？

打從這時候開始，直仔的確像是變了個人似的。往昔的直仔唯一的奮鬥目標就是為了這家店、為了店主全家人，想盡辦法做更多生意，賺更多錢回來；自從認識了後藤新平以後，他明確地找到了自己應該勇往邁進的崇高理想——是的，應該要為國家事業，為天下蒼生而努力拚搏。商人牟取獲利不應是為了滿足私欲，而是為了創造國家社會的利益。

也許因為他生長在曾經孕育出無數維新志士，培育出無數自由民權鬥士的故鄉土佐，注定這將成為他的使命。

據說後藤閣下聽得十分入迷，催著直仔繼續往下講：「所以呢？」

說起來，直仔還真是個神奇的人。雖然其貌不揚、身材矮小，可一旦談起了夢想，聽者無不如痴如醉。

聽說在會談的時候，直仔面對掌握著台灣重大發展的後藤閣下，也同樣知無不言地長篇闊論，想來，閣下被他洗腦只是遲早的事了。直仔不只提到台灣的內政，還論及國家政策與世界局勢，其宏觀的視野與大膽的意見讓閣下大有共鳴。

於是，後藤閣下問了直仔的看法：「在你看來，台灣該拿什麼物產出口呢？」

「當然是——」直仔吸了一口氣，毫不猶豫地說了出來：「再也沒有比樟腦更適合的了！」

田川轉述了直仔的回答。哎，就是樟腦讓他吃盡苦頭的。當年，他不但沒能以樟腦賺進暴利，甚至不惜以切腹謝罪來收拾殘局，到今天還未能一雪前恥呢。但現在，他又決定將整家店的未來賭在樟腦買賣上，不僅要以樟腦事業壯大商店，更是為了增進國家人民的利益。也許這就是從商的直仔的矛盾心理。

田川說，閣下聽完以後的回應是：「原來如此，有意思。」

當時，後藤閣下已經大致恢復了島內秩序，接下來面臨的是開發產業的新課題：比如，如何使台灣豐饒起來，並使收成的產物充實歲入，增進國益等等。當然，曾以鴉片專賣獲致成功的閣下，必定注意到樟腦這項台灣特產，肯定早有施行樟腦專賣制度的構想了。

若想實現這個構想，就必須大量生產具有出口效益的高級樟腦。很遺憾地，目前台灣樟腦的品質，仍遠遠不如內地製造來得優良。

「真希望能改良樟腦呀……」

光是閣下的這一句，就足以代表千言萬語了。直仔毫不考慮地當即回答：

「我們必定全力以赴，敬請拭目以待！」

也就是說，後藤閣下和直仔站在同一陣線上了。

從這一刻起，命運的安排讓後藤新平與金子直吉結下了長久的盟友關係。對後藤閣下而言，直仔的出現甚至可以說是雪中送炭的絕佳援手。

精明的後藤閣下不只讓直仔一個人去想辦法，為求保險起見，也委託了曾任札幌農學校教授的新渡戶稻造先生，調查台灣是否還有其他農作物具有成為台灣特產的潛力。新渡戶教授鎖定了甘蔗這項作物，還遠赴爪哇著手研究品種改良。之後，在直仔統領下的鈴木商店，也將由甘蔗製成的砂糖納入台灣特產的商品，銷量十分龐大。

「田川，你也辛苦了。」

我慰勞了詳細轉述這趟台灣之行的豐碩成果的田川，又忍不住嘀咕了幾句：

「台灣有收穫我也很開心，可總得早點讓直仔討個媳婦兒定下來……」

以後得把他打理得像樣點才成——這句話才剛到了嘴邊還來不及說出口，恰巧珠喜從裡屋端茶出來，我只得把話吞了回去。

「打擾了，……請用茶。」

這孩子在隔扇外面等著我們的談話暫告一段落，想必剛才也躲在紙門後興奮地聆聽著田川敘述的台灣見聞。

「妳都聽見了吧？」

我故意問了一聲，只見珠喜一時不知所措，實在有趣。

「沒關係，這些新鮮事誰都想知道。如果有什麼想問的，儘管問吧。」

才聽我說完，珠喜旋即抬起頭來綻開粲然的笑容，迫不及待地問：

「台灣離這裡多遠呀？」

聽到這天真無邪的問話，把我和田川逗得忍不住笑了起來。

田川從懷裡掏出了地圖，在榻榻米上攤展開來給我們看。那張地圖應該是他根據報紙上的報導資料親自繪製而成的，上面以墨字寫滿了詳細的地名。距離日本列島遙遠的南方，畫著一個形狀宛如果實種籽的島嶼，那就是台灣。珠喜的眼裡閃耀著熠熠光芒，聚精會神地看得入迷。

「這裡是基隆，從日本出航的船隻都在這裡靠岸。至於這邊是台灣縱貫鐵路。」

「那裡有鐵路啊？」

「是呀。清國雖然從德國買來性能極佳的火車頭，可是只行駛到台北而已，日本則鋪設了更長的鐵路，把台灣從北到南連結起來。」

田川手持扇子指向紙面上島嶼北端的某個地點，再沿著一直線往下劃到了南端。

「有河耶！……叫什麼河？比湊川還大嗎？」

興奮無比的珠喜，急吼吼地趕著連珠砲似的發問。田川心情愉快對她有問必答。

「那是濁水溪，它沖刷出一處大平原，叫作虎尾平原。」

珠喜興奮得簡直目瞪口呆，那表情好似這些名稱忽然帶著她飛向那還沒見過的台灣平原的遼闊風光。

「漢字寫作『溪』，也就是小河。下在山裡的雨水，沿著山脊往下匯成涓流，最後集合在一起變成一條河流。之所以稱作濁水，是因為在匯流的過程中沖刷岩石，不停地運來肥沃的土壤，使得河水變成渾濁的黑灰色。聽說每當下起暴雨時，河道便會劇烈地左甩右擺，所以才將這塊平原命名為虎尾平原。」

田川正打算再繼續介紹另一條名為淡水的河流時，忽然察覺到珠喜的神色有異。

「怎麼了？妳不舒服嗎？」

珠喜透著緋紅的面頰宛如發燒似的，渙散的目光望向了遠方，變得尖高的聲音興奮地喃喃說道：

「那些從沒聽過的地名，聽起來既像詩詞，又像俳句……」

或許這時候，珠喜的眼前正映現出這樣的光景：細水在蓊鬱森林裡急急穿梭後衝下山坡濺出了山脊，成了一道道飛瀑匯聚成的湍流，再爭相注入黑色的河流吧。而每逢大雨滂沱，這條宛如老虎尾巴般的凶猛河流便會發出轟然怒吼，勢如破竹地奔流入海。

我和田川相視一怔，隨即笑了出來。

「這孩子真有趣呀，說什麼詩詞俳句的，實在太好玩了。」

「大概是因為都是些陌生的中文名稱吧。」

兩人笑了好一陣子，珠喜才總算回過神來。

「我曉得呀，俳句得要五七五[5]吧？……我想想，我想想……混沌濁水溪／虎尾平原廣又闊／黑河入海流……」

珠喜絞盡腦汁擠出來的字句，確實是如假包換的五七五。我和田川再次面面相覷。那來自遙遠南方新領土的大風，彷彿正吹向了我們三個人。

意氣風發的直仔才從台灣凱旋歸來，馬上被眾人逮個正著，幾乎是押著他舉行了婚禮。如今，鈴木已躍升為神戶數一數二的大商店，這可是店裡大掌櫃的婚禮。不只是神戶和大阪的老主顧，遠在土佐和北海道的客戶也特地前來送禮祝賀，熱鬧極了。媒人請到店主岩治郎好友的藤田夫妻擔任，我和兄長們樂得一身無事，輕鬆當來賓。

「恭喜呀！」

老實說，道賀時我不大敢對上直仔的眼神。因為他不在家時我替他談定這件親事，與其說這是直仔的喜酒，不如說特意把鈴木商店大掌櫃的婚宴辦得氣派些。聰明如他，不可能沒察覺到這全是我在背後安排的。

---

5 日本俳句是由五、七、五共三句十七個音節組成。

「非常感謝。……我會更加賣力工作的。」

直仔率直的答謝沒有絲毫矯情。

他是否已經決定忘了阿千呢？我一直很掛意，可是當富士仔向他提起這件婚事時，他非但沒露出厭煩的表情，還恭敬有禮地感謝著。當時，我站在邊旁看著，這總算放下心中大石似的。坦白說，能夠順利迎接這個大喜之日的到來，簡直就像作夢一般。我硬是拆散他和阿千的姻緣，讓他很是傷心，但我仍由衷祝福他娶了賢慧的妻子以後，能夠過著幸福美滿的生活。

但令人納悶的是，這分明是直仔的婚宴，而他卻像事不關己似的，扔著新娘不管，只顧到處向賓客斟酒交際，莫非他把這場喜宴也當成了套交情找商機的大好機會嗎？我心疼地看向少了新郎的上座，只見孤伶伶的阿德低著頭端坐不動。我不由得這樣聯想，如果現在是阿千在這個熱鬧的場合裡，必定會施展出高超的交際身段來吧。

阿德芳齡二十一歲，是個拘謹內向的女子，少言寡語，從來不多話。也許是因為從鄉下老舊的當鋪，忽然來到繁華的神戶，況且還是從早到晚門庭若市的商店，免不了感到畏縮，但從她神色鎮靜這點看來，應該很能忍耐吃苦。

我悄悄地湊到阿德身旁，安慰她說：

「直仔不管睡著還是醒著，滿腦子只有這家店，說不定會讓妳覺得很孤單。不過，請妳多加體諒，因為工作就是直仔最大的成就。」

就算我沒在婚宴上特地告訴她，只怕在她還沒離開土佐之前，周圍早就有很多人再三提醒過她了。阿德低頭向我致謝，插在她那梳成高島田式髮髻上的步搖簪子，隨著她的動作晃動著。

「所以，妳實在忍不下去的時候，就來我這裡吐苦水吧。沒有女人家在背後撐著，男人怎能毫無牽掛地出外工作呢。只要是能夠幫上忙的，我一定盡力幫妳。」

阿德頭上的簪子再次隨著欠身而搖晃著。很可能是出於我的錯覺吧，她一句話也沒說，可我似乎瞥見她的眼角泛著淚光。或許是因為她隻身來到這陌生的地方，聽到這番安慰的話語，感觸得有些傷感起來吧。

當然，他們結婚之後，她從來不曾找過我訴苦，真該稱讚她是個了不起的女人。有一則他們夫妻倆的趣聞：直仔是個大近視，某一天在回家的路上，發現有個陌生的女人尾隨在後，他心裡直犯嘀咕，這人到底是誰呀，最後定睛一看，才驚覺到是自己的妻子阿德！直仔只要腦子裡在想事情，便對周遭的事情視而不見；而阿德呢，看見了丈夫也不出聲叫喚，卻只離他三步緊跟在後面走。哎，這對夫妻還真是天作之合呀！

即使結了婚以後，直吉的生活方式仍然沒有改變。在雲井路上，有棟鈴木的樟腦製造販售集中部門房舍的二樓，就是他的新房。

樟腦的製法是把產自土佐、紀洲，以及台灣等地的樟樹樹枝，刨削後放入甑桶裡蒸餾，將凝結出來的樟腦油放涼後所產生的結晶，便是樟腦。經過精製提煉出來的樟腦用油紙一塊塊包裝起來，放進四方形的馬口鐵罐裡販售。

樟腦雖是人工製造出來的工業製品，其原料卻是從自然界採收而得的經濟作物，因此產量受到天候的左右。至於像早前的樟腦賣空事件時，隨著市場的需求量導致價格的急遽飆漲或倏然暴跌，也和大自然的瞬息萬變脫不了關係。

直吉盤算著是否能透過專業技術予以加工，親手做出成本低廉的高級樟腦。眼下，他尤其關注的焦點是，如同田川在台灣看到的，一旦提煉出粗製樟腦後便直接丟棄的樟腦油，是否可以拿來經過二度蒸餾之後，再一次炮製出粗製樟腦，也就是所謂的再生製法。

直吉從各地找來了工匠技師，每天工作完回來以後，也親自和他們一起熬夜研究，因此整間房子不時瀰漫著帶有強烈樟腦臭味的煙燻火氣，再怎麼說都不適合新婚夫妻住在這裡。

「我看，你們還是換個地方住吧。」

幫直吉說成這門親事的富士松對他提出忠告。可直吉只笑了笑，沒把他的話聽進去。直吉說，要是住到其他地方，還得花工夫兩頭跑，太浪費時間了。

「可是，直仔啊，樟腦的煙灰對身體不好吧？」

富士松仍是十分憂心。比起直吉的健康，他更擔心的是會不會影響到往後要生小孩的阿德。何況住在這個不時有人進出的工廠二樓，新婚夫妻連夜裡也沒法得個安寧吧。無奈直吉還是沒聽懂富士松的弦外之音。

「哈，怎麼可能會對身體有害呢？這煙灰以後可會讓店裡日進斗金哩！只要這樣想，就會心存感激，不管吸多少口都沒關係！」

直吉滿不在乎的回答，依舊沒把阿德放在心上，只管寄情於工作上。

「這怎麼行呢……」

阿村聽到丈夫回來發牢騷，為了安慰阿德，時常邀她一同出外購物，希望幫助她早些習慣神戶的生活；回到家後，便會到隔壁的本店向同樣擔心這對夫妻的阿米報告他們的近況。

「真是的，實在不曉得該拿直仔怎麼辦才好。」

兩人不由得同聲嘆氣。照這樣下去，就算讓他結了婚也沒有意義。所幸，隔年長子健康地呱呱墜地，大家總算放下心來。原以為直吉完全沒把心思放在家庭上，看來至少還有盡到傳宗接代的義務。

阿米接到孩子出生的消息後，高興得不得了。她一直擔憂阿千的事會導致直吉拒絕與阿德行夫妻之禮，然而，一切都已成為過去，總算不枉費她的這番辛苦。

直吉的第一個孩子命名為文藏。當阿米相偕阿村前去道賀時，發現孩子長得實在太像直吉，不敢置信地相視而笑。

「阿德，妳可立下了大功一件呀！這孩子簡直是和直仔用同一個模子印出來的，以後一定是個幹勁十足的大人物！」

阿米回想起自己生下德治郎時，岩治郎欣喜若狂的情景，而對阿德大力稱讚。數十年後，從札幌農大畢業負笈德國的文藏，成為鈴木關係企業裡不可或缺的一員，果真兌現了阿米當時的預言。

然而，阿德即便是在如此歡喜的時刻，臉上仍然沒什麼表情，只微微地抿著含羞的淡笑，這恐怕已是她最喜悅的表示了。

就在同一時候，直吉也在工廠高聲歡呼。

不過，他的歡呼不是因為兒子的誕生，而是終於成功研發出樟腦的再生製法了。

「好極啦！照這樣做就行！接下來，只要有樟腦油，就可以大量生產樟腦了！」

從此以後，鈴木商店由這裡出貨、上面印有[辰]字商標的樟腦，便和品質優良印有相同字號的砂糖，同樣成為全日本零售商的暢銷商品了。

沒過多久，台灣的渡航限制解禁，平民同樣能搭船前往了。鈴木商店決定將辦事處設在台南，作為台灣樟腦生意的基地，還買下了一家旅館，供作田川他們出差台灣時的宿舍。當時，鈴木在神戶市內已擁有倉庫和工廠，又在大阪設有分店，但在台灣也設立正式的據點了。

那天，和技術人員同樣全身布滿樟腦粉末的直吉，站在工廠的第一線上，慷慨激昂地說道：

「憑你們精湛的技術，既可以在狹小的日本過安穩的日子，也能到台灣跟全世界的高手較量。同樣是這樣度過一生，不如跟我一齊去闖天下吧！」

眾人轟地同聲激昂吶喊。

就這樣，鈴木商店終於踏出了站上台灣舞台的第一步。

隨著平民前往台灣的禁令解除，想在新事業上大撈一筆的業者們，無不爭先恐後地衝向了台灣，除了同樣在神戶開店的出口業者池田貫兵衛先生、窪田平吉先生以外，還包括了總部位於大阪的三井和住友等大公司。

不過，鈴木在還沒有任何一家業者登陸之前早已搶灘上岸做過調查，此時果然先一步奪得商機。況且我們還從清國人從未想過的廢油裡，用再生製法煉出樟腦，產量頓時倍增，這更是我們最大的利器。說這場仗鈴木已經勝券在握，也不算是誇大其詞吧。

只是，後來發生了獨家技術遭到盜竊、技術人員也被挖角等事件，確實使得投入了龐大經費與時間研發製法的鈴木遭受到嚴重的打擊。一旦鈴木這個最大勁敵不再是威脅，其他業者的競爭更是肆無忌憚，愈趨白熱化，樟腦的交易現場可以說是喧囂吵雜，人聲鼎沸呢。不過，這些都是氣得七竅生煙的田川回來後轉述給我聽的，我只是現學現賣罷了。

也難怪田川會如此氣憤。因為那位後藤閣下，已經將腦筋動到好不容易才由虧轉盈的樟腦上了。他盤算著非得把大有利頭的樟腦收歸專賣，成為國家歲入不可，並且已經火速向國會提出了法案申請。

「各家業者全都聚集起來趕到民政局，舉行了公聽會。這還用說嗎！一路辛苦拚搏到現在總算要開始收成，結果賺頭全被政府給搶走了……。誰知道，金子先生竟然在會上說他贊成閣下的政策！」

大夥兒都以為鈴木會首先發難強力反對，豈料居然大表同意，真不知道在場的人有多麼震驚呢。「不僅如此，金子先生甚至還一家家拜訪其他業者，向他們遊說專賣的必要性。連打頭陣的鈴木都這樣說了，其他人也逐漸軟化，表示贊成了……。這到底是怎麼回事啊？我實在不懂金子先生的想法！」

正如田川所說的，這整件事高興的只有後藤閣下一個人而已。原本因為業者的猛烈抗議，以為法案通過無望的閣下，應該會對直仔幫忙私下疏通萬分感謝吧。

台灣的樟腦專賣法於是順利通過了。明治三十三年，後藤民政局長繼鴉片之後，增加了另一項能夠自由運用的龐大歲入來源，而不必事先請示日本政府的核可。

等到再下一次，田川來向我報告近況時，他的態度已經轉怒為喜了。早前他被直仔氣得直跳腳，現在才恍然理解直仔的所有努力，都是為了鈴木的最終勝利。

「等到樟腦被納入專賣品項以後，金子先生打算要拿到獨家販賣的權利！」

直仔以先見之明，看出了就算與為數眾多的競爭對手你爭我奪，也只是白費力氣。唉，到這一步為止，都還在他的料算之中。遺憾的是，官方規定必須繳納一百九十萬圓的保證金，才同意授權販賣。這個決定等於斷送了鈴木商店的參賽權。任憑氣得跳腳，無奈此時的鈴木還沒辦法調度那麼多資金。結果販賣權就這樣被英商三美路商會（Samuel Samuel）一舉奪得了。

「又被洋行給將了一軍呀！」

我也忍不住嘟囔了一句，甚是明白直仔有多麼不甘心，我的氣惱也不下於他。既然這是日本的國家事業，怎能老是被洋人吃得舔嘴咂舌呢。

因此，當我聽到田川接著報告的好消息後，心裡的悶怒頓時消失了。

「雖然粗製樟腦的販賣只好死心，但再生樟腦的可就是我們的天下了！」

從副產品的樟腦油裡二度提煉出樟腦的再生製造法，是由鈴木投資研發出來的，所以，鈴木拿下了六成五的再生樟腦販賣權。

「六成五嗎？……真是不簡單！」

我高興得幾乎跳了起來。瀰漫在直仔新房裡的樟腦煙灰，果真在這一剎那全變成金銀財寶了！

在台灣製造的樟腦先集中起來送到神戶，再從這裡裝載到貨船上，運送到世界各地。甚至說幾乎所有的樟腦都是從神戶港出口的也不為過。為了作業方便，台灣總督府在神戶設置了專賣局的分局。此外，這裡還設有出納官署，其下的辦事處與分處猶如雨後春筍般愈設愈多。神戶可以稱得上是樟腦的集散中心。

有趣的是，在活絡的台灣腦界刺激下，內地的產量也相對顯著提高。這麼一來，原本以為搶下了獨占市場的三美路商會獲益不如預期，聽說找上專賣局抱怨去了。這消息一定會讓直仔開心得拍腿叫好吧。

今天的鈴木，憑著具有國家代表性出口商品的樟腦，已經成為響叮噹的貿易商了。

5

店裡增加了人手，生意愈發興隆，處處洋溢著欣欣向榮的朝氣。大哥仲右衛門就在這時候建議了一項錦上添花的提案：

「妳這家店的身價已經不止十萬圓，早就超過個人商店的規模了。怎麼樣？要不要趁這個機會改成合夥公司呢？」

阿米不太懂公司組織變革的詳細內容，她只知道在改制以後，這家店不再屬於自己單獨擁有，直吉與富士松也能以出資社員的身分成為公司幹部。這樣的改變，不僅可以更加突顯兩人在店裡的重要地位，也能強化他們工作的動力，鈴木的基礎一定會比過去愈發紮實穩固。她沒有任何理由反對。

「大哥，一切有勞您費心了。」

明治三十五年十月。原本是個人商店的辰巳屋鈴木岩治郎商店，正式更名為合夥公司鈴木商店。代表社員是鈴木米，在她之下是金子直吉和柳田富士松兩名出資社員。資本額為五十萬圓，營業項目仍是砂糖與樟腦的進出口。這是日後躍升為年營業額十五億圓企業踏出的第一步。

如今回想起來，當丈夫岩治郎的名字從店號裡消失的那一刻起，這家店便正式成為由阿米率領大家齊心共同奮鬥的命運共同體了。

過去阿米曾經為了守住這家店，一度握緊手心裡的那柄剪刀，毅然決然地剪斷了直吉的戀情。因此，阿米現在要用無可取代的粗針韌線，將他們與這家店的緣分密密縫在一起。這樣多少可以向直仔贖罪，略微減輕阿米心中的那份痛楚。

店裡接著又起了更大的變化。這一年，初次錄用了擁有大專學歷的新進員工。

畢竟鈴木是要和外國商人做生意的貿易商，必須具備英語的聽說能力。雖然直仔和富士仔立刻找洋人學英文，卻實在趕不及派上用場。儘管看得懂英文字母在買賣上很有幫助，到頭來乾脆聘個懂得外語的人才來得方便又省事。

鈴木早前也曾挖角過幾個可以立刻上場作戰的職員，比方曾經當過教員的，還有在洋行裡做過翻譯的，可就是不如待在店裡訓練多年的店員來得忠心。假如能讓店裡一手栽培的店員去學校習得商業理論，還練出一口流利的英語，可就再好不過了。

帶著大哥的推薦函前來的西川文藏，是店裡錄用的第一位大專生。來自滋賀的他，雖然沒有讀到畢業，畢竟是曾經就讀東京高商的菁英，日後更是當上鈴木總經理的直仔不可或缺的得力助手。

「我叫西川文藏，敬請指教。」

天下事無奇不有，他竟和去年直仔家喜獲麟兒的長子同名。當初大哥想介紹他來時，直仔認為店裡的人手已經太多了，不肯答應聘用西川，可是和疼愛的稚兒名字相同的偶然，卻讓直仔對他感到分外親切。

不過呢，一個是儘管連小學都沒有畢業，卻以驚人的營商手腕成為聞名神戶的鈴木大掌櫃；另一個是在高商吸收了最新知識，秉持現代理性主義思惟的菁英。差異極大的這兩個人該用什麼方式共事，真令人擔心哪。

更何況從第一天出勤，西川就讓大家嚇了一跳。

「老闆娘、老闆娘！西川先生穿西服來店裡耶！」

珠喜大聲嚷嚷著衝進裡屋報告。

「不是『來店裡耶』，要說『來上班了』。」

「喔好。……『他來上班了』。還有，老闆娘，他穿的是西裝耶！」

其實，我真正想糾正她的不是用字遣詞，而是她大驚小怪的叫嚷。以前田川第一次來到店裡時，我已經見識過新奇的三件式西服了。當時由於田川和惣七哥太過相像，我在驚慌之餘不假思索地批評了穿西服是媚洋行徑，使得大家都以為我討厭西服。

不過，時代潮流在改變。儘管包括鈴木在內的榮町所有店家，都還是穿著腰繫硬質腰帶與圍裙的傳統和服裝束，但從明治維新以來已過了三十五年，街上做西服裝扮的男子一時間多了起來。而且身材纖瘦，有張白皙瓜子臉的西川，穿起西服來的確非常合襯。他喜愛書畫，嗜尚俳句，極具人文素養，所以才能外在與內涵二者兼備吧。

「老闆娘，西川先生現在才剛到店裡耶！」

「老闆娘，西川先生已經回去了耶！」

珠喜每天都會往總店探了頭，再跑來嚷叫一番。

的確，岩治郎嚴格調教的訓示，已經深植在直仔的腦海裡，成為遵行不悖的「金子例規」：早上必須第一個到店裡，從打掃整頓開始自己找事來做，晚上則應該努力工作到最後一個才離開。包括直仔在內的所有學徒們，向來都是接受這樣的訓練。相較之下，在固定時刻來到店裡，到了下班時間便毫無留戀地回家去的西川，自然格外引人側目了。

可是，西川仍舊從容自在地訓誡其他店員：

「各位，在店裡工作並不是時間長就好，重要的是工作的成果。我總是在上班時間內規規矩矩地完成分內的事務，只要工作效率高，就可以按照時間上下班了。」

西川說得那麼義正辭嚴，但直仔也不能當作充耳不聞，據說曾經等他回去以後，仔細檢查過他做的帳冊及文件。看完以後，直仔一聲不吭地又放回桌上去，這應該表示他做得無可挑剔吧。

如果說從小學徒一路苦上來的直仔奉行的是堅忍不拔的傳統精神，那麼，西川就是講求歐洲現代勞動規範的新時代職員。沒過多久，直仔便十分器重西川，視他為邁向嶄新世代的重要人才。

不久之後，果真成為直仔左右手的西川，已能將大小雜務打點得穩妥適當，讓直仔得以毫無後顧之憂地馳騁商場，全力發揮開疆闢土的本領。

在西川的同學看來，他出身高商卻委身偌小商店供職的決定，簡直匪夷所思。說來恐怕會讓人跌破眼睛，比起同一時期進入三井或三菱等大商社，甚至到薪酬更高的洋行工作的人，他卻是最早飛黃騰達的。

在這裡工作不講究年齡經驗，只要才幹出眾，就能獲得重用大展長才。西川的破例拔擢，吸引不少野心勃勃的男子漢加入陣容，暗自期盼往後要在神戶闖出一番天地。就這樣，鈴木逐漸成為能讓人實現遠大夢想的商店。

對內對外均獲致成功的大功臣直仔，再一次帶著存摺來到我的面前。當他說有話想找我談的時候，一股寒氣陡然竄上了我的背脊。直仔開口說的是：

「我想用這些錢買件東西。」

他為的不是別的，是來找我討東西。

可直仔根本不必向我拜託呀。這些錢全都是他辛苦賺來的，不管想買什麼都成。我忖想，這回要買的必然不是小東西，否則他不會特地前來央求。

「要買啥呀？一千個豆沙凍糕嗎？」

我故意打諢說笑。直仔沒有回答，只將一份文件在我面前攤展開來。

那是一份建築物概要表。離這裡不遠，就在榮町三丁目上。說得更確切些，那是一棟位於神戶繁華主街上最具代表性的洋樓，其前身為橫濱正金銀行。

「什麼！」

我不禁定睛細看那份文件。這棟紅磚建築氣度恢弘，和大哥帶我們第一次來到神戶的那天看到的堂皇洋樓比起來毫不遜色，在繁榮的租界地區中顯得分外偉岸雍容。不過，我記得這棟高大的建築物，現在應該是大哥西田仲右衛門的。

「您說的沒錯。……所以，可以麻煩您請仲右衛門先生讓給我們嗎？」

怎麼也沒想到，直仔竟然是來找我討這棟堪稱是神戶租界中最具代表性的洋樓。

「店裡現在已經不敷使用了，又進用了很多年輕人。……我們還要繼續開拓版圖，需要一處更大的城堡作為基地。」

雖說是來討東西，可直仔討的並不是他個人的私宅，而是為了鈴木商店更上一層樓的發展，想要一處新的店鋪。放眼榮町一帶，除了威望顯赫的洋行以外，幾乎找不到像這樣門面將近二十公尺寬的氣派店面。我實在很難想像，這座莊嚴的殿堂，竟然即將成為鈴木的商鋪！

回想起來，直仔必定早在四處收取外幣放款的學徒時代，便經常在租界的氣派商館前面駐足仰望，有時甚至刻意走進去只為了感受那股宏偉的氣魄。這些洋樓的磅礴規模必然鼓舞了直仔，下定決心自己有天非得要成為在這樣豪華大樓裡工作的商人！

他為了要買鈴木的總部這樣龐大的物件，特地前來徵求我這個主人的同意，其做事周到真令人感動。

既然如此，身為老闆的我，就得展現出比他更豪快的氣魄才行。

「我只要去跟大哥談一談，請他蓋個章就行了吧？」

沒錯，我就是主帥，威風凜凜地端坐在鑾轎上，完全信任在下面扛轎的直仔就好，即便他抬晃得再高也毫不畏懼。這已經不是我們第一次並肩望向未來了。

至於大哥那邊，縱使他有意轉賣這棟象徵神戶之光的商工會議所，是否會答應便宜轉讓給妹妹的店呢？我想，只要拿出店裡的傲人業績，向大哥證明我們有資格進駐這棟足以代表神戶的地標就行了。

話說回來，真想不到直仔竟會看上那幢大樓。

他總是不停地攀爬著更高的石階，爬上去以後，又伸長了身子朝更上一階探去。這樣一階再一階的攀爬終有登上頂端的時刻，可他完全不去想什麼時候才會抵達，心無旁騖地不斷往上爬。這樣的直仔到底該說他是恬淡無欲呢？還是貪得無厭呢？

「人家都說蝸牛會找適合自己身長的殼來住，這個家對鈴木商店來說，終於不夠用了呀！」我突然心生感慨地說道。

而要將店鋪搬到那棟建築物，等於要拋棄這個屋子了。這裡可是丈夫一手打造的家，也是孩子們出生長大的家呀。

直仔察覺到我的不捨，看著我的眼睛說道：

「這邊當然還是維持原狀保留下來。雖說新店鋪占地寬廣，可庫存還是分散在不同地方比較保險。這裡，就作為老闆全家人的寓所。」

哎，即便他委婉地解釋，意思仍是店面和裡屋從此切割得一乾二淨了。

工作與住所、公領域與私領域沒有明確分界的個人商店，終於要轉變成只負責營商的專業職場了。這意謂著我這個鈴木家的「太太」，也是店主的「老闆娘」，今後與商場的距離愈來愈遠了。

「以後就沒有我幫得上忙的地方了吧。」

毫無疑問的，凜然矗立的新店使得店員們的士氣益發高昂，整個城市都將清楚地看到鈴木的奮起躍進。明知道這是值得慶賀的時刻，我還是沒辦法忍著不說出心裡那股淡淡的空虛，簡直該遭天打雷劈。直仔見狀連忙勸慰我，說道：

「這裡和新店近得很，大家還是常會在這裡進進出出的，我想拜託您仍像過去一樣訓練店員。」

我很清楚他絕沒有看輕雇主全家的意思，也明白他比誰都更加敬重我這個店東，否則，要換個更大鋪面全是為了這家店的發展，又何必如此體貼地為我設想？

「不必了。約定就是約定，我以後絕不會再干涉生意上的事。」

「請您千萬別這麼說，還請您仍像過去一樣……」

「我說不必就是不必！」

我用強烈的口吻阻止直仔往下說。店裡的事全都交給掌櫃處理，老闆只是名義上的稱謂，不插手生意，因為這是我在好幾年前要直仔放棄阿千所做的交換條件。

「真不得了啦，鈴木買下正金銀行那棟樓了耶！」

「你沒發現到處都有他們的樟腦工廠嗎？」

直吉毫不在意外界的街談巷議，又帶了一份契約書來到阿米的面前，這回的標的物是位於磯上路的薄荷工廠。

薄荷商品幾乎全是銷到國外去的。直吉直接到北海道覓得了產地，更親自到洋行大力推銷，打開了通路。雖然還有其他六家公司也出口薄荷，但光是鈴木一家就占了總輸出量的一半。如此耀眼的成績應當歸功於上下游產銷鏈的完整建置結合，不僅擁有獨家的產地，並且設立自家工廠以便穩定製造品質優良的薄荷。

雪白的砂糖，潔白的樟腦，再加上銀白的薄荷，這三寶在懷紙上堆成了三座白色的小山。直吉將它們呈送到阿米的面前。

阿米曾對一度負氣返回土佐的直吉說過，不一定要執著於向洋行批貨進口，也可以做些有賺頭的出口生意。滿懷壯志的直吉現在鎖定的便是積極進攻國外市場。

「這是……鈴木的三白哪。」

直吉點著頭，完全正確。假如岩治郎看到現在的直吉，會對他說什麼呢？這個念頭匆匆掠過了阿米的心頭。岩治郎已經不在人世，今天的鈴木，可以說是由直吉揮軍進攻最前線的貿易商了。阿米滿腦子浮想的是，往後不曉得要在直吉呈示的文件上蓋多少個章呢？

「那麼，下次請讓我買間洋人館吧。」

那棟座落於租界三號的美國商館，俗稱「美三商館」的建築物，左看右瞧都不適合移作製造生產的工廠之用，也不像個鋪面。直吉說，他打算拿來當成讓店員休閒娛樂的「俱樂部」。

阿米旋即明白，這是直吉對外國商館感到的自卑做出的反擊。他終究親手成功奪下洋人的宅邸，實現了遠自學徒時代的憧憬。

阿米懷著謝天的心，蓋下了印信，由衷感謝上蒼讓直吉能夠豪氣地買下一切他想要的東西。她暗忖著，這就是鈴木的攻城掠地呀！將象徵神戶的建築物一棟接著一棟地收歸己有，也就等同於鈴木在神戶奠下了不容撼動的基礎。

鈴木收購洋樓的舉動已在社會上引起側目，其成功的崛起更成為眾人討論的焦點。

土地、建物、公司、工廠。在直吉拓展的各項新事業的契約書上，阿米的名字在鈴木商店代表人的欄位中出現的次數已經算不清了。她非常清楚，自己唯一的工作便是以鈴木商店負責人的身分，在文件上蓋下最後一個章。身為鈴木商店的一員，身為整個企業的最高層，阿米必須堅守的職責唯有蓋印這一件。

「沒有鈴木家，就沒有這間公司。所以老闆一家人，就是統領我們的主君。」

阿米沒再點頭稱是，只露出了然於心的微笑。個人印鑑、銀行印鑑、一般私章。阿米把好些個印章全都裝進鏽金綾綢小袋裡，隨身攜帶。

某天，直吉來到阿米面前：「從今天起，可以換成這樣的稱呼嗎？」

不待阿米回問，他逕自膝行後退了三步，伏身敬稱：

「往後不再喚您老闆娘，改口稱為『當家娘』！」

那是大阪商家自古以來的稱謂。店面窄小或營商時日尚淺的小店家太太，是不配用這個稱呼的。只有業基厚實、來歷清白，孜孜不倦地維繫著所有員工向心力的「家」，並深得社會認同的知名商家女主人，才擔當得起這個尊稱。

阿米並未立刻回應，應該說她沒辦法回答。

當家娘。不再是意指店主妻子的老闆娘，而是當家娘。

直吉一方面將設在神戶的外國貿易要塞，亦即洋人商館一棟棟收歸下來，於此同時，他更以日本人傳統中最為崇高、最值得信賴的稱謂，武裝起鈴木商店。換句話說，他要將鈴木商店打造出同時兼具現代社會最先進的外在樣貌，以及傳統大阪商店的內在特質。

「往後就要大家稱您當家娘了。」直吉再一次趴伏行禮。

阿米望著他，嘴裡喃念著這個自己還不熟悉的名稱。停了一會兒，她說道：

「那麼，日後我在大家面前也要換個叫法。不是直仔，而是金子。」

直吉畢恭畢敬地雙手平伏。

當家娘。那是邁入五十歲以後，賦予我的新地位、新職責，與新工作。

店裡的人很快便熟悉了紅磚建造的雄偉新店鋪，也很快就習慣了我的新稱謂。

「當家娘，您辛苦了。」

「當家娘，我現在要去京都出差。」

上至資深的二掌櫃，下到年幼的學徒，每當有人喚我當家娘時，我總會深切感受到自己現在應當擔負起的職責。老闆娘倒是街坊上隨便都可以看到，可我周遭卻從未出現過被尊稱為當家娘的大人物，我也只好首開先例，暗自摸索著當家娘究竟該以什麼樣的面貌示人。

當家娘不是妻子，不是太太，當然也不是店員們的將帥，而是作為「家」的存在，是他們心之所歸，也是守護他們的處所。具體說來，身為當家娘既不主動出擊，也不必工作，而是展開寬廣的屋簷，為他們提供擋風遮雨的地方。

直仔，不，金子你真是厲害，竟然找到了這個最貼切的稱謂，一語道破了我的定位。

不過，隨著這個虛名加身，我也感到了幾分孤寂。出生在商賈之家，從早到晚自己找工作來忙碌是天經地義的，突然被告知以後啥都別做，只要待在這裡不動如山就行了，這不等於搶走了我的活兒嗎？

就算不被允許到店裡做事，倘若還有家務要忙活倒還罷了。可是，兩個兒子早已長大，不再需要母親把屎把尿地照料，也已經前後腳離家負笈從師，接受嚴格的社會歷練好些時日了。被喚作「大少爺」和「小少爺」的他們，雖是在眾多店員們呵護與尊重中長大的，可若是想要栽培出在大人面前進退有節，善於交際的青年人，再也沒有比這裡更好的環境了。我想，他們理當也在店裡學到關懷、體貼、怠惰、孤獨等人性的諸多面向了吧。

店裡既是世界的縮影，也是他們見習人性的學園。這本該由父親親身薰陶調教的，但其身為監護者的大哥與藤田兄，卻比他們繁忙的生父更用心地培育他們。看到他們倆已成為耿直的年輕人，我很是欣慰。

當然，在他們離家就學的階段，也同時遠離了這家店。我所感受到的孤獨寂寥，絕不是兒子們所能夠體會到的。

「公司裡的生意愈做愈興隆，我卻在這裡抱怨，可是會遭天打雷劈的呢。」

我經常這樣提醒自己，並且珍惜家裡點點滴滴的幸福。比方說，每當賣貨郎在換季時前來推銷，我便找來住在隔壁的富士仔……噢不，是柳田的妻子阿村，分享購物的樂趣；又或者是和珠喜及阿梅等女傭一起專注縫製衣物，享受寧靜的時光。

阿村和柳田已經生了一個可愛的男孩，名字叫做義一，他把我當成玩伴，盡情地找我嬉鬧。

當家娘，該不會就只是陪陪小孩子玩耍的隱居老嫗吧？——我有時會為此生起悶氣來。但一想到已是五十開外的人了，遂警惕自己不該再有其他奢望，這樣才能重拾平靜的生活。

儘管如此，我還有件工作非完成不可。
我就是為了這個夢想活到今天，為此守著這家店的。它是我這輩子最重要的目標與任務！
那就是，讓兒子德治郎繼承這家公司。

德治郎即將從大學畢業，阿米找來大哥仲右衛門商議德治郎的未來。直到現在，當天的情景阿米仍覺得歷歷在目。

往後要從商的他已經從國內的最高學府畢業，無需再鑽研更高深的學問了。阿米認為，該是時候將他叫回來繼承家業了，但仲右衛門卻不贊同。

「我不是不懂妳的心情，可也不必那麼急著讓他進去工作，畢竟公司還有幹練的掌櫃在呀。」

還有兩年兒子才會成年。大哥認為不差這一時半刻趕著進去公司，否則反倒容易與店員們發生摩擦。

藤田的意見亦然。他掌理的辰巳屋，已是大阪首屈一指的砂糖批發商。儘管他已經讓兒子到店裡接班學習經商了，卻和大哥的看法相同。

「很遺憾地，我們店裡沒有像直吉和富士松那般能幹的掌櫃，如果兒子不來幫忙，可撐不起這整家店哩。」

這正是阿米擔心的原因。她若真把煩惱說出口，一定會被責罵不知好歹。因為一路守護著這家失去了老闆的商店，而且做得比當初她接手時更加有聲有色的，正是這些掌櫃們。她能夠僅僅以兒子已經成年了的薄弱理由，強行介入經營嗎？多虧這幾位精明的掌櫃在，德治郎和岩藏才得以不必做任何粗重的工作，無憂無慮地在優渥的環境中長大。

「怎能讓少爺們做那種粗活呢！」

掌櫃們嘴邊總是掛著這句話，從不肯讓未來主人的兒子們提過比書包還重的物件。就連阿米為了要鍛鍊兒子，讓他離開家到別處和普通學生同住宿舍裡的時候，他們也經常藉口外出辦事，實則偷跑去探視少爺的狀況。當瞧見少爺和其他學生同樣拿著掃帚打掃庭院時，便難受得淚流滿面回來。說起這兩個孩子，金子總是寵溺有加，柳田比誰還要疼愛他們。

「總有一天，大少爺要成為這家公司的經營者，領導所有員工才行。到時候，一定要讓他成為比任何人都傑出的經營者！」連小學都沒念過幾天的金子，經常把這段話掛在嘴邊。

不論遇到任何情況，一向贊同阿米想法的仲右衛門，這次以長遠的眼光給了她這樣的建議：

「到他成年之前，還有段時日。我看，不如讓他去美國上大學吧。」

讓德治郎遠渡重洋到美國留學——向來膽大的阿米這次猶豫了。生意人需要這麼高的學歷嗎？她曉得兒子在東京除了用功讀書以外，也累積了不少社會經驗。從時下的玩樂消遣、交友應酬，甚至是雲雨之歡的滋味，他全都嘗遍了。所幸他本性率直，因此還不至於成了浪蕩子，可是看到兒子玩世不羈的態度，阿米仍常忍不住想要罵他個幾句。雖然她心底很清楚，兒子已經是個有學問的大人，就算訓了他，到最後只會被他當成沒學問又老古板的母親碎嘴嘮叨罷了。

正因為如此，阿米更憂心若不把兒子扔進公司的第一線去親身體驗，只怕他無法了解到自己即將肩負重責大任。身為一城之主，唯有親自坐上王座之後，才能真正體會到究竟需負起什麼樣的職責，那又到底是個多麼沉重的任務。

然而，仲右衛門說道：「鈴木商店現在的主業是和外國做大宗貿易，公司將會雇用愈來愈多擅長外語的大學畢業菁英吧。若是身為老闆，卻比他們差上一截，到時候恐怕不好駕馭吧。」

大哥說的也頗有道理。

日後，當鈴木躍居為日本數一數二的大企業時，最上位的老闆也必須是具有大將之風，社會各界無不讚譽佩服的紳士才行。咬牙將德治郎送出家門的阿米，為的就是要讓他徹底熟習帝王之學，自然不可能反對大哥的看法。

就這樣，德治郎又到美國度過了兩年。今天，他已經成為具有選舉權的帝國國民，長久以來擔任監護人的大哥與藤田，也終於得以卸下這份重任了。

威名遠播的鈴木商店，終於交由第二代統帥接棒掌理了。從今天起，德治郎正式襲名為第二代岩治郎，並廣邀各界前來見證他的成年英姿。這是阿米念茲在茲的心願。

「真是可喜可賀呀！」

「恭喜恭喜！」

在公司舉行的賀宴上，坐在上座的第二代當家是個不折不扣的英俊男子。說他是即將率領超過百名員工的青年實業家，任誰都沒得挑剔。一身剪裁合身的西服，瀟灑洗鍊的外表，就連男性也不禁深受吸引。

為了這一天，阿米不知道已經等了多久。大哥仲右衛門拍拍她的肩膀，說了聲真是太好了。藤田也接著慰勞她：阿米太太，這一路走來真是難為您了。頓時，阿米湧起無限的感慨。

掠過她腦海中的是遙遠的回憶。她想起只活了短短七年，便在自己懷裡斷了氣的稚幼次男米治郎。任憑她放聲喚叫，那雙小小的眼瞼依然沒有張開，她用力搖晃著偌小的身軀，不曉得嚎啕了多久，又是多麼埋天怨地。之後，她發下誓言要將其哥哥德治郎和弟弟岩藏，養育得健康壯碩以告慰米治郎的在天之靈。從那天開始，若是這兩兄弟發燒了，她便徹夜不睡地看顧與祈禱，並且費心熬煮他們喜歡吃的食物。阿米也回想起當岩治郎撒手人寰，大家都勸她收了這家店的那一天，只見年幼的岩藏語氣堅定地說「我要當個了不起的生意人」時，自己含笑看著他那顆小光頭的模樣。當她轉向德治郎問他想法時，還是高中生的德治郎才像是要用力趕走心裡的躊躇般，表情生硬地點頭說好，那神情宛如昨日事般歷歷在目。沒想到他真能實現母親的願望，迎這個接值得慶賀的日子。

對母親而言，兒子的成年，以及襲名第二代傳人，意味著她活在這世上的人生目標已經功德圓滿了。能得到這樣完滿的結果，阿米已足以含笑九泉。

直到這時候，她才想起第一代岩治郎。她真想讓先夫親眼看到兒子風度翩翩的樣貌，但她之所以這樣做，絕不是希望和丈夫分享這份喜悅，而是出於一股複雜又彆扭的傲氣：「岩治郎啊，就算沒有你，我依然將他栽培得這般優秀傑出！」

更何況，岩治郎沒讓阿米知道，他曾和其他女人生下一女。

不管是那對母女或自己母子三人，岩治郎都沒有善盡保護他們的責任，早早就死了。從這點來看，不僅阿千是憑著一己之力活了下來，阿米和德治郎他們，不也是靠著自己的力量總算盼到了今天嗎？

第二代岩治郎不卑不亢地朗聲說道：「非常感謝各位長久以來的辛勞。往後由我第二代岩治郎接下當家的重擔，必定將鈴木商店發展得更為興隆昌盛！」

在這值得慶賀的日子裡，身穿染有店徽的黑色外褂禮服的員工們聞言，立時一齊彎身行禮。

第二代岩治郎的目光隨著移膝轉向了坐在身側的伯父仲右衛門、藤田以及阿米，他正身端跪後雙手平伏：

「舅父、伯父，萬分感激您們多年來對不才晚輩的殷切教誨。還有，母親——」

阿米不記得上一次和兒子這樣四目相望，是多少年前的事了。兒子眼神裡的無盡溫柔，讓阿米的心口瞬時為之一窒。

「非常感謝您長久以來的辛苦。我絕不會忘記您一個弱女子，不但要守住這家店，還要養育我的這段艱辛歲月。第二代岩治郎，必定報答這天大的養育之恩。」

阿米委實沒有想到兒子會當眾向她謝恩，這番話教她怎能承受得起。百感交集的她，只能死命地抿緊嘴脣，強忍著眼眶中的淚光，不讓人發現內心的激動。

「真希望阿石也能看到今天的場面呀。」

第二代當家真是個體貼的人，他還記得家裡以前那忠耿的老女傭。從他出生以後，阿石便無微不至地服侍伺候他，無比欣慰地看著他的成長。可惜在他留學美國的期間，阿石悄悄地離開人世了。人生在世，就像這樣生死輪迴。阿米雖懂得花無百日紅的道理，但她會永遠記得這花團錦簇的日子，第二代岩治郎神采煥發的英姿。

接下來，阿米必須向眾人致謝辭，熱淚盈眶的她這才趕緊收住了險些淌落的淚水。

「能夠迎接這樣歡慶時刻的到來，我實在太幸運了。這一切多虧各位的同心協力，謝謝大家，由衷向各位致上謝意。」

阿米說著，胸口一陣哽咽。眼前有金子，有柳田，有西川，有大哥，還有藤田，他們都以眼神幫自己打氣。她重又深切體會到，只憑自己一個人，是斷然無法走出今天這盛大場面的，一切都要歸功於大家各司其職地奮力邁進，才能帶著她來到這裡。她現在絕不能哭，要以笑容和大家分享這份喜悅。

「此前，人們都說這家店是由寡婦當家啦、只靠掌櫃在打理啦，現在接班人總算成年，終於能夠重做一面新店招了。我想，這一天大家也同樣等很久了，真的非常謝謝大家。往後，鈴木商店必定能安安穩穩，傳承百代。」

說完，她雙手齊膝，向大家伏身行禮，久久沒有抬頭。承當不起的眾人也慌忙地平伏回禮。

「不過，接班人還有很多需要學習的，各位要從旁輔佐，竭盡心力讓這家公司更加昌盛興隆。」

阿米不緊不慢地說完話，員工們齊聲應允，再度跪伏行禮。阿米放眼望向低伏著的員工們，覺得自己終於可以卸下肩上的重擔了。

其他貴賓一番套敘慶賀之後，阿米宴請了近親好友共進餐膳。

仲右衛門致贈了一枚象牙印鑑。年輕的當家親手試蓋了一下，滿懷感慨地盯著朱色落款看得出神。日後，擔任高達數十家關係企業負責人的德治郎，便是持著這枚印章擴展事業版圖的。

阿米從兒子的背後望著那只色澤鮮豔的朱印。她覺得，長久以來，自己默默縫繕的線，終於可以打上結了，為此而安心不少。不用說，這枚刻有和丈夫相同名字的印章，正是航行船隻靠港的指引明燈。

公司門口掛上了簇新的店簾。

赤褐色的布簾，留白的辰字商號。款式設計雖然相同，但這幅沒有任何殘舊毛邊的新挺布面，彷彿象徵著我多年來縫縫補補守著的店招，終於依樣交到兒子手中繼承下去了。

白色牆面的洋式建築，掛上日本傳統的店招儘管極不搭調，卻能夠向大家宣誓，新時代已經到來。不管往後鈴木發展成多麼先進的企業，為了不讓公司員工忘記店招所代表的創店精神，社長室及董事室等處，同樣都掛著店招從不卸下。

這一天，在眾人眼中的我，是個全世界最滿足而幸福的母親。

不過，這還得留待我真正完成了母親的使命，才算是名符其實。

從為人母的那一刻起，直到雙目閉目的瞬間為止，做母親的每天都在為孩子們操心。關於第二代岩治郎，我又有了新的操煩，不過在這個可喜可賀的日子裡，我把這事緊緊鎖在心裡。嗯，我打算不久之後，再講給各位聽。

大家都陶醉在這股歡欣的氛圍中，雀躍不已。目前公司一切順利。

為了確保這家公司的根基更加穩固，不多時，大哥仲右衛門悄然前來磋商第二代岩治郎的另一樁喜事。

「我看是時候幫第二代當家找個門當戶對的姑娘了，不但可以培養他身為男子漢的責任感，也對鈴木的未來發展有所助益。」

原本還以為大哥要來商量的是什麼大事。原來他想講的是，只要讓德治郎成了家，可以穩下心性，做起事來也會更有衝勁。

第二代當家要娶親了、要娶親了……，我反覆念著這個事實。儘管明白這一天總會來的，可真沒想過竟然來得那麼快。

唉，當娘的真是沒半點好處，含辛茹苦地把孩子拉拔成卓越的男人，還沒來得及高興就被其他姑娘給搶走了。……不行，真要這樣想的話，什麼事都辦不成了。光是兒子自己有才幹還不夠，若能討到聰慧的媳婦，那可相當於得到了千軍萬馬的堅強後盾，對於未來的安家立業，都有莫大的幫助。

「大哥，藤田兄，如果您們知道哪裡有好姻緣，望請多加關照。」

仔細想想，不單是我，第二代當家也像一只身軀逐漸肥大的蝸牛，急著尋覓一個新的外殼好棲身。

就這樣，這樁鈴木家的有史以來的喜事──第二代岩治郎的娶親，就在我高興又有些惋惜的複雜心情中，大夥分頭為他謀求適當的人選了。

最後選定的媳婦是比第二代岩治郎小五歲的喜代。她家裡是播州高砂的大船運商松本商店，就位在我的故鄉姬路隔鄰的城市。

這個門戶相當的最佳人選，大哥和藤田兄都沒有異議。當然，跟兩位掌櫃說了以後，他們都高興得眼泛淚光。直到最後，我才把喜代面帶嬌羞的照片拿給新郎本人看，問他覺得這姑娘如何。

「我要跟她結婚嗎？」

第二代當家不置可否的反應，簡直事不關己似的。

「你不喜歡嗎？」

我擔心地問了他，只見他淡淡地笑著回答：「不會，看起來是個好姑娘。」

他不是個愚蠢的人，應當比誰都清楚自己對這個店、這個家來說，有多麼重要，更明白經過精心挑選、眾人一致讚賞的妻子，絕不可能會讓他陷入不幸的苦境。

從高砂的港口裝載上船的嫁妝，即將抵達神戶港。金子和柳田都穿上了晨禮服，斂衽正容地代表鈴木家擔起領受嫁妝的重要職責。是呀，不知不覺間，這兩個人幾乎自詡為德治郎的父親，生意上的事可以交給部下去做，雖說這樣重大的任務非得親力親為才行。真是太感謝他們了。

這件喜事辦得鑼鼓喧天，充分展現了鈴木家非凡的龐大財力與傲人地位，社會上紛紛讚嘆真不愧是鈴木家才能辦得如此豪華，對於兒子襲名第二代岩治郎的印象也更為深刻。大哥之所以促成這門婚事，其用意也在於要讓鈴木家已有第二代接班人的訊息廣為人知。

成為我家少夫人的喜代，是畢業於神戶女學校的才媛，作風十分新潮。在她的嫁妝裡面，還帶來時下正流行的村井弦齋著寫的食譜《食道樂》。她還在沒有女傭幫忙之下，親自試做了從沒見過的西洋料理給我們嘗鮮。

至於其他的呢，是啊，她還有很多不習慣的地方，在短時間內非得由我一件件親自教導才行。我想讓她確切了解岩治郎當初對我諄諄教誨的鈴木家的家風，最要緊的是，若在家裡過著奢侈的生活，可就有愧於站在最前線工作的員工了，所以像那種豪華的西洋料理，每個月一次即已足夠。而且我想提醒喜代的是，一個家族的繁盛成敗全掌握在女人手裡。

好了，第二代岩治郎的殼已經找著了。

當自己要鑽進大的蝸牛殼時，總覺得怪難為情的，可若換成是自己的孩子，可就要他盡量找愈大的殼愈好。為人母的只要事關自己的孩子，好像都會變得愚昧痴傻起來呀。我對兒子只有一個期許：希望他成為與之名副其實的出色老闆。

第三章　出航與返航

海清雲淡寧　大舶徉徜迎浪華　騰騰畫悠波
滿帆借得天風順　晏然航向安樂洋

1

金子開始大顯身手了。回想起來，明治三十年代真是金子的風雲時代哪。

有時候，當我暗忖他這回出差怎麼那麼久，原來我們已經一個月沒見到面了。他經常搭乘從神戶站發車的上行列車前往東京，在那邊和各方業者會面洽商，真是辛苦他了。

到了東京，他便下榻在東京車站的車站飯店二樓，一個雙併套間的二〇二號房員，因此大家都稱那裡為「金子先生的東京分處」。位於丸之內的東京辦事處的職員們，幾乎每天都會前去請示。於此，他和一些只能在東京碰面的銀行高階幹部或大藏省等政府高官，逐漸建立起深厚的交誼來。

其中，尤以和後藤閣下的交情最為深摯。某回，閣下從台灣回到東京出席議會，曾親切地找金子過去聊談，當時金子也正好在東京出差。

還有一次，準備前去東京的閣下先到了位於下關的山陽旅館，金子特地前去接風洗塵。當他發現閣下這次沒帶隨扈，還自告奮勇地當起了侍從，陪同閣下到了半途的德山。路程中，閣下曾和金子商量近來的煩惱：

「好不容易才穩定了台灣的局勢，可最近基隆港卻閒置下來了，不知該怎麼好。」

聽說，金子毫不考慮地提出建議：

「既然這樣，不如蓋間砂糖製造所吧！」

經由新渡戶稻造先生協助改良的甘蔗，終於在全台灣種植成功，可惜還沒有產業的價值。包括新渡戶先生在內的多位日本著名農學博士，在這期間依然不捨晝夜地持續研發最先進的製糖技術。因此，金子提議，在尚未研發成功之前，先從夏威夷進口粗糖到台灣精製，再輸出到中國販售，這樣一來，每天都會有多艘載運粗糖的三、四千噸大型船舶，以基隆港作為太平洋航路的中繼點，頻繁地進出港口了。

閣下對金子的建議似乎大表讚賞。他正在計畫，等到台灣的製糖技術發展成熟時，也要把砂糖納入公家專賣。嗯，他真是了不起的大人物呀。

明治三十五年，據說當時日本國內的砂糖消費量高達四億斤，獲利遠遠超過樟腦了。閣下旋即向議會提案，由國家出資建造製糖所。金子的妙計奇策，居然成為國家的政策，真令人不敢置信呀！

可惜的是，這項法案沒有獲得通過。因為閣下的政敵們群起撻伐，宣稱這純粹是閣下圖利鈴木商店的計謀，企圖從中撈得油水云云。當然，那些話都是出自與鈴木競爭商家有所勾結的政治家口中，這社會還真齷齪哪。

「令人氣結的事還不止這一樁，就是那家日糖啦！他們為了要大賺獨門生意，百般阻撓同業建蓋製糖所。日糖其霸道的做法，使金子先生大為光火起來。」

這些事都是田川為我解說的。很感謝他經常從鈴木的角度，用顯淺易懂的方式評析給我聽。

當時，在關西地區的砂糖公司只有一家，也就是位於大阪櫻宮的「日本精糖」。鈴木則是向他們批貨的最大盤商。

「那家公司有個惡名昭彰的董事，名叫不二樹熊二郎。」

正如田川所說的，不單是對往來多年的鈴木，他對所有的批發商同樣擺出跋扈的氣焰，簡直是傲慢到了極點。換句話說，砂糖的價格只能任由日糖宰割。而且，如果要洽商砂糖買賣，他每次非要指定年輕的柳田或金子在酒館擺席款宴，從花隈或福原招妓狎遊，還得招待他上松島新地的八千代劇場看戲，否則生意就別想談成，真是無恥之徒！

「為了討取他的歡心，不消說每回招待後都得送上伴手禮，逢年過節的更不能忘記送禮致金。只怕連古時候的縣太爺都沒這麼囂張吧！」

這一切的卑躬奉承，全是因為若是不二樹先生沒點頭，連一包砂糖也甭想買得到。對於不沾酒色的鈴木兩大掌櫃來說，和日糖做起生意實在痛苦極了。

「當家娘，金子先生才不會那麼輕易放棄哩。假如官方不支持，那就由老百姓自己來做。他決定要靠自己的力量蓋出製糖所了！」

我也對不二樹先生的做法不以為然，可沒料到金子竟會做出這樣的決定，剛抿在口中的茶水險些噴了出來。

「等一等，……你剛說，要自己蓋製糖所？」

「是的。」

他沒像我這般驚駭，想必是贊同金子的想法。

說得也是，全靠我們這些砂糖商風塵僕僕地到全國各地勞碌奔波，辛苦推銷日糖的砂糖，不二樹先生才能這樣大模大樣。倘若我們手中握有砂糖供貨，就不必卑屈地向他哀求了。

當然，想必柳田會極力勸阻這個大膽的計畫，可依照這樣的情勢看來，不服輸的金子勢必要蓋自己的工廠。

「金子先生把這項光榮的先遣任務指派給我，要我去勘查該把工廠蓋在哪裡才好，若是蓋在台灣是否可行。」

眼前這個抬頭挺胸、滿面笑容的男子，真是意氣風發呀。當男人要開創新事業時，就像這樣揚帆啟航，而且愈是困難，臉上的表情愈是率直真誠。

「你偶爾要回來神戶講些時事見聞給我聽喔，不然我可成了浦島太郎[1]啦！」

我雖笑著對他說，其實心裡很是孤單。

「既然如此，那我今天就多講些台灣的消息，當作臨別贈禮吧。」

我真是太高興了。乾脆把從方才就三番兩次來換茶水又拖拉著不走，其實想趁機多聽些新聞的珠喜，也一起叫來增長見識吧。

「裡面的活計都忙完了以後，就坐在那邊靜著聽吧。」

「遵命！裡面的活兒都做完啦！」

瞧她簡直是連跳帶爬地衝進來的開心模樣，我不由得笑了出來。小孩子就是好奇心旺盛嘛。而且，這孩子每次聽著外面廣大世界的消息時，眼中總是閃耀著異樣的光彩。

田川說，在台灣發現了一座比富士山還要高聳秀麗的山峰，明治天皇命名為新高山[2]。在那座峻嶺對面的阿里山，由東京帝大的林學博士河合鈰太郎教授延續領台當時的探險足跡，繼續深入調

1　日本的寓言故事。描述漁夫浦島太郎在海底龍宮待了幾天，回到陸地後發現竟然已經過了數十年。
2　亦即玉山。

查，竟然發現了一大群沉睡在峻密森林深處已久的參天巨木，樹齡高達千年，迄今未曾遭到人為的破壞。我都已叮嚀珠喜要安靜聽講了，這孩子卻沉不住氣地出聲說：

「爹爹帶我去的丹波山裡，也長著很大的樹，都有一百年、一百五十年了，那些樹可大得嚇人呢。爹爹說，長了一百年的樹，都變成樹神了。」

在這時候突然提到了惣七哥，令我怔住了。我彷彿看到了他入山採漆時，帶著女兒珠喜同行的身影。他頎長的身軀穿著淺藍色綢布和服，外罩赤褐色背心，站在放眼可見一百年、一百五十年巨樹的視野遼闊之處，輕輕地從腰際取出了煙管，就連他吸菸時舒心愜意的側臉，也清晰地映現在我的眼前。

下一剎那，我才驀然驚覺，方才看到的側臉，難道是坐在我面前的田川嗎？

「那邊和日本內地的樹種不同，所以樹齡也不一樣。台灣的氣候比內地更是溫暖多雨，所以生長出來的檜木大得嚇人。」

我恍惚地看著他正在告訴珠喜台灣出產許多上好的木材。那些紅檜日後還被用來建造明治神宮的大鳥居等等，成為名聞遐邇的史蹟建物。假如惣七哥還活著的話，或許眼前這一幕便是他教導女兒的真實場景了。……哎，不可能的。田川太年輕，況且珠喜也不是我懷胎生下的女兒。

「嗯，留你太久也不好意思。有空要寫信回來告知那邊的消息哪。」

我心想，不能再這樣無邊無際的遐想了。於是，我匆匆結束話題，珠喜卻難掩失望的表情。

為了將現實和回憶劃清界線，也為了這個有為青年的未來，我決定在他下次回來之前，幫他覓得良緣佳配。不過，想到唯有透過這個方式，我這個老者才能和這個分外重視的年輕人維繫緣分，心裡不由得有點淒涼。

儘管這樣有些逾越分際，可我仍衷心希望能親眼看見新蓋起來的工廠，以及那一大片新領土。哈哈哈，很好笑吧？當初，金子說要單槍匹馬勇闖台灣時，我還不敢置信呢。世事難料，聽完這晒得黝黑的男子轉述以後，我好像哪裡都去得成了呀。

在缺少政府作為強大的後盾之下，一般的民間商人即便想要興建全新的產業，亦鮮少有成功的例子。就連那些和政界掛勾的商人們，也只曉得透過藩閥派別的勢力，買下以國家稅金建造後淘汰下來的國營工廠。然而現在，金子誓言只靠民間的力量，要從零開始打造出一整座工廠來。

憑著今天的鈴木能夠調動的資金，想要建蓋自家工廠已不再是痴人說夢了。這起投資案由鈴木出資三分之二，其餘的三分之一由包括同行的藤田在內等關西地區的數家砂糖商共同出資。日糖的蠻橫，以及政府的不作為，已經困擾且惹怒相關業者已久，所有的出資者決定要出軍一戰。

最後，鈴木選定了北九州的大里作為實現夢想的冒險之地。日後製糖產業興盛的台灣，此時的技術還遠遠無法與內地相抗衡。在挑上大里之初，來自與金子在東京深交的財政界大老的建言，也促成了這項決定。井上馨[3]的故鄉長州，與大里僅隔著馬關海峽相望，他對於該地不含鹽分的地下水讚譽有加。

「鈴木真是慧眼獨具呀！那地方後面就是煤礦產地，水質又是最適合工廠使用的軟水。」

3　井上馨（一八三六－一九一五），明治維新的元勛之一，極力推展歐化政策。

國家的建設，由民間來完成。金子的滿腔熱忱，也感動了明治政府的元勛。

實際上，由於原糖必須從夏威夷及台灣輸入，因此擁有港口的大里占有地利之便，再加上要把製造出來的產品運往消費地關西或東京時，交通運輸也十分通暢。

這個賭上公司前途的艱鉅事業，讓全體員工無不奮發蹈厲。

鈴木商店目前的體制，由金子、柳田，以及總經理西川這三個重量級人物居高坐鎮，下設被稱為四大天王的掌櫃們待命應變。遇上像這次的重大任務，甚至會從各地的分店與辦事處召回代表開會，務必將金子的意志貫徹給每一個員工，方能眾心成城。而阿米都會親自出席各地員工齊聚的盛大場面上。

「當家娘，以上報告的，您有什麼指示嗎？」

金子將工廠設置的最終方針彙整報告後，請示阿米。

哪裡還會有什麼指示呢？在會場一向端坐上座，靜靜地聽取眾人的討論與結果的阿米，根本不會提出任何異議。直到這時候，她才首度開口說道：

「很好。」

她來到這裡，為的只是說出這兩個字而已。

這個瞬間，一切都塵埃落定了。每當阿米點頭應允，往後不論發生任何狀況，都絕不撤回決議。

換句話說，這兩個字代表的是一項保證。即便這時做出的決定，在實施後發現窒礙難行或慘遭失敗，身為老闆亦絕不會有半句埋怨或責備。阿米了解，她唯一要做的是負起最終責任而已。

對於鈴木商店傾注全力的果決，長久以來霸占市場的日糖嗤之以鼻：

「大里的水質含有氨的成分，哪有可能做得出砂糖啊！到時候，我倒要等著看他們工廠倒閉，磚頭石塊掉滿地的慘況哩。」

依舊左擁右抱藝伎接受招待的不二樹，發下了如此豪語。

「是嗎？既然如此，我們就把磚頭變成金塊給他瞧瞧！」

受到了嘲諷的鈴木商店，士氣愈發高昂。金子率先站在最前線，開始了每天都杵在鍋爐前目不轉睛的日子。他把總店的業務委由西川處理，自己日以繼夜地等待著製糖的成果。這場仗絕對不容戰敗。雄心萬丈的勃勃志氣，串起了上下一條心。

話說回來，為了籌措資金要在不斷呈上來的文件上蓋章，我的心情也好不起來。這麼多錢到底用到哪裡去啦？又是做些什麼用途呢？但從這些厚厚疊起的文件上，我知道鈴木面臨著前所未見的硬戰。

雖說已下定決心建造大里製糖所，但到現在還沒有傳回精製成功的捷報。別說是還款了，眼看著借貸利息一天滾一天，又得去借更多錢了。

雖然如此，既然是我點頭應允的事業，總不能過度插手或探問後續的情況。還沒有接到成功的消息，並不是公司的人偷懶，而是他們正全心全意埋頭苦幹。但我又想，那麼多員工傾其全力付出，卻還沒有得到成果，表示事情非同小可。

在他們繼續奮戰的期間，又送來了再度向銀行貸款的文件。由於日糖的不二樹先生竊笑著告訴銀行，大里將以失敗收場，而愚蠢的鈴木也會倒閉，嚇得我們的主要往來銀行趕緊來討回放款，以免變成呆帳。

「日糖的手段太卑劣了，竟然造謠誣衊，伺機整垮競爭對手，正直的商人絕不會使這種行徑呢！」

我打從心底冒出怒火，並由衷祈禱金子他們非得挫掉日糖的銳氣不可。的確，商場上只講成敗，不惜手段為求脫穎而出，可若用和自身的努力與成果無關的行為阻撓對手，那可就天地不容了。

「如果因為這樣而輸了也無所謂。畢竟鈴木沒必要擴展到那麼大的規模。」

上了戰場卻不求勝利，只怕有人會嘲笑我是個淺見的女人吧。可我始終堅持，剛正不屈的才是商人本色。不管受到任何歪門邪道的妨礙，我們都要光明磊落地正面迎戰。唯有正大光明地打贏這場戰役，鈴木才能坦蕩蕩地面對全天下的人。

不過，可悲的現實是，日本的技術人員不會操作從英國進口來的昂貴製糖機。不曉得什麼原因，做出來的砂糖馬上結晶，粒粒都像石頭那麼硬，根本沒辦法拿出去賣。

「又送來這麼多啊？」

聽到看管倉庫的仙吉，一邊拿著帳本核對從貨車上搬下來的袋子數量，一邊嘆氣，可以想見大里迄今累積了多麼龐大的損失。

我對不二樹先生的卑鄙做法感到惱火，而誇下海口欲以還擊，可每天望著堆積如山的庫存，不由得有些沮喪。想要建造自家製糖所生產砂糖，畢竟是個極大的賭注。

「現在，只能靜觀其變了。」

正當我自言自語，在另一筆貸款的文件上蓋印時，突然傳來這樣的話：

「您別擔心，問題終會解決的。」

珠喜從貨袋的後面霍然站起身子來，不曉得她在那邊待多久了。看見她握在手裡的木槌，嚇了我一跳。她以異樣開朗的聲音說道：

「只要以木槌把它敲碎，就變成砂糖了，而且還是甜滋滋的上好砂糖呢，拿來做料理好用得很！」

原來珠喜竟然拿木槌從袋子上面使勁搥打，想要把跟石頭般硬的糖塊，盡量敲得碎一些。

「沒問題的，只要做得出顆粒細小的形狀就成了，就差這麼一步而已。」

珠喜套用了我的口頭禪，可她說得沒錯。就連家裡的幫傭，也對自家員工們的能力深信不疑。不如相信他們，安心等著某天必定傳來佳音，心情上也輕鬆多了。

心隨意轉，我不再為大里的事掛心操煩了。

2

一天又過一天，大里的工廠依舊只能做出像石頭般堅硬的結晶糖塊。

金子決定請柳田去上海了。這證明了他為鈴木規畫的事業版圖，絕非囿限於國內，而向來著眼於廣闊的海外市場。

身為砂糖買賣的專家，又嫻熟從海外管道進口原糖的柳田，於是勇闖中國開拓銷售通路。幾年以後，他擔任上海分公司的首任總經理，亦為鈴木日後進軍中國市場打下穩固基礎的第一支地樁。

之後，鈴木的企業據點更拓展到了漢口、天津、香港等地。

不過，開拓海外通路雖然順利，大里工廠試作失敗的砂糖仍是多得駭人。阿米真恨自己當初為什麼要說出那句「很好」呢？即便金子有十足的把握，身為負責人，就該表示「不行」並且駁回決定。她懊悔著當初若不惜打破不干涉店務的誓言，今日就不會落入如此窘境了。

阿米固定每個月前往三間神社參拜，自從店裡的砂糖貨袋堆得愈來愈高以後，她更是虔敬向神祇祈求早日度過難關。她覺得自己現在能做的唯有求神拜佛了。

這天，在珠喜和阿梅的陪伴下，三人前往大楠公參拜。回程時，阿米給她們一些零花，叮嚀她們傍晚前回家即可，她便先行一步。從大楠公回家的路程不算遠，無須女侍伴行，況且偶爾也該讓她們休憩一下。

大楠公寬廣的院內有許多攤販，有賣米果的、賣糖飴的、演傀儡戲的、曲藝雜技和街頭雜耍的等等，熱鬧極了。

阿米求來一張平安符，又聽了一段說書。年輕的說書人滔滔不絕地講述由俄國主導的三國干涉還遼事件，聽眾們把院內擠得水洩不通。

「各位應該曉得，我大日本帝國皇軍戰勝清國後贏得的遼東，厚臉皮的俄國滴血未淌，便橫暴地插手進來，坐享漁翁之利。這蠻橫的俄國毛子，簡直是天地難容啊！」

聽眾罵聲連連，還有人氣得舉拳喊打。說書人持扇敲拍講桌的聲音愈發響亮了。

「俄國毛子先是掠奪了荒涼的西伯利亞，又覬覦不凍港而直驅南下，不僅企圖占領朝鮮，還淌著口水巴望著咱們日本咧！」

在旁圍觀的聽眾們，對俄國的反應十分直接，無不怒氣騰騰、義憤填膺。「這種屈辱咱們必定奉還！就算俄國史上尚未嘗到敗績，可又怎能敵得過正值旭日東昇的秋津島[4]揮出的正義之劍呢？意氣風發的泱泱神國日本，定要將俄國毛子殺個片甲不留！」

說書人掐緊時機，使勁持扇拍桌，圍聽的群眾隨即發出陣陣喝采。

說書是庶民知曉國情不可或缺的消息來源之一。自從外相小村壽太郎和俄國公使羅森開始就滿韓問題進行交涉以後，報上天天都有追蹤報導，但說書是鎖定時事焦點，採用深入淺出的解說，使庶民不僅容易了解，還兼具娛樂的效果。

老百姓都很清楚，歐美人只顧自己在中國橫行霸道肆意侵略，一旦東洋人的日本加入他們的行列，便沉下臉來想方設法將日本驅逐出去。而今，日本國民對於俄國的不滿情緒已經逼近臨界點，遲早會與俄國兵戎相見。

阿米心想，又要打仗了……。於是走出了人群。在這處神社的院內，她已經看到好幾名在日清戰爭中不幸傷殘的軍人，其彈奏或行乞維生的可憐身影了。

她嘆了口氣，環顧整座神社。忽地，珠喜和阿梅在攤前擠肩爭瞧的背影映入了眼簾，她們頭上飄著一幅賣糖飴薄片的旗幟，白底布面上躍著龍飛鳳舞的字體寫著「快來中大獎！中獎再送一個！」頂上還畫了一支正中靶心的箭。旗下擱著一只大藤箱，糖飴薄片就放在裡面。她們兩人朝箱

4　秋津島為大和國（日本古名）的別稱。

裡窺視，合掌默禱祈求中獎，滿臉虔誠地伸手探進籠裡。

「中了啦！我抽中了啦！老伯，你瞧，我抽中了吧？」

聽到珠喜搶先發出了歡呼聲，阿梅又低頭瞅著自己手中的糖飴薄片，頓時不甘心地嘖了一聲。

「再買一個吧！我要再試一次，看會不會中獎！」

阿梅把方才買來的糖飴薄片揣進和服袖兜裡，再次掏出錢來。

霎時間，阿米在心裡低呼了一聲：就是這個！

「給我看一下！」

倏然出現在身旁的當家娘，頓時把珠喜和阿梅嚇得慌了手腳，不知道自己做錯了什麼。

阿米無暇顧及她們的不知所措，一把搶來珠喜手裡的糖飴薄片定睛端詳。一支木籤插在金黃透亮的扁平糖片中央，可以看到裹在晶瑩糖片裡的木籤上寫著一個「中」字。

「……不好意思，妳們兩個可以先跟我回店裡嗎？」

阿米臉上不由分說的神情比平時更加堅決，甚至顧不上她們得來不易的午後閒暇時光，就此被收回而感到失望。

「要我們回店裡做什麼嘛？」阿梅終於忍不住抱怨地說。

「砂糖呀！要把那些硬邦邦的砂糖賣掉呀！」阿米信心滿滿地回答。

阿梅兩人不由得納悶地交換了眼神，這回換成珠喜問道：

「要把砂糖賣給擺攤賣糖的小販嗎？當家娘，賣糖的小販可是遍布全國各地，遇上神社有祭典時才會巡迴擺攤呀。就憑我們三個，可沒法跟著到處逮人賣糖！」

阿米停下腳步，回頭看著她們，神情依舊強毅堅定。珠喜驚覺自己多嘴了，嚇得捂住了嘴巴。想不到，阿米非但沒有責罵珠喜，還得意地笑著說道：

「說得對！看來妳的腦筋挺不錯的嘛。」

珠喜兩人從未見過當家娘這樣的笑容，覺得事情有些唐突，又面面相覷起來。

把試做失敗的砂糖賣給賣糖小販——倘若這個辦法行得通，柳田老早憑著多年經營的人脈管道，全都賣光了。何況鈴木是由早年賣過米果的岩治郎，轉行做起砂糖買賣後一手建起的商店，員工之中總有人會想出這個方法吧。

可我現在撥打的算盤，該是前所未見的吧。一想到這裡，哪還管得上該維持老人家的體面，忍不住眉飛色舞地笑了起來。

「妳們幫忙把這些零錢摻進袋子裡去。」

我把從裡屋拿出來的零錢袋擱在房裡的地板上，阿梅和珠喜雙雙瞪大了眼睛。

「您是說，要把這些錢放到砂糖裡嗎？」

我隨口回了一聲「是啊」，順手打開錢袋讓她們瞧，裡面有五錢、十錢、五十錢，也有幾乎相當於整袋砂糖價格的一圓錢幣。

「砂糖是用來吃的，所以要拿紙片把零錢包妥才能放進去。」

她們倆仍是滿頭霧水的模樣。於是，我詳細地解釋給她們聽。

「這些糖塊比石頭還硬，我要把一樣硬的錢幣給摻進去賣。光從外面瞧，分不出哪個袋裡藏著錢的吧？他們若買到裝有錢幣的糖袋，豈不是很高興嗎？」

我看到她們的眼裡頓時射出了恍然大悟的驚喜光芒，更加確信這個法子必定會成功。

「仔細聽好，以後妳們出門跑腿時，一定要盡量四處宣傳：『你們聽說了沒？印有辰字商號的鈴木砂糖，裡面有錢幣喔！』」

知道朋友中獎而羨慕不已，乃是人的普遍心理反應。而且只要自己還付得起，應該會想再多買幾袋來試試手氣。這是我從阿梅羨慕珠喜的表情中得到的靈感。反正砂糖擺著也不會壞，就算多買些備用也無所謂，總之，這將誘使大家多買幾袋吧。

我和珠喜與阿梅拿紙片包起零錢，開始裝進數以百計的砂糖袋裡，可怎麼做也做不完。

「去找找看有誰能來幫忙的？」

我終於忍不住吩咐去找幫手來，於是阿梅喚來了看管倉庫的仙吉，而仙吉也順道把同樣在倉庫裡的學徒和學僕們一起帶過來，真是幫了大忙。畢竟這全得靠手工一個個包裹置入，非常費工。

而珠喜則願意四處推銷。

「這一定會賣得很好！我好興奮呀！」

我還以為她要拿去哪裡賣，想不到她胸有成竹地去了米果鋪、外國人開的西洋糕餅店，還到出差住宿的便宜旅舍、旅館，還有高級餐廳等處推銷，難得她竟能想到這些地方。一般家庭不大捨得用砂糖，但這些商家的用量可就驚人了。在廚房裡做事的女傭們平常總不給登門推銷的小販好臉色看，可瞧見有個幹勁十足的小姑娘挨家串戶到後門叫賣「有沒有人要買裝了錢的砂糖」，難得女傭們紛紛讓她進門了。

「聽說，印有辰字商號的鈴木砂糖，裡面有錢耶！」

「我買的裡面放了五十錢哩！」

「要是中了一圓的話，那一整袋糖簡直是免費的嘛！」

一時間，這個好消息傳遍了大街小巷。

由於是結成硬塊的糖，價格也格外便宜，就連平常買不起這種奢侈品的普通人家，一聽到裡頭放了錢，也紛紛喜笑顏開地掏錢買下了，甚至還有許多人跑去總店爭相詢問，要上哪裡才買得到？

總店當然不知道這是怎麼回事。想想也是，我之所以能出餿主意這般胡搞，是因為做壞了的糖塊庫存不是放在總店，而是堆在我住家這邊儲放的。也幸虧包括窩在大里的金子，還有忙進忙出的柳田和其他掌櫃們在內，大家都沒空過來這邊探看。雖然我插手銷貨算是撈過界了，可只要結果圓滿，其他就別太在意了。為此，許多人潮特地前來選購廣受好評的鈴木的硬邦邦砂糖呢，原先堆積如山的庫存，沒多久便銷售大半了。

「真讓人不敢相信啊！這些產品很可能就此扔掉，現在全換成現金回來啦！」

望著店裡終於重見天日的牆壁與天花板，柳田也樂得眉開眼笑。

「不過，可千萬別讓金子知道，這是出自我的主意。」

我唯一掛意的就是這件事。對於為了精製出純白的砂糖而不眠不休的金子，我一片好意的出手相助，該不會是幫倒忙而讓他氣餒吧？那樣的話，金子就太可憐了。

何況，這不算我的功勞，而該歸功於親手把錢幣放進砂糖袋裡的所有員工。尤其，最該嘉獎的是到街頭巷尾大肆推銷的珠喜。

「哪兒的話，掌櫃們平時總到全國各地努力賣出很多商品，難得有這個機會讓我模仿學樣，我就很高興了呀！」

出生於商家的珠喜，無須學習即有與生俱來的行商本領。我原本琢磨著幫惣七哥託付給我的這個孩子，從店裡挑出個能幹的人當她丈夫，現在看來，說不定讓她自己做個買賣也挺有意思的。

喜事接二連三來。柳田某天欣喜若狂地衝進店裡來，捎來了望眼欲穿的大里捷報。

「當家娘！終於成功了！直仔……，不，這是金子打來的電報。」

他根本等不及把揪在手裡的電報紙拿給我，便急著轉述大里工廠終於成功做出像白雪般顆粒細小的高級砂糖了。距離開始著手試作，足足耗費了一年的時間。

天使終於降臨了。——聽說，在製造成功的剎那，金子居然一反常態，文謅謅地唸出這句話。想必捧在手裡的雪白細粒，讓他心中湧出了無限感慨吧。那一刻，也是鈴木每個員工夢想成真的瞬間。

「金子終於成功了！從今天起，我們就能以砂糖的品質一較高下了！」

今後，再也不必卑躬屈膝地做生意，而能夠拿出品質精良的高級砂糖賺得豐厚的利潤。對商人來說，這才是堂堂正正的營商之道。這平凡的道理，讓所有員工打從心底振奮起來。

大里工廠能夠成功精製出砂糖的幕後功臣是一位辭去日糖來到大里的技師。這位技師發揮豐富的經驗，找出無法順利結晶的原因出在機械的維修上，並且予以調整改良。他才是金子所說的從天上來的天使。

這位無名技師願意出手協助，不僅是被鈴木敢於挑戰大公司的勇氣所感動，亦是對日糖自身的傲氣感到了厭惡。

這個結果，令日糖大為震驚。

他們原本算準大里製糖所絕不可能成功的，後來竟然做出了品質更勝日糖的砂糖，還訂出比日糖便宜許多的價格與之較量。難怪他們聽到這消息時，懷疑自己是否聽錯了。

於是，不二樹的部下們開始傳出了忿忿不平，認為這該怪不二樹的交際費花錢如流水，導致日糖的成本比較高。當然，真正的原因在於大里製糖所削減自家的利潤，並且將製程改善到沒有絲毫浪費。更有利的是，大里比日糖更接近原產地，因此原糖可以早兩、三天送達，運費相對便宜一些，應該歸功於大里的地利之便。

「把磚頭變成金塊給他瞧瞧！」——金子發下的豪語終於實現了。日糖對這個絕地逢生的對手的毅力，開始恐慌起來了。

沒過多久，日糖即派來使者提出合併的建議了。

公司裡一片拍手叫好。

「活該吧！」

「現在才講，太晚了啦！」

對方送來的書狀上，洋洋灑灑地寫著與其雙方疲於互鬥，不如相生共存，企圖動之以情。

「金子，你打算怎麼做？」

阿米的問話，金子只一笑置之作為回答。

「我們費盡千辛萬苦研發出來的技術，好不容易才做出日本第一的白砂糖，怎麼可能輕易地就讓他們把好處撈走了呢！」

對金子而言，正因為他的執著，今天才結出這甜美的白色果實。

店裡再度掀起了歡聲雷動。鈴木商店蒸蒸日上的如虹氣勢，恰好與全國上下洋溢著對俄國開戰的騰騰殺氣，相互呼應。

「恭喜啊！」

迎接金子凱旋歸來時，阿米正忙著把存放的衣服拿出來通風透氣，以免發霉長蟲。

金子渾身散發出既欣慰又驕傲的氣息，其實，阿米也和他一樣。回想起在光榮的這天來臨之前，她不得不蓋下的無數印章，眼下終於能從壓得喘不過氣來的債務地獄裡逃脫出來了。

「您在把衣服拿出來通風嗎？」金子看見每個門框上掛吊著和服問道。

「是啊，只差把樟腦放進衣箱裡，就完成了。」

在阿米看來，衣服亦是不容忽視的財產之一，不只要拿出來通風透氣，有時也要拆掉縫線仔細洗滌，再把布塊攤展開來晾乾。如果要重新縫製時，還要把破綻的部分縫補起來。阿米通常都得耗上三天的工夫，才能把員工們所有的衣服全都晾晒縫妥。

「總有一天，我會讓您不必再這麼辛苦費工了。」金子神情認真地說道。

「你又幫忙找來女傭了嗎？」阿米問道。

珠喜來了以後，由於白天還要上學，所以再找來一個女孩幫著阿梅，之後就沒再雇人了。不過，若能增加人手負責收拾保管衣物，裡屋的工作負擔也可以減輕一些。

「不是的，不是要增加人手，只要增加衣服就行了。」

阿米停下了手邊的事。雖說早已習慣了他的異想天開，可這回的話實在聽不懂了。

「現在的衣服因為昂貴，所以得珍惜地穿著使用。既然如此，只要大量生產出便宜的衣服就行了呀！」

金子那雙戴著眼鏡的眼睛，已經聚焦在下一項新事業上了。他要藉助現代工業的文明力量，大量製造便宜的纖維。往後，將是「紡織業」的時代。

阿米微微地搖了搖頭。因為砂糖事業才總算剛有起步，只怕自己又得為了新事業在一份份文件上蓋章了。

「你真的滿腦子只有生意經哪。」

比起第一次愛上的女人，金子選擇的是鈴木商店。其實，將他逼上這條路的，不正是阿米自己嗎？既是如此，不論金子去哪裡追逐夢想，阿米也只能一路守護著他。阿米苦笑著，繼續摺著手上的和服。

3

往後，將是「紡織業」的時代。——看準這項商機大有可為的金子，真是了不起啊。

不管是樟腦還是砂糖，這些具有代表性的外銷輸出品，都是半農半工的產品，日本還不能稱得上是工業製造品的出口大國。那麼，該怎麼開拓邁向工業國家的道路呢？

歷史告訴我們，綜觀各先進國，都先從紡織類的輕工業——紡線、織布等纖維製造的上下游工業，逐步發展成現代工業國家。因為纖維是人類的文明生活中不可或缺的用品。

提到纖維，再沒有其他國家比日本更擅長製造上等絲綢了。日本人甚至以全身上下都穿著「綾羅綢緞」，來比喻每個人夢寐以求的奢華生活。製絲廠的女工一輩子最大的夢想，便是穿上親手紡出的蠶絲所織成的銘仙綢和服。

可是金子卻說要將這個人人穿得起綢衣的夢想，以另一種形式實現出來。是的，雖說是綢衣，卻是人類透過化學工業的文明力量所製造出來的綢衣。

養蠶人家總得不眠不休細心照料蠶寶寶，才會吐出蠶絲來。金子的理論是，日本若想成為富庶的國家，就要讓人民不再必須日夜工作才能勉強餬口，這樣才有資格成為真正的文明國家。為了達成這個目標，據說他投入莫大的費用支助人造纖維的研究。真是的，這根本是政府該做的事嘛。

回想起來，當時金子的腦海裡，已將擴大發展鈴木商店，和發展國家事業畫上等號了。藉助工商業的力量充實國力，就和軍隊打仗開疆闢土一樣，都是為了民富國強的作戰。若是速戰速決，或許我國可憑意志力戰勝俄國；若是陷入長期戰爭，沒有實業作為後方補給的日本，一定會很快耗盡軍事物資。金子認為，為了國家的未來，當務之急是讓日本各領域的製造產業發展得更加成熟。

第一步，聽說金子鎖定的是收購「西宮紡織」公司。他從當年的樟腦事件中學到了教訓：自己要販賣的纖維製品，必須親手製造出來，這才是最穩當的方式。既然鈴木要進軍紡織業，遂不效法大阪的井池或船場的老字號從產地蒐購再轉賣到各地的傳統批發做法，而是自家大量生產，隨時備貨齊全，這麼一來，接下大量訂單也不擔心。

沒料到，正當他在大里的製糖所忙得焦頭爛額之際，另一家「內外綿紡織」公司竟趁機買走了西宮紡織，真是時不我與啊。

錯失了這項投資案的金子，罕見地極度懊悔，久久難以平復。他可能是太不甘心了，竟把原先備妥的融資資金，賭氣似的拿去買了其他工廠。那間工廠做的不是鈴木擅長的白色三寶，也不是前途看漲的紡織，而是製造既黑又硬也不纖細的「鐵」。小林製鋼所——亦即神戶製鋼所的前身，它就孤伶伶座落在栽種神戶特產「熊內白蘿蔔」一望無際的蘿蔔田裡。當時是明治三十六年。

聽到這個消息後，我十分驚愕。畢竟那家製鋼所創業還不到一個月，遂因苦於經營不善，慘遭脫手轉賣的命運了，可以說集合了技術不足、需求不足、資金不足等三大敗因。也難怪大家都不解又埋怨金子為何要買下那種公司呢？

雪上加霜的是，金子接手經營了好幾年仍舊無法轉虧為盈。

以往的事業即便遭遇到重重困難，最後總有辦法克服，可這次的製鋼所真讓金子傷透腦筋了。他不曉得懊悔過多少次，一切都怪當初與西宮紡織失之交臂後被氣昏了頭，如同他之後在回憶錄中誠實告白：「那天的臨時起意，如感情出軌似的」，不難想像這包袱有多麼沉重了。

後來，他投入了向銀行借來的龐大貸款，仍只是杯水車薪。為此，有人特意來勸我，為何到了這步田地還不放手？哎，也許是之前同樣是燙手山芋的大里製糖所，到最後反敗為勝的經驗，讓老是把「讓我想想」掛在嘴邊的金子覺得，再怎麼扶不起的事業，一旦注入了無數心血，便怎麼也捨不得輕言放棄。

銀行終於做出了關爐停止運轉的建議，我們只得打算賣了，卻根本找不到買家。這下子，又被銀行責難我們錯失了出讓的良機。

員工們對於自己揮汗如雨賺來的辛苦錢，全被拿去償還製鋼所的貸款以及資金調度，紛紛大表不滿。金子在審視權衡之下，認為短暫的犧牲都是為了顧全大局，於是一改之前的悲觀，轉而激勵大家：

「各位，從西洋國家的前例看來，製鋼所是國家事業，迄今還沒有失敗的例子。過程中的艱辛忍耐，都是為了最後能夠享受到成功的果實所必須付出的。」

如同金子所說的，這家當時沒能脫手的製鋼所，日後躍升為鈴木最賺錢的部門，更成為引領其他事業部的火車頭，真是世事難料啊。

直到鋼鐵成為全世界爭搶的必需品之前，一直被這個沉重包袱消耗資金的金子，終於在長期抗爭之後獲得了勝利，不過，那是外界的看法。依我看來，也許只是碰巧走運罷了。話說回來，當好運臨門時，也是另一種助力吧。

幸好，我們有段時間受到了命運之神的眷顧。

除了小林製鋼所以外，鈴木在明治三十七年，也買下了位於神戶的住友樟腦製造所。不同於位在雲井路上的偌小樟腦部，專注研究再生樟腦以供立足台灣之用，這邊是設備齊全的製造工廠。

其實，金子當年飽受賣空樟腦事件之苦的時候，住友樟腦有位姓肥田的高階幹部曾經拔刀相助。當金子為能附上為數不多的現貨給洋行而拚命蒐集時，肥田先生同情他的窘狀，而將放在神戶倉庫裡的樟腦，分了些給我們。

當時的恩惠，這輩子都不會忘記。隨著印有[辰]字商號的鈴木樟腦節節攀升，住友樟腦的業績相對漸次滑落。於是在它倒閉之前，金子出了相當優渥的價格買下來了。

從此，鈴木樟腦部的規模，已與砂糖部不相上下了。

金子依然滿腦子只想著工作，仍舊對家裡的事幾乎漠不關心，幸虧有阿德這位賢內助默默操持家務。這一年，又生下日後成為東京大學哲學教授的次子武藏了。

隨著鈴木的蓬勃發展，日本這個新興國家的歷史也起了重大的轉變。

輿論對於俄國面不改色地搶走本來屬於日本的滿洲權益極為憤慨，更對俄國甚至覬覦朝鮮的蠻橫是忿怒至極，進而感覺到其對日本本土造成的大膽威脅。報紙與街頭的說書及講演無不同聲高倡的主戰論調，更加激發了日本國民對俄國的反感。受到三個歐洲大國的干預，日本雖被搶走了浴血作戰的戰果報酬，全國上下仍臥薪嘗膽地咬牙撐忍，終於瀕臨再也無法忍下去的時刻了。

生為這個時代的男子，無不思考著自己能為國家做些什麼。就連無法握槍衝上戰場的讀書人，例如坪內逍遙等人，也預估即將與俄國爆發戰爭，因而奮發學習俄語以備國家所需。只不過，當他把托爾斯泰與杜思妥也夫斯基等人的著書當作教材徹底研讀之後，卻深深受到俄羅斯文學作品中描述的淵博思想而極度的震撼，繼而領悟到日本想和這樣底蘊深厚的國家打仗有多麼愚蠢。

然而身為東洋人，身為新興國家，日本一次次受到西方的輕蔑踐踏，任誰也不可能再繼續忍耐下去了。何況與西歐諸國相較，無論是悠久的歷史與豐富的文化，日本自詡絕對不遑多讓。

就連懇切努力交涉的政府當局，亦終於忍不下去了。當利害關係一致的日本與英國組成了日英同盟以後，出手的時機已臻成熟。明治三十七年，天皇下詔對俄國宣戰，引爆了這場日俄戰爭。神戶更早在接到海軍於旅順港外開始對俄國艦隊發動攻擊的消息時，便開始出現夜裡提燈走上街頭，列隊遊行慶賀的人們來了。

不過，俄國是連拿破崙都無法打敗的西歐強國。只是全國百姓都非常明白，這將是一場艱苦的戰役，一場非打不可的戰爭。

早先的日清戰爭，在尚未煩惱兵員補充問題前即已戰勝，可這回的對手是俄國，不容輕鬆應戰。除了職業軍人與志願兵以外，連平民男子也被徵召上了滿洲的戰場。

徵兵制度中規定，長男負有繼承家業的責任，不必當兵，可是其他排行的成年男子都要為了國家而渡海作戰。經商的生意人，本以家裡沒有多餘的田地可繼承耕作的次男或三男以上居多，因而鈴木商店被徵召的員工亦不在少數。

其中一人，正是田川。他高挑的身材與寬闊的肩膀令人稱羨，在徵兵檢查中，旋即被判定為甲種體位。即便如今已是二十八歲，成為皇軍的士兵亦毫不遜色。

早前，田川為了是否在台灣設立製糖工廠而前去考察，緊接著又因為提出了要在台灣建蓋商館的計畫，便利木材等物產的貿易而一直留在當地。他寫信告知近況時，還曾半開玩笑地說，乾脆老死在台灣算了。恐怕連他本人也沒有想到，竟是因為接到了徵兵單，才在闊別一年之後，搭船回到神戶的吧。在返回故鄉土佐之前，他分別繞去總店和阿米這邊辭行。

「太遺憾了。我原本計畫等到商館竣工以後，請當家娘前去視察。」

他不僅懊惱工作才做到一半就被迫中斷，對於此去生死未卜的戰事，充滿了恐懼。比上回晒得更黧黑的臉龐透出的緊張神色，原原本本地映入了阿米的眼簾。

「沒問題的！我絕對會去看那間你蓋起來的台灣分店，而且指定只能由你帶我去看。所以，你一定要給我平安回來！」

阿米心想，至少送他出征的人，得要裝出威風的氣勢為他壯膽才行。

他這趟去的不是炎熱的南國台灣，而是酷寒的滿洲。阿米特地透過店鋪的管道，準備了上好的羊毛毯給他送餞。

「你要保重身體啊。」

「當家娘，您也請多加保重。」

兩人都不去想不吉利的事，都相信這是一場正義之戰。全國都深信勝利終將屬於日本，阿米虔誠地祈求上天保佑。

珠喜在隔扇外，等著田川從內廳退出來。她在送茶進去時，聽到了田川即將從軍，心想無論如何都要將某件物什親手交給他。

「田川先生，請等等，您願意收下這個嗎？」

田川面露疑惑，珠喜不由分說地塞進他的手裡，那是一只紅色的護身符荷包，裡面還有一支小木籤。

「這是在大楠公的祭日時賣的糖飴薄片，這支是沒中獎的。所以，也絕對不會被子彈打中！」

田川瞧著木籤，又看了珠喜，忍不住被她正經八百的模樣給逗得笑了出來。

「原來是沒中獎的木籤啊。我懂了，只要帶著它，子彈就不會往身上招呼嘍！」

他謝謝珠喜，說一定會帶著上戰場。聽得珠喜高興得雀躍了跳起來。

「我會向老天爺祈禱，一定會讓您平安歸來，然後我要陪著當家娘，一起去台灣喔。」

田川又笑了。黝黑的膚色，襯得咧嘴而笑的牙齒更顯潔白。

「珠喜能來，可就如虎添翼嘍。我一定會從戰場上回來，到時候再請妳來台灣。」

倘若真有能照亮靈魂的話語，田川的這番話便是了。

「真的嗎？您真的願意找我一起去台灣嗎？」珠喜興奮地問道。

微笑的田川看著珠喜，用力點了頭。

這一刻，珠喜深信田川答應了總有一天會領著她去台灣。

對於田川有哪些家人？過著什麼樣的生活？又是如何實現人生的目標的？珠喜毫無所悉。她唯一認識的，唯有眼前的他而已。但對只有鈴木家這處歸屬的珠喜來說，田川是這個家以外她最熟悉的人，也是能讓她接觸到外面廣大世界的唯一一人。

所以，還是個小女孩的珠喜渾然沒有考慮到，在田川的眼裡是如何看待自己。她只祈求著田川能平安活著回來。

目送田川離去的珠喜，多希望能夠再多看他幾眼，田川卻轉過身來，揚手揮趕著她快回店裡去。可珠喜仍舊佇立門外，遲遲不肯進去。

留在店裡的人，比以往更加齊心協力了。個個都覺悟到，出征的伙伴不在的期間，自己要為其他人更加努力才行。不僅如此，戰爭將會造成市場何種變化，而商人的生路又在哪裡，成為位於神戶營商的鈴木商店諸多學習的良機了。

從這場戰爭以後，商港神戶從此亦躍升為重要的軍港。雖說首都已遷至東京，但從日本的歷史與世界歷史來看，西方的發展皆早於東方，因此，神戶理所當然成為通往西方的玄關。帝國艦隊於戰爭期間曾停靠神戶碼頭，而在對馬海峽海戰中立下大功的東鄉平八郎大將，也是從神戶港這裡啟航的。

正值局勢混亂之際，有一個人在神戶迅速崛起。坊間盛傳，來到神戶的人必會前往造訪該處，只要上那裡就能掌握國家的所有動態，甚至遠從東京而來的軍人與官員亦絕不會過門不入，所以又被人起了個別名叫「陸上的神戶海關」，亦即——「千歲花壇」旅館。

華燈初上，許多藝伎便從花隈被召進旅館裡，夜夜笙歌鼎沸。無數的密約、商談，以及放言高論政治，也都是選在這家名震神戶的豪華旅館裡。這時，千歲花壇已座落於中山手通町那一帶。

我經常聽到這家旅館的消息。起初，它是一家位於這附近海岸路上的木造小旅舍，隨著客人日漸增多，遂搬往較為靜謐的現址了。但長久以來，我一直不曉得那家千歲花壇的老闆是誰。直到有人告訴我，千歲的「千」是取自老闆的名字時，我的腦海裡才首度浮現了阿千的面容。

她不愧是岩治郎的孩子！即便沒人從旁指導，與生俱來的經商才幹，讓她成功打造出千歲花壇。她體內流淌著的血液，正是來自當初輾轉各地吃盡苦頭，終於打下鈴木商店基礎的父親岩治郎。果真不可小看哪。

每當我聽到阿千的傳聞，便莫名湧出一股不服輸的競爭意識，賭氣地心想：我也有珠喜呢！人的情感真有意思。即使不是自己懷胎生下的女兒，卻是由我一手親自調教長大的孩子，怎會不疼愛呢。何況機靈的珠喜，竟在草木皆兵的局勢中，在這神戶伺機做起了小買賣，直把我驚得目瞪口呆。

「要不要買支保平安的避彈糖呀？」

各家旅舍都住滿了為出征士兵送行的親友，她便在這團混亂中，上門做起了生意來。

她兜售的商品正是眾所皆知的硬邦邦糖塊。當初那個擺進錢幣、印有辰字商號的失敗糖塊，在成功做出細粒砂糖以後，已經賣得差不多了，倉庫裡只餘下些許賣剩的。珠喜將這些沒放入錢幣的糖塊碎片，也就是「沒中獎的糖」，拿紙包妥後裝進護身符錦袋裡販賣，實在令人傻眼。誰能想得到，這個構想竟然還大發利市。

當她來找我討些失敗糖塊的庫存時，我還以為她打算拿去做啥，怎麼也沒料到居然是做起這種買賣來。

這東西的價格本就不高，自然也沒能賺到多少錢，可當珠喜高興至極地跑來嚷嚷著賣光啦、賣光啦的時候，我卻沒有讚許她。

「妳是為了什麼而賣這個的？」

當下變得垂頭喪氣的珠喜，仍然小聲為自己辯駁：

「可是……，與其把這些硬邦邦糖塊扔在那裡，還不如賣掉換錢，而且大家買到的時候都很高興啊。」

「哪個才是最重要的理由？」

我想問的是，到底她是無論如何都想要拿去賣錢，還是為了讓顧客高興。不管是對員工們還是兒子們，我總是耳提面命地叮囑：我們絕不能成為只顧將本求利的生意人，而要做個為民為國謀求物美價廉的商人。

「何況，那個護身符，真能幫人躲掉子彈嗎？真能保人平安嗎？」

珠喜分明沒有確信的答案，可這個問題她卻答得信誓旦旦。

「相信或不相信，存乎一心。俗話不是說，『信者不疑，泥菩薩也變神』嗎？只要相信的人願意買就夠了。大家都是急時抱佛腳，懷著希望能夠生還的心情買下來的，又不是我強迫推銷的！」

這話簡直在說我每月必至三間神社參拜，也是相信泥菩薩的愚蠢行為似的。我頓時沒了勁再罵下去，可唯獨有一點非要叮嚀不可。

「不管客人是抱著什麼心態買的，總之，做生意絕不能利用別人的弱點！」

珠喜依舊一臉不服氣。我不得不再次強調：

「當然有些人做的是那種買賣，可我們這裡不行。鈴木絕對不能做那種生意！」

世上有些事不必講大道理，不行就是不行。面臨抉擇時，也許只能憑一個人的榮譽、謙虛，與志氣做出判斷吧。一般都說，商人只要賺得到錢，其他都不重要；可至少我們還保有一份矜持，提醒自己不能變成賺錢第一的生意人。

珠喜垂下了頭，不曉得到底有沒有聽懂我的話。其實也不必再去深究了。可我最後還是補充說道：

「仔細聽好，鈴木不做買空賣空的生意。我們要做的是物美價廉，讓顧客高興購買的生意，知道了嗎？」

珠喜點頭說好。在訓完話以後，我對她做生意的積極態度也給予稱讚。臨機應變和主動出擊是生意人最重要的資質。當金子還被喚成直仔的時代，便已具備了這兩項長處，誰也比不上。

我忽然想到，若是讓這孩子去做生意，或許滿有意思的。我曾經想過，也許別讓她繼續升學，早些來幫忙我和店裡的事來得好。若是問她想想，有哪種生意能讓顧客開心的，嗯，不曉得她會回答做什麼買賣呢？到時候，我不會站到第一線，而是在珠喜後面支援她一起經商。如果我再年輕個十五歲，一定會親身闖出一番事業給大家瞧瞧。哈哈哈，我只是擺著好看的鈴木家的統帥，一旦身為當家娘，只怕沒法完成那個夢想了，但年輕的珠喜還有美好的未來任她發揮呢。

事實上，儘管我訓了她不該賣避彈糖，可這糖居然造成狂銷熱賣，許多客人都蜂擁而至，在店裡你推我擠地嚷搶著買。珠喜看到這副景象，得意地說道：

「當家娘，我不是為了賺錢才賣的，而是真的衷心祈求阿兵哥們不被子彈打中，能夠平安回來，所以，這應該算是誠實營商的生意吧？」

瞧這丫頭的伶牙俐嘴！非得在口頭上逞強才甘心。

當然，市面上立刻出現了仿造貨，一時蔚為流行。不過，最先販賣的「避彈糖」是印有辰字商號的，這份創意巧思，繼續為我們帶進了不少營業額。

就這樣，珠喜在我心裡的份量，彷彿變得一天比一天重要。

「大日本帝國，萬歲！」

「天皇陛下，萬歲！」

神戶的街頭巷尾一片萬頭鑽動。明治三十八年，和俄國打了一年多的戰爭，終於宣告結束了。

從黑船航抵，將日本從太平大夢中喚醒以來，僅僅過了五十年的新興東洋之國，由東鄉平八郎率領的聯合艦隊，在對馬海峽迎擊殲滅了由黑船組成的波羅的海艦隊，俄國艦隊幾乎全軍覆沒。戰爭結束後，日本把握良機，締結了有利的條約。

不過，不管從兵力或物資的補給力來看，這對日本而言都是一場艱苦的戰爭，倘若再拖延下去，未必打得贏在兵員與武器的數量遠超過日本的俄國，因此決定停戰講和。

但不明內情的國民仍沉醉在大獲全勝的狂喜之中，街上人們歡聲雷動。畢竟這個位於極東的蕞爾小島，方於亞洲諸國中最早完成現代化的大業不久，才剛躍上了國際舞台，又旋即打敗了歐洲不敗之國稱號的俄國。而俄國也因為戰敗，引發了一連串的革命潮流。全世界對這場戰爭的結果大為驚愕與讚嘆，也從此對日本刮目相看。日本國內民眾的自信與驕傲頓時高漲起來，從大人到小孩無不沉浸在這片慶賀勝利的歡騰氣氛裡。

泱泱神州風雲變　陷落奉天城
掀雷破浪神風起　膽喪黑船沉
連捷大勝揚四海　俘獲唯悵惜
薄海歡騰慶戰功　誰人記今朝
狂喜迎我皇軍歸　立功耀建業

「當家娘，我回來了。」

珠喜朝提燈裡探瞧，小心翼翼地吹熄了燭火。阿米對於火燭的使用最是謹慎，平常總是不厭其煩地提醒她要多加留意。珠喜一面仔細地疊起提燈，一面難掩興奮地向阿米報告，從宇治川街沿路擠到神戶車站的喧鬧景象。

「太好了，這下子，去打仗的人都會回來了吧。」

阿米沒到外面湊熱鬧，而是當街上正在歡騰慶祝時，她點燭感謝神龕上的神佛庇佑，並且報告打勝仗的喜訊。出征的員工們能夠凱旋返國，最讓她感到高興了。

「一定是避彈糖發揮的功效！」

或許是剛去街上參加慶典般的歡欣興奮尚未消退，珠喜蹦跳到阿米的背後跪了下來，面向神龕合掌祈禱。

「怎麼，妳也學起我來了？」

「我想，一個人祈求，還不如多個人一起求，神明比較聽得見。」

每一天，阿米都會祈求上天保佑上戰場的人們平安，而珠喜也總是跪在她身後一起拜求。

「是啊，要是日本沒打贏的話，跟妳買了護身符的人可要上門來抗議嘍。」

阿米開了珠喜的玩笑，心想她祈求的動機，大抵是為了這個吧。可阿米萬萬沒有料到，珠喜竟是為了某個特別的人而拚命祈求保佑；縱使阿米得知珠喜是為了田川而求，也一定歸因於田川較常在這裡出入，所以珠喜比較熟悉，甚至還稱讚她的善良呢。在阿米看來，才滿十四歲的珠喜還只是個孩子。

沒多久，從日本海返航的軍艦陸續回到神戶港了。從店裡出征的員工們，也陸續傳來平安的消息。

「等大家都回來了以後，真想為他們辦一場慶功會呀。」

每當接到又一個員工平安歸來的通知，阿米便會在神龕上再點燃一支蠟燭，也向西川提出了設宴慶祝的建議。

很久以後，阿米才得知田川受了傷被收容在旅順的野戰醫院裡。

「能夠確定他還活著就好，真是個好消息、好消息呀！」

阿米和珠喜在神龕上為田川點燃燭火，兩人一同撫著胸口感謝老天爺。

但凡抵達神戶港的每一艘軍艦，全都受到了英雄式的歡迎。前來迎接的親友家人，還有要從神戶轉搭火車返鄉的士兵，把整個神戶擠得水泄不通，每家旅舍都住滿了人。高級旅館千歲花壇特地為從戰場歸來的軍官士兵提供優惠住宿，這份令人動容的愛國情操，成為街頭巷尾另一個熱烈談論的話題。

然而，就從某個員工一手攥著新聞號外衝回店裡的那一刻起，全國民眾歡欣鼓舞的心情頓時急轉直下。

「大事不好啦！我們和俄國的戰後談判吃大虧啦！」

店裡的員工立刻一擁而上把他團團圍住，爭相搶讀。經過美國羅斯福總統的調停之下，日俄兩國簽訂的《樸資茅斯條約》內容，清清楚楚地寫在號外上。民眾看到印在號外上的文字後群情激憤，有人狂吼、有人吶喊，還有人怒氣沖天。好不容易才打贏這場犧牲慘烈的戰爭，從俄國拿到的賠償金和割讓土地卻根本不值一提。

「那些臭俄國毛子還賣乖呢！說好聽的是把遼東半島轉讓給日本，可那本來就是我們贏了清國以後的戰利品，俄國毛子根本不痛不癢啊！」

「不只是這樣，他們還打算一毛錢也不賠，這教我拿什麼去說給我那戰死在滿洲的弟弟聽啊！」

一時間，不滿的聲浪鬧得沸沸揚揚，各地都發生了暴動抗議政府的軟弱。尤其是以工業都市而逐漸受到重視的神戶裡有許多不識字的勞工，街頭上常可看到他們成群圍在極少數受過教育者的旁邊，拉長耳朵聆聽讀報的景象。他們再將聽來的消息，口耳相傳講給其他人聽。這便是多數民眾獲知新聞的途徑。

尤其像這回事態嚴重的國際問題，百姓根本沒辦法聽過就算，到處都有人搖旗鼓譟，多不勝數。譴責政府懦弱無能的聲浪日益高漲，連矗立在鈴木商店附近的首任縣知事伊藤博文的銅像，也遭到了暴力損毀。數年後，鈴木亦曾一度成為民眾攻擊的目標。如今回想起來，或許從這時候開始，民眾的力量已開始在神戶萌芽生根了。

不過，日本震驚世界的絕大勝利，終究成功實現了結束鎖國以來最大的願望。飽受不平等關稅制度之苦的租界地區，隨著勝利號角的響起，終於在明治四十四年予以廢除，重新恢復關稅自主權。從此，日本可以對輸入日本的貿易商品課稅，得以和外國站在平等的地位上了。

當消息傳到神戶的時候，舉凡貿易業者無不為此戰果而激動振奮，這是拿好幾萬軍人的犧牲，才換得的寶貴戰果。

阿米也和大家的心情相同。這堵無法攀越的高牆，不曉得曾讓亡夫岩治郎大發雷霆過多少次，到現在總算要拆除了。

「好，接下來才開始要見真章呢！」

也難怪金子會滿腔熱血地激勵員工。一想到過去再怎麼奮勇衝鋒，終究不敵站在高牆上的對手，而今雙方同樣站在平地上互拚生意，日本人豈有戰敗的道理呢。

他像要證明這個論點似的，再度出手挑戰新事業。就在這個時期，鈴木第一家海外分公司在上海成立，並且外派柳田前往掌理。

不論是好是壞，戰爭終於結束了。當阿米終於感受到往昔的生活已一天天恢復時，鈴木商店的員工們一個個從滿洲回到了公司。

他們也帶回了田川的消息，說他在戰場上的英勇事蹟已經獲頒勳章。在那場舉世聞名的二〇三高地激烈戰役中，日本方面折損了包括乃木大將的兒子在內的多名兵將，而田川也在所屬小隊的指揮官陣亡後，扛起了指揮重任，帶領戰友以所剩無幾的手榴彈炸毀了敵軍的碉堡，成功保住了全隊同袍的性命。

「不愧是無懼死亡的田川啊！」

鈴木商店透過在碼頭有熟識管道的掌櫃，盡力搶先掌握到復員總部的第一手情報。

「歡迎田川凱旋歸來」

在阿米向西川提議舉辦的洗塵會場裡，田川和其他員工的名字同樣並列在手寫的橫幅布條上。店裡早前獲知了他搭乘的復員船，將會在這天返抵神戶港。

歡迎員工歸國的橫布條高掛在壁龕的橫梁上，設在本宅大客廳裡的宴席也已經準備就緒了。阿米從好幾天前起，便忙著指揮珠喜她們烹煮美味的佳餚。

「來啦！他們回來啦！」

店門口響起歡呼聲。街路的那一頭，可以看見特地去碼頭迎接田川的仙吉回來了。

嗚呼恨失子弟兵　老將縱清淚
手足同胞魂歸兮　軍旗代白幡
勇士痛喪並肩人　戰友壕溝橫
幸得高唱凱旋曲　重嗅故土香
夾道賀慶我軍回　赫赫展皇威

眾人歡欣無比地等著迎接這位來自鈴木商店的偉大英雄。

卻在下一剎那，赫然發現仙吉的背後並沒有田川的身影。

「金子先生帶他去千歲花壇了。」

沮喪的仙吉只說了這句話，其他的話他實在說不出口。他沒辦法告訴大家，那位他欽佩仰慕的沙場英雄，究竟傷得多麼嚴重。

那個穿著卡其色軍服、身長六尺有餘的男子漢，的的確確是田川，一枚別在他胸前的紅色勳章，也和店裡早前打聽到的消息一致。然而，令仙吉驚愕過後才敢注視的是，田川那完全走了樣的面容。

貫穿臉頰的槍傷，在他臉上留下了慘不忍睹的歪扭縫疤；左腳微跛的他，每拖著腿走一步，左邊的衣袖便隨著移動而空蕩蕩地飄擺著。仙吉一眼就看出來，他失去了本該在袖子裡的左手臂。

也難怪他不想和大家見面，想必是不希望現在的模樣，嚇著了當家娘和女傭們。

可當下不曉得這段隱情的阿米只感到了失望，一來是因為田川沒回來這邊，再者是他不僅沒來，偏又被金子帶去了那家千歲花壇。金子該不會打算找個藝伎陪他過夜吧，倘若真是如此，對阿米和這家店未免太失禮了。

接下來的洗塵會上，阿米對其他幾位歸國的員工們慰勞了一番，便先離席讓大家能盡情放鬆享用。

珠喜估忖著，男員工們應該會又笑又鬧地喝到深夜，況且談起戰場上的冒險犯難，更是話匣子打開而停不下，這麼一來，要到明天才能收拾善後了。等到阿梅找不到人時，早已不在屋裡的珠喜正拚命跑向千歲花壇了。

我等了你好久，終於平安回來了，大家都在等著你呀！——她盤算著稍後見到面時，要以開朗而不是埋怨的語氣告訴他這些話。

這家講究排場的旅館，門口的石板前庭已經灑水打掃整潔，珠喜躲在一旁等候時機。珠喜的等待沒有白費，她聽見金子步出店外時，和送他出來的女侍們說笑的聲音。珠喜從盆栽後面悄悄探出頭來，朝明亮的門前瞧了一眼。

怎料，當她看到跟在金子身後出來的那個軍人時，原先興奮的心情頓時全消失了。他的腿，他的手，他的臉……，昏暗中的男人有著熟悉的身高，可見他的確是田川無誤。珠喜凝望著他的側臉，潰堤的淚水止都止不住。

戰士非無勇　原非鐵打不壞身
破甲榴彈擲　慘炸骨騰肉綻飛
奔赴沙疆場　誓死征戰幾人回
鋒芒血光閃　旗槍暫擱右肩憩
展圖現標定　決戰高地二零三

被派往旅順與戰的軍醫部長森鷗外，曾以這首壯絕的詩歌獻給在慘烈戰役中犧牲的英靈。珠喜雖沒讀過這首大文豪的作品，此刻卻徹底明白了民眾上街瘋狂慶賀的勝利，是以眼前田川的手腳和血肉所換來的。

珠喜死命地捂緊了嘴巴，阻止自己尖叫出聲。

「那麼，田川，你就好好休息吧，當家娘那邊由我說去。」

「我實在是沒臉見人。」

他緩緩欠身，聲音一如往昔，益發突顯出容貌改變的極大反差。

「如果當家娘還是堅持要你回來公司呢？」

田川低下了頭。他甚至不知道自己往後還能否做一般的工作，老闆的這番心意委實不敢承受。換做是其他店家，早被當成沒用的廢人給踢出門了。

兩人都陷入了沉默。田川已不打算回店裡去，所以才沒參加今天的洗塵會。

「我正想著，終於等到能讓我們大顯身手的時機來了呢！」

同是出身土佐的田川，金子向來當他是心腹。金子以為若是開口邀他共創事業，他就會一如既往，豪爽地笑著應允。

可是，田川沒有笑，也沒說話，只是緊緊地閉著嘴脣。戰爭結束後的他，不只是在外貌上，他的內心深處也全都變了樣。

「軍方為傷殘軍人在台灣的北投溫泉設了療養所，聽說也會給些補助金，我打算去那裡待一陣子。」

「這樣啊。去台灣也好，那裡是你的地盤。」

田川都說了要去療養所，金子仍不死心地提了些台灣的商訊：

「台北近郊的山上被中國人濫伐以後，聽說頂多只能拿來種茶，看來還是要鎖定阿里山才有希望。總督府終於核定從『樟腦寮』繼續興建鐵路，延伸到阿里山上的工程了。所以我們依照你出征前做過調查的鈴木新建商館計畫，準備要動工建蓋了。」

假如沒有這場戰爭，這個必定會打前鋒為鈴木開疆闢土的人才，如今已經萬念俱灰，無心從商了。不願承認這點的金子試圖喚起他的記憶，讓他回想起當年率先踏上台灣時的戰戰兢兢，同時深信這樣做，必能使他振奮起來，幫他找回往日的信念。

「我先走了，多保重。」

始終躲著偷聽兩人對話的珠喜，明白了所有的一切。她知道戰爭有多麼激烈，也明白了士兵們被迫走上多麼慘絕的戰場，更明白了政府只憑一枚勳章就想擺平傷殘死亡的做法。

田川依然低頭不語。珠喜多想立刻衝上前去叫他，但她知道這將違反他的意願，因為他不想讓任何人看到自己落難的樣子，所以她只得強忍下來。

「假如你願意再和我聯手報效國家，不是去打仗，而是用做生意的方式，儘管隨時和我聯絡。」

沙包數十重重疊
營舍厚覆土石堅
勝抗我軍榴霰彈
敵兵壕溝猶未棄
包隙盡皆成射孔
機關槍砲夾手槍

一兵衝鋒一兵倒
一隊挺進一隊偃

他映在石板地上的身影，正是這首詩歌的寫照。他從生死一線間的可怕戰爭中生還，儘管步履蹣跚仍為了活下去而努力地走著，地上的影子正歌頌著生命的重量。

珠喜在旅館門旁的暗處蹲了下來，等待金子走遠。她強忍著不作聲響，淚水依舊汩汩流個不停。

「田川先生，我們進去吧，您的餐膳已經備妥了。」

一位貌似老闆的女子送走了金子以後，語聲溫柔地請田川進去。

田川轉身邁步，身軀輕微搖晃著，腳步聲忽大又小。

從哭得抽抽噎噎的珠喜口中，我聽到了田川的現況。邊聽邊在腦中勾勒著他現在的模樣，卻怎麼也想像不出來。

「沒問題的。我聽說北投溫泉含有鐳，對治病很有效，臉上的傷和跛腳一定很快就能治好的。」我邊說，努力不去想他失去了一條胳臂。「等治好了以後，再叫他回來。有些工作非得由田川來做不可呢。金子好像又打算做些新生意了。」

這樣說原是安慰哭哭啼啼的珠喜，說著說著我自己也揪痛了起來。田川的身體和心靈已被這場戰爭傷得支離破碎了，我卻沒能力安慰他，怎能不感到哀傷呢。

那場戰爭的慘絕必定超乎我的想像。我彷彿看見了兩軍多次交鋒戰鬥，堅固的俄國要塞前堆著纍纍的屍身，前仆後繼卻全數陣亡的戰士使戰場化為人間煉獄。我實在不願相信這個事實，但性格爽朗的田川，竟然頹喪冷漠得不想踏進公司，可見戰況多麼慘烈。

田川灰心喪志的模樣，宛如見不到盡頭的幽深老林。在內地過得逍遙自在的我們，根本沒資格說些表面話來安慰他。

如果這是國家獲得勝利的代價，我無法感到高興。到了今天，想起當初知道打了勝仗時的歡欣雀躍，簡直像在作夢一般。

一些日子以後，從台灣北投溫泉寄來了一封寶貴的明信片，是田川寫給我的：

「非常抱歉，沒有先去向您請安就來了這裡。我的身體狀況已不容許繼續在公司工作，暫時在陸軍的療養所裡休養。望請原諒沒先向您稟告便擅作主張。　田川萬作」

我當然立刻提筆回覆，告訴他公司隨時都等著他回來。台灣將是鈴木商店的礎石，在那裡能夠闖出內地無法辦到的大事業來，要他快些養好身子，帶我們去台灣介紹當地風光。偌小的明信片上，擠滿了我密密麻麻的字跡。

「珠喜，把這拿去寄。」

現在，想必田川那雙眼眸的深處，正透映著滿洲凍寒黑夜裡的晦暗，但我盼望著有一天，昔日憂國憂民的土佐熱情能重回他的眼底。

「唉，如果能有個溫柔的妻子陪在他身旁就好了。」

只要男人和女人相互依偎，那股溫暖應該會讓他心裡的創傷漸漸癒合吧。真希望能找到一個女子，溫柔地撫平他的傷痛。我像個心疼孩子的母親般，一時隨口說出了內心的期盼。

我為這個體貼的想法感到有些陶然自喜，粗心的我居然沒有留意到貼身的珠喜聽到這段話以後的反應。震驚世人的日俄戰爭結束後的不景氣，已經到了目不忍視的地步，令我根本無暇顧及珠喜的細微變化。街上到處是沒了工作的人，倉庫裡堆滿了賣不掉的貨物。鈴木商店好不容易藉由擴大海外貿易的比重，把國內滯銷的商品透過上海的據點，銷往沒受到這場戰爭影響的美國與歐洲，總算在百業蕭條的困境中，闖出了一條生路。

桂太郎首相為了重振戰爭後的經濟景氣，向天皇奏請頒布了《戊申詔書》以鼓勵我們百姓。《戊申詔書》是繼《教育敕語》之後的重要詔書，舉行各項儀式的時候必定要拜讀聆聽，岩藏的學校在畢業典禮上，也曾恭誦了詔書。

詔書的內容是這樣的：……今日國際社會之東西諸國，以友好國際交流分享文明恩澤，我國國運亦益發昌隆。然而日俄戰爭結束未幾，我人民仍須武裝精神，上下一心，恪守職責，……接下來是我最喜歡的段落——去華務實，勿荒勿怠，自強不息。

也就是說，我們必須戒除奢侈惡習，秉持腳踏實地的態度，經常訓勉自己不可荒廢、不得怠惰，日夜努力不懈，以使歷史悠久的我國更為繁榮興盛。

這段訓示與我人生秉持的「樸實、檢約、正直」座右銘，恰巧不謀而合。

「真像母親的為人處事呢。」第二代當家半是調侃地說。

「注意你的態度！這可是天皇的詔書，怎能嘻皮笑臉的！」

我於是更加嚴肅地教訓兒子：「每個人都要謹守自己的本分，農民有農民的，生意人有生意人的；我有我的，你也有你的。即使是看似無聊的工作，也必須做好老天爺分配下來的部分。你一定要徹底了解這點，絕不可輕忽自己的工作，要切實完成使命。岩治郎，知道了嗎？」

聽到我說了重話，兒子也斂去嘴角的笑意，認真聽訓了。這兩兄弟是沒了爹的孩子，我對他們總是格外勞心費神，再三誡訓他們身為人，身為一個男人，以及身為老闆應該具備的品格與德行。只是，擁有美國大學高學歷的兒子，願意把老母親的諄諄教誨聽進去幾分呢？

岩藏也多虧那段上中學後就去外面寄宿的歷練，已不再像小時候那般孩子氣了。他亦跟隨哥哥的腳步，即將前往美國的波士頓大學留學。真希望他能善盡弟弟的本分，尊敬兄長，協助哥哥經營家業。

尤其要說起這個新當家的問題啊，還真是數落不完。每當我抱怨起來，旁人總安慰我說，不論是哪一家店的繼承人都是這樣的。他們從小過著無憂無慮的生活，反正店裡自有三頭六臂的優秀掌櫃打理一切，讓字號聲名遠播，事業蒸蒸日上，第二代當家根本不必做牛做馬勞碌奔忙。

舉個例子吧。某天，我吩咐珠喜那些女傭修補碗盤時，第二代當家說道：

「母親，陶瓷碗盤有一定的壽命，再怎麼愛惜使用總會壞掉，重買新的碗盤回來不就好了。」

如果碗盤缺了角那就沒辦法補救了，若是裂成兩半的，只要以陶土泥膏粘接起來，再塗上金漆拾掇，還可以繼續使用。我從小在漆匠家裡長大，手工格外靈巧，掇弄妥當的碗盤依然保有美觀。這也是生活中「節儉」的例子之一。我不得不利用這個機會，對兒子訓示一番：

「要端出去招待客人用的，就得拿出最有派頭的好東西，可家裡自用的怎能奢侈浪費呢，必須勤儉過日才行。」

我們全家人能夠不愁吃穿，多虧員工們四處奔忙辛勤工作，要是過著鋪張揮霍的生活，可就對不起他們了。

說到這裡，兒子買下一件件昂貴的骨董，到底是做什麼呢，真忍不住想訓他個幾句。等到我發現的時候，總店的董事室裡已經擺上一只華麗歐美風格圖紋的九谷窯大盤，會客室裡也放了玳瑁和他去狩獵消遣時打到的雉雞標本。一定是賣家舌粲蓮花慫恿他掏錢買下的，反正鈴木家老爺根本沒把那點小錢放在眼裡。

前一天也是，他拿來一只剛送來的花瓶，問我覺得美不美。聽說那只花瓶是中國的骨董，瞧那細長的鶴嘴，真佩服怎麼有辦法做出這麼纖細的器皿呢。他對這些美麗的物品實在愛不釋手。其實想想，兒子也只能把心思花在賞玩雅好上。他雖然進了公司，坐上了神戶製鋼所的監察董事的寶座，可根本沒有任何一件工作非要這個當家主汗流浹背親自去做不可，因為大掌櫃已經一手處理妥當了。

整家公司的運作結構是聽從大掌櫃下達的命令，他只是用來妝點最高寶座上的「徽紋裝飾」而已。不管是收購大型工廠也好，簽訂大宗訂單也罷，但凡男子漢立志在大商店裡一顯身手的所有工作，全都屬於站在最前線的員工們才能嘗到箇中的酸甜苦辣。年輕的當家被交託的任務，唯有聽取那些工作的事後報告，還有蓋下核可的印章，這兩件而已。

儘管只是把送上來的文件過目瀏覽的工作，應該還是有不少人會拚了命地認真去做吧。不是我這個作娘的有意袒護，可第二代當家也的確很認真。一開始，為了讓他熟悉公司的業務，在我和大哥的安排之下，他也曾正襟危坐地批閱書札文件，可過了半年以後就散漫走樣了，不進公司的日子也逐漸變多了。

曾經遠赴東京和美國就讀，學會了紳士教養與社交往來的兒子，既然沒有需要他的事可做，每天簡直閒得發慌，只好到公司外面找消遣去了。

老天保佑，第二代當家和喜代在結婚的第二年有了孩子。我的第一個孫子，也是穩固鈴木未來發展的第三代傳人誕生了。金子和柳田都喜極而泣地嚷著鈴木家此後高枕無憂啦。剛出生的女娃命名為千代子，家裡上上下下都當她是人偶般呵護備至。隨著孩子的出生，我發現第二代當家似乎認為自己在家裡的任務已經完成了。

有時候，我會鄭重其事地直接找金子告狀：

「金子，拜託你不要再給那孩子錢了！」

只要沒錢玩樂，縱使兒子浪蕩貪遊，也只得乖乖待在公司裡了。

「到外面廣結舊識新交，也是老闆的工作之一呀。說不定今後從這些人脈中釣出一筆大生意哩！」金子僅一笑置之。

這就是金子對主人的忠義。在他認為，每個人都該從事各自適合的工作。

事實上，每逢工商會或商店工會等地方企業的聯誼場合，第二代當家必定到場參加。說來像是自吹自擂，可這位溫厚優雅的青年實業家，不管上哪裡都是廣受歡迎的焦點人物。

他在受到邀約之下，開始玩起神戶的財界人士中蔚為流行的高爾夫球，也結伴前往六甲山獵鳥。當然，在有花隈藝伎作陪的宴席上，宴會老手的他也比誰都善於炒熱席間的氣氛。

「這些事我們可幹不來，正因為由老大親自出馬，對方也覺得有面子。請別擔心交際費，那點芝麻綠豆小錢，對現在的鈴木根本不痛不癢哩。」

金子對於鈴木商店的未來，還包括了公司的事，東家的事，兒子們的事，無不煞費苦心。這番話委實讓我們由衷感激。文質彬彬的兒子是備受財經界矚目的紳士，世上應該沒有母親不高興的。但是，難道我含辛茹苦多年，就為了看兒子每天遊手好閒嗎？我總覺得心頭不大舒坦。

令我心情沮喪的還有另一件事。當初舉行盛大婚禮娶回來的少夫人喜代，竟以二十二歲的芳齡香消玉殞了。

本以為她只是染上風邪而已，不料卻愈咳愈嚴重，臥床休息仍高燒不退，不到三天就斷氣了。當然，我們曾以自家轎車專程請來神戶醫術最高明的醫生出診，無奈藥石罔效，轉眼間她就離世了。喜代的死，讓我不再相信人定勝天。

也因此，我對從小失恃的千代子格外憐惜。她年紀太小，不懂母親已經死了，在線香繚繞的枕頭旁，揪搖著芳魂已杳的母親衣袖，一聲聲喚著母親快起來陪她玩人偶，那模樣真讓人瞧著心如刀割。

失去了本該接下鈴木家傳承重擔的少夫人，雖是媳婦，我的哀痛不下於失去了親生女兒。可外面的人卻淨說些風言風語，不是說喜代少夫人嫁給這大戶人家的紈　子弟想必吃盡了苦頭，要不就是說她一定是因為這樣才被早早氣死了。那些話全都是沒憑沒據的胡話！

又有人拿自己和婆婆相處的經驗談來嚼舌：不不不，喜代少夫人是因為鈴木的當家娘太苛刻了，所以才會抑鬱而終的。

我自己也曾吃過婆婆的苦頭。最初嫁進姬路的婆家，雖說導火線是二哥的風流，歸咎起來仍是與公婆的相處不睦才是我回到娘家的主因。還有，我也忘不了和阿石曾因廚務起過衝突。有過這些經歷，我更不希望喜代也同樣飽受折磨，對她格外客氣。何況我還得顧公司的事，根本不在乎她如何操持裡屋，也打算將家裡的事慢慢交給她掌理。

家裡的一景一物，都讓我想起她，更懊悔著早知道有這麼一天，當初就該這麼做、或者不該那麼做。

今後，必須由我代替母職，養育稚幼的千代子。這孩子是鈴木家的長女，是我頭一個孫女，也是生了三個兒子的我從沒抱過的女娃，自然惹我疼愛得無以復加。

縱然她沒了母親，我定會將她好好撫養成人，或許可以彌補一些我對喜代的歉咎。為了失去母親呵護的可憐女娃，我願意變成一個溺愛孫女的老奶奶。

奈何第二代當家依然故我。哎，他到底明不明白我的這份苦心呢？他對家裡的事、孩子的未來，又到底有什麼打算呢？每次我窺視著他沉迷欣賞陶器的愜意側臉，不禁感到幾分懊悔，懊悔當初丈夫過世時，我不顧大家的反對，堅持守下這家店的決定。

而我一路走來，為了這個兒子，咬著牙也非得保住這家店，可如今卻像是反倒害了他。倘若當初我選擇孤兒寡母勤儉過日，這孩子現在該會努力工作，不敢奢侈浪費，我們早已過著溫馨而平凡的日子了吧。

我已是兒孫圍繞，鈴木又生意奇佳成了神戶第一，廣受眾人的敬重，為什麼還覺得不幸福？原因只有一個。那就是身為母親，比誰都了解兒子的脾性，擔憂他的未來，卻苦於不能說給任何人聽。

然而，還有件大事等著阿米去處理。

自從喜代走了以後，這個家倏然變得暮氣沉沉。金子希望能為阿米重拾往日笑容，提議為阿米一家在須磨建造本宅，請他們搬過去住，換個環境。

第二代當家早前曾將設計圖拿給阿米看過，她大概知道屋子的格局式樣，也在金子呈上來的契約書上蓋了章。可是等到完工落成，親眼目睹宅邸如此寬敞時，阿米仍掩不住心裡的驚訝。

「蓋了這麼豪華的大房子啊？」

「哪裡的話，這可是鈴木商店當家主的寓所，如果不住在這樣的宅邸裡，那才叫丟人哩。」笑瞇了眼睛的金子接著說道，「每一次在事業上大有斬獲以後，世人總會好奇地想知道鈴木的店面長什麼模樣？鈴木家有那些人物？到時候，讓眾人知道鈴木家住在大豪宅裡，總比被發現竟是住在破舊的簡陋屋子裡，更能博得大家的信賴吧？」

在我看來，金子對主人是多麼得竭誠盡忠啊。但對他而言，他只是感念賜予工作的主人，努力做事以回報主人的恩惠。這正是封建時代中，家僕報恩的觀念。

「不只寓所要顯得氣派，當家娘的生活方式也是世人注目的焦點，請您儘管找些消遣餘興，過著悠閒的生活。」

金子的意思是，住在豪奢的府邸，穿著高級的和服，學些優雅的嗜好，過著閒情逸致的生活，這些是現今已成為大公司的鈴木商店當家娘的任務。

「這一切要感謝老天爺呀。我說，直仔……」

阿米許久沒這樣叫喚金子了。她回想起曾為一雙雙整天奔波買賣的腫脹腿腳，端來盆子洗滌乾淨；也曾幫他們從大鍋飯裡，盛出一碗碗寒酸的淡飯。想到最初大夥壓肩疊背地擠在小店裡的日子，誰會想到竟能發展成今天的大規模來呢？這一切，全歸功於篤實的員工們的奮鬥。阿米現在應當心存感激地接受他們努力的成果。

可是，金子是否了解老闆真正的感受呢？

搬去新居後，這家店將徹底離自己遠去……。

阿米本就不是喜好奢華的人，她最愛的是自己勤奮工作，為家庭奉獻一切。而被眾人尊稱當家娘，擺出一副高高在上的派頭，這樣的生活不符合她的本性。站在竣工的大宅門前，阿米有些迷惑起來，因為她不知道如何面對這樣的變化。

只怕金子往後仍希望阿米更能擺出居高臨下的威嚴架勢，從某層意義上而言，那是金子要的虛榮。男人總希望找到自己為何拚了命工作的動機，動機愈是豪壯耀眼，愈能滿足他追求名利的成就感。但阿米可不能當場指摘出來，否則真要遭天譴了。多虧有這個能幹的掌櫃，自己不淌下半滴汗水，便能住在這座豪華的宅邸裡，怎麼還能表示不滿？她該做的是以行動來表達謝意。

「謝謝你呀。」

受到主人欠身致謝，金子的眼睛笑得都瞇了。然而，阿米的道謝還沒說完：

「不過，金子，既然讓我們住在這座宅邸裡，那麼鈴木的大掌櫃也得住在像樣的房屋裡才行，否則可要被看笑話呢。」

只有主人住在符合身分的大屋子裡，家臣卻還是租著小房子，想必當家主會被譏諷為傲慢又愚昧吧。

「不不不，我哪配得起住在自己的房子裡呢！」

金子沒料到阿米會說出這樣的話，頓時慌了手腳。

人人皆知，不論鈴木賺了多少錢，規模拓展到多大，金子從來不曾中飽私囊。他依舊不修邊幅，認為住家只要能夠擋風遮雨，餐膳只要足以果腹就夠了，多半都是周圍的人看不下去，幫他加菜添衣。

「道理相同呀。如果主人家住在破爛房子裡有損店譽，那麼店裡的大掌櫃到現在還住在租來的房子裡，鈴木豈不是也會被看扁了嗎？」

金子聽完不由得跪膝平伏。他的一片赤誠始終表裡如一，但此時內心的負疚，卻令他非得更加忠誠於鈴木家才行。原因，出在阿千身上。

當初遭到阿米堅決反對的阿千，金子現在幾乎天天與她見面。

當然，那是因為金子在千歲花壇洽談生意以及招待廠商才會和她碰面，不是和她有了男歡女愛的私情。今天的千歲花壇已是神戶最有名的旅館，要是到其他餐廳設宴款待，恐怕廠商會覺得不受尊重。況且被開除的阿千並未對阿米懷恨在心，甚至還特別給鈴木行了不少優惠。所以當田川不願意回到店裡時，金子才會央託阿千讓田川住一晚上。

但若是讓阿米知道了，想必不太高興。關於這點，阿千一開始就曾提醒過金子：

「我是被當家娘辭退的人，您來我開的店裡，這樣妥當嗎？」

現在的阿千，不再是那個在小規模的個人商店裡工作的女傭了，她擁有自己的旅館，許多老主顧都是財政界的大人物。她可不是靠著輕易出賣自己的美色，才贏得了「夜晚的女市長」這個封號的。至於木頭木腦出了名的金子，也已從老東家明媒正娶了阿德這位賢妻，更不容許在總店所在地的神戶鬧出緋聞來。

金子認為，他和阿千並不是曖昧的男女關係，其實更像兩個相互敬重的事業伙伴；因為即便同為男性，也難得遇上這樣契合的商場朋友。問題是，當家娘能否了解呢？想到這裡，金子實在不敢向她報告。

而現在，阿米竟然希望他也擁有自己的房子。如此想來，也確實合情合理。因為他既然希望提升主人全家的身分地位，自己也總不好繼續窩在學徒時代的小格局裡。

在鈴木家的宅邸落成後又過了幾年，金子也在須磨的一之谷蓋了一棟屋宅。絕不徇私的他沒有將屋宅納為己有，堅持採用向鈴木商店借住公司宿舍的方式入住。而這也僅僅是為了符合阿米所說的，大掌櫃應該住在符合身分的房子裡而已。

這陣子時常作夢，夢見的是當年失火的情景。

當我把房地契、印鑑、牌位和存摺這些重要的物品，用大袱巾包裹起來準備帶出去時，卻突然停了下來。

只有這些嗎？——我的腦中忽然響起了這句話。

當火勢迅速逼近，所有的財物恐將付之一炬的時刻，我要守護的只有這些嗎？只有這個揣在我懷裡的包袱嗎？這幾句話一聲聲迴盪在耳畔，我不自覺地環顧了整個房間。

房裡有梳妝台，有衣櫃，有針線箱，還有被褥；可我為何對那些毫無眷戀？為何能走得如此乾脆爽快呢？

不，不該說是乾脆爽快，而是除了這個包袱裡的東西以外，再也沒有更珍貴的東西需要我奮不顧身地保存下來了。

我抬頭仰望，直仔正跨站在商店的屋脊上，指揮著下面的人送水上去，在他背後的鄰宅正噴出熊熊的火焰。其實，他才是引領這家店，帶領神戶，率領這個國家航向世界之海的鈴木家統帥。我猛然驚覺到，自己真正該帶走的是金子直吉啊。

我認同他，信賴他，將一切交託給他，沒有絲毫後悔。在他的努力之下，鈴木逐漸壯大起來。可人類真是貪婪的動物。出生在商人之家，成為商人之妻，繼而接手經營這家店的自負，使得現在我依然盼望能為這家店盡一份心力。這陣子以來，我身陷在矛盾與糾葛的苦惱中。

我心想，為了逃避這繞不開的煩憂，最好的辦法便是把心力投注在新工作上，也就是搬家。新蓋好的宅邸裡各式家具一應俱全，榮町的老家則打算維持原狀。一來是這裡仍如以往作為倉庫使用，況且神戶也要有個地方以備我和家人突然留宿之用。

「不過，總不能把這個家扔著任由它髒舊不堪，至少該把紙門重糊換新，否則怎對得起住了這麼多年的家呢。」

這是我嫁進來的家，是孩子們長大的家，是第一家店鋪，更是丈夫打下了生意基礎的起點。我當然得在搬走之前仔細打掃一番，把榻榻米搬出來晒個太陽，還有隔扇的宣紙也要撕掉糊上新的才行。

我目前的工作，就是教珠喜這幾個女傭如何幫隔扇換上新紙。

首先，把隔扇上的舊宣紙沾水撕乾淨，格子框架晾乾，接著從襯裡紙的交疊貼法、糨糊的調製方法、糨糊的刷法、最外層的宣紙黏貼緊密度，乃至於噴水的方式，鉅細靡遺地一一傳授。

我早已掐算好重貼宣紙的日子，平常預先在樟腦箱裡備妥了留存下來的大量紙張。一個能將家務打理得盡善盡美的主婦，最拿手的高招便是拿家裡的現成東西，另做適當的利用，這就叫作「廢物利用」。說起來還真像吝嗇鬼的同類詞呢。

我正忙得滿頭大汗，忽地發現珠喜手上的事才做到一半，竟停下來愣杵著沒動靜。正想出聲喚她時，卻聽見這孩子吶吶地問道：

「當家娘，我們……到底什麼時候才能去台灣呢？」

她是指田川的事嗎？還沒來得及問，只見豆大的淚珠已沿著她的臉頰滴淌下來了。我驚訝得說不出話來。

「他要出發的時候，原本寬大的背竟然駝成了一團。聽說他到了最後一刻，還是失去了重要的戰友。他的手臂，也是為了護著一起辛苦作戰的部下，才會被子彈射中的。在戰場上也沒法得到妥善的醫治，才會變成那樣……。可是，他心裡所受的傷，應該比身上的傷還要痛吧。」

勇士痛喪並肩人　戰友橫壕溝
幸得高唱凱旋曲　重嗅故土香
夾道賀慶我軍回　赫赫展皇威

我愣怔不已，心中迴盪著森鷗外這首詩歌。

田川沒有回去故鄉土佐，直接從神戶出發前往台灣的那天，珠喜似乎特地到碼頭去送行，終於鼓起勇氣出聲喚了他，可他好像沒有像以前那樣敞開心懷。他的冷漠令可憐的珠喜失望到了極點。直到這時我才恍然想到，我一直因為田川酷似惣七哥而對他分外關心；同樣地，對珠喜而言，這個人與自己父親的相貌神似，也難怪她會在不知不覺中對他傾心。

照這樣說來，我們兩個算是同病相憐，一樣受同一個男人的幻影所困，時而感到驚訝，時而雀躍欣喜，抑或像這樣失望落寞。我不禁對珠喜寄予深深的同情。

「珠喜，別哭了。就算不去台灣，我們也可以在神戶這裡做些有意思的事，讓妳開心。」

這是我突然想到的主意。金子給了我們的這棟豪宅，不該只由我們獨享，更是屬於公司所有員工的。我打算在邀請大家來新居參觀的那一天，順道舉辦盛大的宴會慰勞他們。

在古老的平安時代，須磨曾是京都人的流放地。在都城犯了罪被流放到此地的皇族們，孤寂地在偌小的簡陋房舍裡度過餘生，聽著從海上捲來的強風把松枝吹得嘩嘩顫晃。他們瞥見升上樹梢的明月便忍不住落淚，眺望廣闊的海洋即陷入沉思，有時亦會撫琴弄笛，懷想繁華的都邑，憶起分隔兩地的心愛人兒。

「以前的人還真是胡寫一通，說什麼那裡是鳥不語花不香的荒蕪之地呢。」

聽著阿米的笑談，珠喜的心情頓時沉了下來。她根本不曉得須磨是個什麼樣的地方，可是無論如何，她都不得不跟隨當家娘而去。

「可不可以至少買棵這個帶過去呢？」

伴隨阿米前往生田神社參拜時，珠喜瞧見神社前販賣盆栽的攤商市集，央求阿米讓她買一株小桃樹。

「新房子已經請園藝師花心思布置庭院了，不必再買去種了吧。」

「可是，我聽說桃樹能夠保家避邪呢。」

阿米沒有多問她是從哪裡聽來的，因為她當下便想到是惣七告訴她的。她嫁進的第一個婆家是間門面窄、縱深長的屋宅，主房和裡面的耳房隔著一處小內庭，種著一株桃樹。漆商之家對於樹木的情感遠超乎一般人，那句話應當是惣七告訴女兒的智慧之言吧。

阿米沒有拒絕，也沒有贊成，只是默默地把錢包遞給了珠喜。珠喜挑了一棵枝繁葉茂的小樹，讓司機搬回家去。小桃樹就種在連接堂屋和廂房的迴廊旁，陪伴著家裡人每一天的生活。

「不過，這裡沒有原先想像的那麼偏僻耶。」

剛搬來的時候，珠喜實在不懂平安古代的京城人，到底是根據什麼標準批評這裡遍地荒涼的，難怪沒見識過京都的珠喜會有這種懷疑。許多成功的企業家們都愛上了這片可以瞭望青山綠水的台地，除了原先的寓所，紛紛在這裡蓋起了閒適的別墅。大阪的富商巨賈喜歡住在御影村、住吉村，以及之後被稱為「阪神間」的山莊地區，而神戶的船運商和洋行老闆這些大財主，則多半在大海與小島風光一覽無遺的須磨或鹽屋一帶建蓋家屋。須磨的另一個特色是，在緊鄰海邊的沿岸地方，還有一間間名流聞人的夏季別墅連棟相依。其中，又以鈴木本宅，更是占地一萬坪的大豪宅。妙法寺川和天上川匯流於山腳下，旁邊是皿池與今池，鈴木本宅即位於兩湖間的湖畔。

由於宅邸的幅員遠大於舊家，增雇了人手進來幫忙。除了貼身侍奉阿米並且分配家務的阿梅與珠喜等人被升格為「女總管」以外，還新雇來一些「打雜女傭」負責打掃與其他雜務，也因為有些工作非得男人才做得來，又聘了一個男工。而且，為了這一大片屋宅人員的安全起見，更在大門旁設置了一座駐警守望亭，特別向垂水派出所申請員警派駐在這裡，專責鈴木家的警備戒護。

舊曆八月十五日，阿米選在恰為自己生日這天的中秋月圓之夜，舉辦了全公司的慰勞宴，這也是個人商店的好處之一。全體員工齊聚在鈴木本宅，賞月兼享用佳餚，熱鬧地參加盛宴。

氣勢磅礡的木造大門模仿往昔武士宅邸正門的形式，開在連間排屋的正中央。推開門扉，映入眼簾的是白沙鋪路的寬廣車道，可容馬車通過。使用最高級建材打造的堂屋，與東側別館和兩棟廂房之間，都有迴廊相連。

建造時已經設想到往後常有機會招待員工們前來，大宴會廳由三間房間相連而成，隔扇的畫工精美，欄檻的雕工更是出神入化。擺設在壁龕裡的掛軸與香爐都是由第二代當家挑選購買的。對美麗事物慧眼獨具的他接下這項任務後，滿心喜悅地與美術商認真討論。當然，洋式房間同樣由美國留學回來的他透過紐約的代理商，寄來中意的維多利亞王朝風格家具布置得美輪美奐。

戶外有日式庭院，池塘從皿池引水入內，渾然天成，水邊上圍繞著錯盤傘張的松樹與綠亮叢密的台杉。遼闊的占地裡還有廣大的西式庭園，放眼往去盡是綠草如茵。

不管是擺設的時鐘、家具，乃至於窗簾，無一不是店裡的人畢生僅見的昂貴舶來品，做工細膩的奢華建築，更讓他們深深感動自家主人是住在如此氣派屋宇的大人物。

從此以後，每逢阿米生日的這天，成為員工們每年一度受邀來到豪華本宅的特別日子。他們在本宅見識到的華麗與氣勢，讓他們清楚了解自己是為這樣偉大的公司工作，深深引以為榮，果然成功達到了金子當初預計的效果。

「魚送來了嗎？還有，餐點全部準備好了嗎？」

「把宴會廳的簷廊拉門全部打開，要引入對面的湖光，以及須磨的山色呀！」

「簷廊上擺飾的蒲葦草太少了，再多拿兩三支來！」

招待大批客人來家裡雖讓珠喜這些佣人們忙得團團轉，對阿米來說卻是難得可以大顯身手的最佳機會。這個特別的日子，連深受阿米信賴的柳田妻子阿村，和金子內助的阿德也都束起袖帶，進了廚房幫忙，阿米只管坐鎮指揮。已有許久沒有這麼多人聽候她的差遣，讓她心情格外振奮。

「當家娘，承蒙您今天特意款待。」

就連平時東奔西忙的金子，這天也和柳田排除萬難相偕登門而來。

「謝謝。哎，我說你啊，怎麼還是沒把自己弄乾淨些呀？」

阿米盯著那頂從金子頭上摘下來的金字招牌皺塌軟呢帽，念了他一句。不曉得他剛從外地哪裡趕回來的，大熱天裡竟然還頂著冬天的氈帽。向來懶得打理衣裝的金子，總不可能是為之後的季節提早換季，只怕那頂帽子是一年到頭都擱在金子的辦公室裡的。

「你倒是無所謂，反正大家都知道金子就是這副模樣，可憐的是阿德呀，外頭的人誰也不曉得你從來不回家，還以為是阿德沒把你打點整齊呢！」

「我又挨當家娘罵啦！」

金子仍像往昔那樣爽朗地大笑，半晌，阿米悄悄地扯了扯金子的袖子：

「我幫你準備好這個了，好歹你這輩子也帶一次禮物回去，告訴阿德說是送她的。」

阿米明知管了閒事，還是挑選適合阿德的灰藍色，讓人去染了一反[5]印有家徽的和服布料來。金子滿腦子仍舊只有工作，從沒想過該回去看看妻子兒女。別說是禮物了，就連該帶回家的薪俸，也經常堆了好幾個月份的忘在辦公室的抽屜裡，可他偏又常把看中的年輕人帶回家裡當學僕供他膳宿，使得阿德不僅要撫養自己的三男二女，還時常要多照顧兩三個年輕人。家計窘迫的生活，讓阿德雖然身為鈴木的大掌櫃之妻，卻沒有餘力打扮自己。

阿米接著依序和其他員工們話家常，私下也同樣塞給幾個員工禮物或紅包。

阿米很明白，若是老闆記得員工的長相，曉得他的工作狀況和家裡情況，並且親切地關懷問候，不但能拉近老闆和員工的距離，對他們更是莫大的鼓勵。

自從店裡的人數暴增以後，多虧有這個親切交談的機會，阿米才能記得每一個員工的相貌。

捲濤鑲燦陽　熠熠遍閃金躍舞　須磨臨濱望

前滾碧浪後山綠　拍岸烏啼兩相映

這場慰勞宴辦得非常成功，直到多年以後仍是阿米的美好回憶，而寫下了這首短歌以資紀念。這個夜晚，從庭園的那方升起的一輪圓月，或許顯示了鈴木商店滿盈無缺的運途。

過了這一夜以後，明月會逐漸變得半彎，直到下個月的十六日，又將圓圓地高懸天際，在海面

5 布料單位。「一反」可做一套成人和服。

上映出一條光輝大道。這一個晚上，在在見證著時代的輝煌。

阿米心想，假如第一代岩治郎還活著看到這場盛大的宴會，必定會面露慍色吧。他對員工與學徒總是極盡苛刻使喚，不大願意供他們吃飽穿暖。在他的看法中，就算有人累倒了，輕易地就能找人來遞補。他對老闆與員工的分際要求嚴格，哪怕只瞥上一眼今晚的佳餚與酒酣耳熱後的笑鬧，一定會大聲怒罵：你們這群混帳東西！

阿米在心裡對他低聲說道：有什麼關係呢？今晚讓他們盡情放鬆，就能為他們儲備明天的活力，促使他們的家人更加團結，提高對商店的向心力。

現在已經不是你那個時代了。——阿米嘀咕了以後，倏然回神過來。

現在或許不再是自己的時代，而是屬於第二代岩治郎的時代了。可是，喜代死去以後，第二代當家成了鰥夫，阿米身為他的母親還無法卸下重擔，還要繼續看顧著他。

「是不是該快些幫第二代當家續絃呢？」

柳田的妻子阿村向心情低落的阿米提了這個建議，希望能為她分勞解憂。

自從鈴木本宅搬到須磨，金子在一之谷有了寓所後，柳田一家也跟著離開了之前和阿米毗鄰而居的榮町，在住了很多洋人、環境幽靜的中山手通町蓋了新居。她們各自有了地位與立場，雖然不能再像過去市井的老闆娘那樣毫無顧忌地談笑，可重視禮儀的阿村仍經常拜訪阿米，陪她聊天解悶。

關於第二代當家的再婚，其實阿村從丈夫那裡聽來了不少情報。

「我雖不清楚詳情，不過見識廣闊的小德少爺，應該有意中人了吧？」

現下已邁入新時代了，就長遠的眼光來看，阿米覺得與其強迫兒子跟母親決定的對象湊成對，不如讓他娶回喜歡的女子為好。況且他的第一段婚姻著眼於門當戶對，挑了大戶人家的閨女作為他的後盾，或許反而成為他無法對妻子敞開心懷的原因。

於此同時，阿米認為要成為鈴木商店第二代當家之妻，也就是即將被稱為少夫人的女子，必須足夠資格符合其身分地位，否則阿米無法同意。

「阿村，妳可以幫我去查一查嗎？」

當年，金子親自選擇妻子時，阿米曾忍痛阻止過，現在她不希望同樣的事情發生在兒子身上。她要避免自己出面干涉，免得把事情弄擰了。

阿村機敏地完成了任務。經過她調查以後發現，第二代當家的確在前往東京讀書的時候，十分屬意一個姑娘，兩人似乎到現在還有書信往來。

柳田奉了阿米的命令，遠赴東京打聽詳情。原來是一位資產家的女兒，名叫土井兔三，不僅是從女學校畢業的才媛，更擁有第二代當家大為傾心的摩登美貌。

「既然有這一位小姐，為什麼上次結婚的時候不先講呢？」

阿米沒好氣地問道，好在阿村也事先問來了理由。

「聽說是小德少爺還沒表白之前，別人已先向那位小姐提親，嫁到別家去了。少爺可能只好死心，才決定答應之前的婚事吧。」

「這麼說，她離婚了嗎？」

阿米自己是過來人，還有阿千，以及這位兔三，這個時代的女子，就算曾在婚姻之路上跌過一跤，已不再是什麼罕見的事，不會貶損女人的身價。

「你確定要娶那位小姐吧？」

第二代當家被母親叫去時，以為又要數落他平常的行為，因此是板著臉孔去的。他比任何人都尊重敬愛母親，可自己都已經是成年人了，母親還老把他當作小孩嘮嘮叨叨的，實在讓他氣餒又沮喪。想不到今天並不是要教訓責備，而是要問他的想法意向。

「如果第二代岩治郎認為跟自己挑選的妻子過得幸福，那我不反對。」

「真的嗎？」

第二代當家不由自主地挺直了腰桿。

學生時代，他曾和朋友去了銀座的甜食店，遇到幾位剛看完歌舞伎的回程繞去吃個甜食的美麗婦人，其中一位恰巧是朋友的姨母，也就是帶著兔三和她妹妹慰子看戲的母親。當兩桌人打招呼問候的那一刻，他深深受到兔三的吸引。由於德治郎的個性內向，不敢主動提筆將一番情思寄予信箋，因此只透過朋友邀約見過幾面，將淡淡的情愫藏在心裡。

從小，母親即對他嚴格管教，鉅細靡遺地教導他未來接掌第二代當家的應具備的德行。不只是母親，還有西田舅父和藤田伯父總是對他諄諄教誨，天地間彷彿布下了一張大網，令他無處可逃。所以他認為，自己的婚姻必須是有益於鈴木家和商店的決定。就在他力不從心時候，兔三便被搶走似的出嫁了。

他是去東京出差時，從同一位朋友的口中，很偶然地得知她的近況，這才曉得她恢復單身了。

正因為經過這番屈折，第二代當家對於母親的理解格外高興。

「少爺，真是太好了呀！」

倘若沒有柳田居間協調，事情應該無法進展得如此順利。

「真的很感謝你，都是託了富士仔的福！」

小時候的少爺和店裡的大哥哥，有著數十年情誼的兩人共享這份喜悅。

既然婚事決定了，不但是鈴木主家的喜事，亦是整家公司的喜事。第二次的婚禮，仍然值得慶賀。

看到第二代當家眉開眼笑的模樣，阿米卻有些落寞傷感。她很難過喜代竟然如此輕易就被淡忘了。並且對於人生在世的緣生情滅，有了新的體認。她摟緊著還不懂父親即將迎娶新妻的三歲小娃千代子，對其喃喃囑咐，妳可要長命百歲啊。

兩位大掌櫃立刻興高采烈地開始張羅起各種繁瑣的儀式來。他們當自己是德治郎和岩藏的父親，平常雖是犀利幹練的生意人，一旦事關鈴木家的少爺們，便搖身成為和藹可親的月下老人。

他們代替男方的父親初次登門拜訪土井家時，柳田與正在東京出差的金子會合，兩人興致勃勃地出發了。可沒想到他們雖進了土井家，卻是另一戶姓土井的人家，一番雞同鴨講以後，這才赫然發現弄錯門戶，鬧出了一場大笑話來。

「有兩家土井，聽說分別是黑土井和白土井。」

聆聽柳田回來報告的阿米，冷不防拋出一句：

「第二代當家選的是哪一個土井啊？」

「是黑土井。」

阿米莫衷一是地悶聲不吭。她做好了心理準備，打算迎接一位膚色黝黑的媳婦了；到了婚禮當天初次見到兔三時，卻發現是位身材窈窕、瓜子臉蛋，任誰瞧了都會瞠目結舌的美女。又因為要嫁給名聞遐邇的鈴木商店第二代當家，嫁妝辦得極盡鋪張，毫不遜色於前一次出嫁。

「望請您往後多多關照。」

兔三頭上戴著新娘頭罩，身穿令人咋舌的奢華黑色縐綢垂袖和服，下擺綴滿繁麗的錦繡，向阿米深深地鞠了躬。能娶到溫婉純良的媳婦，阿米覺得兒子立了一件最大的功勞。

阿米在心裡由衷祝福，這次你們一定要白頭偕老啊。坐在她膝頭上稚幼的千代子，雀躍地說著新娘子好漂亮！她根本不曉得眼前的新娘將要成為自己的繼母，而被其美麗的容貌與衣裝打扮深受吸引。儘管她年紀還小，但已經展現出女孩子愛美的天性了。阿米悄悄地對她說，我一定會為妳準備更豪華氣派的嫁妝的，說完把她抱得更緊了。

他們的婚宴舉行了整整三天三夜，不僅招待親朋好友，還廣邀顧客與所有員工。這場在剛落成的新居裡舉辦的豪奢喜宴，在許久以後仍有許多人津津樂道。

阿米做了個決定，從這天起，將堂屋讓給新婚夫妻，自己搬去耳房住。這個決定也是出自於某種反省。之前，阿米以喜代年紀尚輕的理由，照舊獨攬持家的大權，或許因為這樣才招來了之後的災厄。阿米只帶走珠喜照料日常起居，其他的女傭們全部交由兔三差遣，亦即將持家大權交到了兔三的手裡。這個對自己過於華麗的豪宅，終於在迎來年輕貌美的少夫人之後，成為名副其實的宮殿了。

「往後妳就是這個家的主婦了，請妳多多關照嘍。」

突然被託予重任的兔三詫異得說不出話來。她惶恐不安地說，不知道自己是否能做得來。阿米含笑告訴她，不試試看怎麼知道呢？

「母親，非常感謝您。我力薄才疏，但一定會克盡職責的。」

兔三盡心竭誠的回話，讓阿米甚是滿意。阿米在兔三身上彷彿看見了自己年輕時的身影：她曾在第一段婚姻中受傷，來到這個接納她的第二個婚家後，不惜一切要守護這個家。而當時經常和自己迭起衝突的阿石，現在反而令她格外懷念起來。

喜代在世的時候，阿米並沒察覺到，現在回想起來，或許自己有那麼幾分嫉妒年輕的新嫁娘，意氣用事地以這個家的前輩身分，故意嚴格地教導她家事細節。儘管阿米和阿石的身分立場截然不同，可到了現在，阿米已能體會到阿石當年看待自己的心情了。女人便是這樣在環境裡，接受訓誡與磨練而日漸成長起來的。

妳可要加油啊！——阿米看著兔三，輕聲為她打氣。

當她決定交出持家重任以後，忽然覺得吹入家裡的風和空氣變得輕快起來了。鈴木家從此能過著安康的生活。阿米的使命亦告完成了。

從堂屋通往阿米遷住的耳房的迴廊旁，有一棵剛搬進這個家時種下的桃樹，比起剛從生田神社買來的時候長高了許多。時序邁入初夏，濃綠的樹葉繁茂成蔭。

驀然，阿米發現掛在桃樹梢尖上的月亮，今晚分外皓朗。上弦月開始慢慢變圓了。她許久不曾賞覽樹木、天空，和明月了。每天忙著打理家務和守護各種事物，她根本無暇悠閒地賞月。此刻，她覺得時間開始以另一種步調緩慢前進了。

這時，有某樣東西霍地跳入了她的眼簾。在院子的深處晃著一道人影。

「是誰？還沒睡嗎？」

「對不起。……因為月亮照得跟白天似的，我心想盪個夜半小舟，消遣一下。」

原來是珠喜。她站起身來，手上握著幾片從旁邊茂密竹叢裡摘下的葉子，只見池塘上有三、四艘竹葉舟晃盪著。從外面的池子引入的水緩緩地流動著，那竹葉舟正沐浴著月光。

池水將會流出庭院外，流入溪河裡面，再匯入大海。須磨的海雖是內海，只要搭上大船，航往外海，也可以到達台灣。到台灣……，珠喜曉得接下來又會聯想到什麼，不禁獨自苦笑起來。一景一物，都會令她回想起前往台灣的田川的近況來。他們倆曾約定過，有一天，珠喜要陪當家娘去看他的工作成果，而那一幕卻已經比此刻抬頭仰望的月兒還要遙遠了。她多渴望立刻見到他，和他說說話，儘管她不知道田川現在人哪裡？在做些什麼？

珠喜心想，儘管載著滿滿的情思，簡陋的葉舟卻哪裡也去不了，這不正是自己的寫照嗎？

小舟不僅撩起了珠喜的難解衷情，也勾起了阿米的往昔回憶。

「這是，我的船嗎？」

沒來由的這句問話，讓珠喜一頭霧水，不知當家娘的語意。

阿米仍自顧自地步下了迴廊走近她，同樣摘下竹葉摺起了小船來。

「小時候，我常在姬路的船場川像這樣摺小船玩。」

阿米的話出乎珠喜的意料之外。她也曉得當家娘不可能一直都是這個歲數，但仍很難聯想她孩提時代有過這樣的情景。

「船場川那裡，我也常去玩。」

來自同一個故鄉的兩個人，此刻腦海裡大抵浮現出相同的景象來。一群玩著水車或竹葉舟的女孩子，遠遠地望著另一群正開心釣魚的男孩們。珠喜的腦中起了錯覺，彷彿在自己的兒時玩伴中也有當家娘。她頓時分不清那是真實還是想像。

應該是月光映出的幻覺吧。珠喜慌手忙腳地又扯下了一片竹葉。

「我們盡情摺個夠吧！」

盡情摺個夠？阿米不解地回問，旋即恍然笑道：

「是啊，我現在可是個在自家庭院，想摺幾艘船就有幾艘船的有錢人啦！」

阿米突然想起，很久以前，有個男人曾占卜預言說她將會在神戶擁有好幾艘船呢。如果他所說的船就是這些竹葉舟的話，那麼自己的人生算是什麼都擁有了。

月光映照在水面上。今晚真是安靜。沒多久，竹葉舟將會劃過在水上晃搖的月影，向前盪去。

阿米靜靜地凝望著它。

5

搬到須磨以後，我仍舊一如往常，每天前往位於榮町的總店。

之所以沒有把我的職務——合夥公司鈴木商店代表人——全部轉讓給第二代當家，是因為以我的名義向銀行交涉或和顧客交易比較有信用，所以我暫時還不能退休在家賦閒。

須磨的確是個好地方，前有湛藍大海、後有碧綠青山，生活步調跟著緩慢下來。新家的巍峨堂皇，我簡直不夠格住進去的，聽說附近鄰居還稱這裡是「鈴木宮殿」呢。

說來可要遭天打雷劈了，這裡的清幽寧靜和榮町的繁榮活絡截然相反，真讓我渾身不對勁；哎，該說是過得太享受了，整個人似乎跟著懶散下來。畢竟我打從出生起，便是在鬧哄哄的商家裡長大，每天都在做買賣的人聲吵雜中過生活，難怪我總離不開市街上的喧噪鬧騰。因此，對天生就是個生意人的我而言，終究住不慣豪華的宮殿，生活在幽靜的須磨形同去了流放地。

再加上自從兔三嫁進來以後，這家裡有了兩個女主人，再怎麼感情融洽總會發生摩擦的。幸好，我還有一份社長的個人收入，乾脆趁這機會，把家用開支全交給兔三打理。

當時全神戶只有十輛自家轎車，鈴木家的座駕便是其中之一，我每天都搭這台車去公司。司機是一位姓和田的男子，也住在家裡，每天，他都會把黑色的車身擦拭得纖塵不染，連一枚指印也找不著。

「當家娘，今天又是個天空晴朗、海水清澈的好天氣呀！」

他握著方向盤，望著在坡道下延展開來的須磨海面，邊開車邊自顧自地說給我聽。

「別講話，去公司的路上讓我靜一靜。」

我忍不住訓了他。在這裡長大的人，對這片海景總是引以自豪。這片大海確實使人想要凝目眺望。

今天，玄關前白沙鋪道的門廊上，同樣停著這輛引擎蓋泛著墨黑幽光的轎車，等著載我去總店。通常還會有個女傭陪侍前往，名義上說是「提行李的」，實際上所謂的行李，就那麼一只擱了印鑑和銀行印鑑的束口小提袋，直白地說，是要帶個人手去舊家打掃打掃。我的貼身女傭其實只有珠喜一個，可她有時得留在家裡做事，於是就由全家的女傭們輪流陪我去店裡了。沒有人居住的屋子很快就會變得荒廢，所以，偶爾我會在舊家住個一晚。即便不住下來，仍必須換氣通風，打掃乾淨，以備我們隨時留宿之用。

「對不起，我來晚了！」

負責提行李的珠喜鑽進了車裡。抱在她懷裡的花卉盆栽，是我特地在後院細心栽種，要帶去擺飾在店裡的。珠喜可能尚坐不慣汽車的後座，縮著身子緊挨著我，我直盯著她說：

「今天輪到妳嗎？」

我有些納悶，這孩子最近老是跟著我去店裡？

「回當家娘的話，因為我還沒把二樓收拾完畢。」

既然她搬出這套說詞，我不好再講什麼了。我看呀，這孩子大抵跟我一樣，比起待在依山傍水，適合頤養天年的須磨，她寧願待在熱鬧滾滾的榮町來得快活多了。

其實，到了公司，我的工作不消幾個小時便做完了。

當我在公司裡現身時，員工總得端杯茶給我，要是茶沏得難喝，我仍會數落幾句的。我很清楚他們看我一副盛氣凌人架子，而忙得不可分身的金子和柳田就無暇注意到公司裡每個細節了。西川雖是大家敬仰的總經理，可對公司來說，多一個人扮黑臉未必是件壞事。西川在和下屬討論公事時親切和藹，應該不會在這些瑣事上動怒斥罵，相較之下，我刻意與員工保持著距離，因為這有助於他們戰戰兢兢，提高士氣。

金子尊重我這種做法，對員工們說：

「你們依當家娘的意思去做。」

我下定決心，每天風雨無阻去公司上班。身為創立者的職責，便是健朗地活著。我要工作到死為止，如果不這樣做，就對不起共同奮鬥的伙伴們了。

俗話說，天下沒有白吃的午餐，要教我好整以暇地安坐在那座宮殿裡，那可就罪過了。照說，像兒子那樣，弄不懂成天到底是在玩還是在工作，才是所謂現代社長的職責，可我這個傳統守舊的人怎麼看著都扎眼，到現在還是適應不來。

在回程的車上，阿米開心得險些哼起歌來，但又連忙抑止了。因為今天在公司裡，除了往常的辦公以外，還有了意外的收穫，身為當家娘卻哼哼唱唱的，委實有失莊重。

沒想到阿米才剛忍了下來，車裡竟傳出了哼歌的聲音。抬眼目尋，原來是坐在身邊的珠喜。她一面望著窗外飛快掠過的風景，一邊哼得愉快，可以看出她頗為興奮。

這孩子的喜怒哀樂全寫在臉上，比起表情呆板的愚鈍女孩，的確讓人瞧著高興多了，可今天不曉得是什麼原因讓她這般喜悅。

「遇到什麼好事啦？」

其實，我只要在旁靜靜看著就好，但仍忍不住想知道其中的祕密。

珠喜險些跳了起來，急忙解釋說：

「沒有啦，因為我終於把二樓打掃完畢了嘛。」

確切地說，珠喜嚇得怦怦直跳。今天原本該輪到阿梅隨同，珠喜特地和她交換，這才能陪同去公司。她答應阿梅要和仙吉出去幽會時，替她代班。當然，她大費周章來到總店，不是為了打掃舊家的二樓。

珠喜馬馬虎虎地應付了一下舊家的打掃，便急著趕往總店的砂糖部。她陪阿米前來神戶時，已經來過總店好幾次了，可說熟門熟路。繼大里製糖所成功以後，這一年，鈴木商店又在上海開了分店，由柳田出任當地分店的主管。

然而，珠喜想知道的，不是那間新分店的事。

「請問，最近有前往台灣的船班嗎？」

負責的員工看到當家娘的貼身女傭前來，還以為是當家娘有事交辦，根本沒想到竟是這個小女孩有信想寄去台灣。

「每天都有班次嗎？」

「那麼，明天請寄出這一封。」

她遞給員工的是一封寄到台南辦事處的密封信函。

在北投溫泉的陸軍療養所裡待了許久的田川，在金子的熱情呼喚下，重又回到了鈴木工作。珠喜是在一個月前知道這件事的。她偷看到田川寄給當家娘的明信片地址，這才知道他開始在台南的辦事處工作了，簡直喜不自勝，於是偷偷地寫了一張明信片寄去。儘管不可能收到回音，但光是能看到他以這種方式與神戶再次有了聯繫，就已經讓珠喜歡欣溢於言表了。她忍不住想再寫封信，告訴他這股喜悅，為他加油打氣。珠喜已經像個家人般擔心著他，這應該是受到當家娘關心每個員工的影響。阿米格外關心在公司之中境遇最為淒涼的田川，珠喜亦有同樣的心意。當然，唯一不同的是，阿米對其他人同樣掛心，但珠喜只守護著田川一人。

從這封成熟中略顯稚氣的生硬字體來看，並不是當家娘的字跡，但有人幫當家娘代筆並不奇怪。雖然信封沒寫上寄信人的名字，只要交代一聲是從須磨寄的信函，店裡就會負責轉送，對方應該會立即知道這是誰寄來的信。

就是為了這封信，她才託稱要回來打掃，趁機上舊家二樓寫完的。學徒們的書桌和文房四寶都還留在原處沒帶走，一應俱全。

信裡的內容只是描述須磨的生活樣貌，沒有什麼意義，可她來回打了好幾次草稿，又重新謄寫了數次。珠喜並非不擅寫字，可女子提筆寫信給男子這個舉動讓她很是興奮。總之，她純粹只是想寫些愉快的事給他知道而已。

「好，我代為收下了。」

當負責的員工收下信時，珠喜歡快地大喊一聲「感謝您」。

「是嗎?那挺好的呀。」

阿米不曉得珠喜高興的真正原因，逕自感慨了起來。每個人各有各的喜悅，還真是百人百樣。光是打掃完畢這種小事，就能高興得哼起歌來。或許人這種感情的動物，就是靠著人生中的喜樂愉悅才能過活的。這樣想來，阿米覺得自己很吃虧，因為除了大喜事之外，她很少為些小事而感動不已。

不過，今天在公司裡得到的消息，讓阿米許久沒這麼開心了。

其中一個原因竟和珠喜相同，與田川有關。

自從阿米聽到在金子的考量下，讓田川到台南的辦事處工作以後，便一直打探有沒有合適的對象做他的終生伴侶。她希望能找到一個能接納他少了一條手臂，願意一輩子代替他的左手的溫柔姑娘。這項任務雖然艱鉅，所幸阿米娘家鄰居介紹來一個丈夫戰死後守寡的女人，不但身分來歷清楚，更重要的是，同為深受戰爭創痛的人，一定能夠攜手到老的。

阿米向田川住在土佐的父母徵詢意見，對方寫來一封情詞懇切的回信，信裡提到：承蒙公司對離家已久的次男如此溫情關照，實為小犬之福，萬事託請當家娘作主。

為國犧牲的戰士，一定要讓他得到幸福不可。阿米祈禱田川能過得幸福美滿，心頭的大石總算擱下了。

除此以外，今天還見到一個人讓她開心極了，這件事則和坐在她身邊的珠喜有關。

「妳今年幾歲了？」

阿米心想，這樣做是否太心急了些？不，該是時候了。她想要抹去心裡的不確定，於是問道：

「十七歲。」

噢，阿米嘆了一聲。從這孩子被柳田帶來家裡的那一天起，竟已過了十年了。

「噢，已經十七了，過了年就是十八了吧。」

阿米嘟囔這理所當然的事，認為這樣提起並不算太早。

「該是嫁人的年紀了吧？」

聽完，珠喜的臉蛋倏然漲紅到了耳根，低著頭氣鼓鼓地說道：

「哪兒的話！人家還沒想那麼多呢！」

不過，阿米並沒有開玩笑的意思。

棚倉拓海。那個青年約莫二十歲上下。大專畢業後進入米穀部工作，雖然資歷尚淺，但扶搖直上的業績得到了西川的肯定。

首先，他那爽淨的外表讓阿米很滿意。公司裡很多男人都像金子那樣不修邊幅，可拓海很注重儀容，頭髮梳整得整齊，聰敏的眼睛炯炯有神，在在都讓阿米喜歡。他從小父母雙亡，寄宿在金子家以後，靠著金子的援助上了神戶高等商業學校，並且以第一名成績畢業，阿米對他的努力非常感佩。

金子每回發現值得栽培的年輕人，都會慷慨大方地帶回自己家裡當學僕，不但供他吃住穿衣，還讓他上夜校，若是成績優異的人才，甚至暫時不必到店裡工作，直接送到東京上學，還全額負擔學費。金子向來堅信「最划算的投資就是書本和人」，事實證明，他養大的這些年輕人日後的確輔佐他，成為扛起鈴木企業的前鋒戰將。

但是，金子可不管妻子阿德為了養這些年輕人，得想方設法從家用中擠出錢來的煩憂與嘆息。已有不少循此管道的成功者另外門戶了，但有時仍難免遇到仗侍著金子的寵信的傢伙，一到繁華的東京讀書後，全然把持不住，一頭栽進溫柔鄉裡揮金如土，自甘墮落的。相較之下，與金子同樣出身土佐的拓海出色得多，他加倍自律向學，以報答同鄉前輩的厚意栽培。

男兒有這番抱負，阿米當然很是欣賞，另方面又從母親的角度給予肯定。拓海和珠喜一樣，雙親已然離世，光是這點，珠喜不必費心應付姑情嫂意，生活起來自在多了。阿米是過來人，嫁給岩治郎後無須與十親九故打交道，比起第一個姬路的婆家不知有多麼輕鬆。何況，這時代的婚姻講究的是門當戶對，兩個有能力的男女白手起家，一同開創嶄新的人生，天底下沒有比這更般配的姻緣了。

「找一天，去給妳爹爹上個墳吧。」

阿米很想去惣七的墓前，和他商量一下。這孩子來到家裡的那天，柳田託給阿米的養育費，她從沒動用過，準備留給珠喜辦嫁妝。阿米心想，惣七都把女兒的未來託付給她，想必他很希望珠喜能嫁給好男人，阿米大可著手去談這門婚事，但她仍想在惣七的墓前向他報告。

至於，被阿米這番話惹得面紅耳赤的珠喜，不僅是因為剛才偷偷地給田川寄去信函，一聽到嫁人，她旋即把對象聯想到田川身上。

偏巧車子剛出了鎮，便被前頭一輛大板車堵住去路，只得停了下來。當時，鄉間小路鮮少轎車行駛，因此瞧熱鬧的人們漸漸聚攏了過來。

「怎麼慢吞吞的呢，我下車去趕一趕！」

漲紅未退的珠喜，生怕自己再待在車裡快要被燙熟，因而主動下車前去察看。

她不知道自己為何有這樣的反應。她確實很仰慕那個與亡父長相酷似的田川，當田川神采飛揚地講述台灣見聞時，她總是專注地凝視聆聽。如果有天要出嫁，她希望能嫁給像田川那樣的男人。這個想法，在珠喜從小女孩到少女的過程中，已在她心裡緩慢地、豐盈地醞釀而成。或許那只是喜歡戀愛的感覺而已，但可以肯定的是，年輕姑娘特有的熱情，已將熾熱的情意全傾注在他身上了。

珠喜走向人群這樣想著：當家娘以前曾不經意地說過，真希望幫田川找到溫柔的女子，陪伴在他身旁。而在當家娘面前，她是足以勝任這個角色的呀。

阿米從車窗裡望著雙手高舉揮擺拚命驅趕好奇圍觀路人的珠喜身影，忍不住苦笑起來，終於自在地哼起歌來了。

每天去公司，總會遇上這樣的日子，比如像遇到這令人激動的好事，有時則感嘆自己遠路跋涉到底所為何來。

那多半是見到了兒子的時候。

那一天，第二代當家的祕書青木元太到金子那裡，說是小老闆交代來拿錢的。

「金子，等等，那筆錢由我帶過去。」

我攔住為了不讓第二代當家丟臉正從金庫裡取出大把鈔票的金子，轉身對著青木說道：

「你帶路吧。」

彎身應是的青木拚命使眼色向金子討救兵，可金子比誰都清楚，我說出口的話絕不撤回。青木抱著半絲希望求救的金子，卻下令催他還不快點領路去，他只得畏怯地先走在前頭了。

「你是個堂堂的男子漢吧？來到鈴木，就應該抱著想做大事業的志向才行，怎會落得跟馬屁精似的呢？」

這些荒唐的事情，全是我兒子惹出來的，但為其前途著想，我必須加以阻止才行。因為家裡分明有個美麗嬌妻在侍候，他居然扔著不管，每天玩得通宵達旦是成何體統！況且兔三的肚子裡已懷上第二代當家的孩子了。

每當兒子徹夜不歸，我總是滿懷歉咎地對兔三分外憐惜。她真是個好媳婦，對我這種沒有學問的婆婆，仍十分敬重孝順。因此，我絕不能讓她繼續委屈受苦。

我這時已是滿肚子火了，可當我發現青木要領我去的地方竟然是千歲花壇時，氣得我怒目暴顏，自己都可感受到臉上青筋不停在抽搐。一問之下才知道，第二代當家已包下這裡的頭等包廂，天天叫來藝伎笙歌作樂。而青木這些傢伙必定跟著吃香喝辣，伴遊玩得不亦樂乎。

我站在門外報上名號以後，接待的女侍幾乎是連滾帶爬地跑進裡面找人來。

可是，出來的不是第二代當家，竟是這家旅館的老闆。是的，就是那位阿千。

「沒想到是鈴木的當家娘大駕光臨！」

阿千盤著高高的髮髻、身穿厚織絲棉結城緞和服，全身散發著雍容的氣度，已不是當年在我家當女傭的阿千了。哎，連我都快相形見絀了。

然而，我怎能因為這樣就躊躇不前了呢？我婉謝她請我入內的好意，站在三合土上向她道謝：

「聽說敝店第二代當家承蒙貴館格外關照。祕書回來領錢，現下特來支付，請問多少數額呢？」

阿千旋即捎了下擺正身端跪與我平視，抿嘴笑道：

「那點小錢，什麼時候處理都不礙事的，這位可是堂堂的鈴木商店第二代當家呢。而且我這裡做的，不是那種成天上門催討的寒酸生意。」

不曉得是阿千虛張聲勢，還是我的小心眼作祟，難道阿千真是在向我解釋酒水錢何時支付都沒關係嗎？

我心想，她說的應該是後者的意思。而我之所以無法卸下心防，或許是因為我把容貌不變的阿千，聯想成亡夫岩治郎曾經愛過的那個女子吧。

「可這個祕書還特地回到店裡來拿錢呀？」

說完，阿千依然含笑答說：

「噢，那個呀……，那要怪小老闆賭輸了呢。昨天晚上，貴寶號在這裡舉辦聚會……」

阿千彷彿想起昨晚的情景，哧哧地笑了起來。

只要見過阿千，自然就會明白這家旅館大受歡迎的原因。她待在我家做事時，這股無人能擋的柔媚綽約只會惹來麻煩，現在卻成為使這家旅館門庭若市的最大利器。從女人的眼光來看，阿千確實出落得愈發標緻了。這必定是周圍讚美的眼神，使這女人變得更加妍麗的。

阿千告訴我，鈴木商店在這裡設宴招待賓客時，酒量奇差的金子和柳田至少還能陪客人說說笑笑，可個性一板一眼的西川，簡直就像個木頭人。只要一談完生意，他便立刻走人，總讓包廂裡的歡樂氣氛頓時冷卻了下來。

以我們女人家聽來，談完生意就走，這有什麼不對呢？但在男人的世界裡，可就殺風景了。聽說兒子調侃西川不懂社交，於是和藝伎們打了個賭，若有人能把談完生意後的西川繼續留下來，兒子就帶她上室町買和服腰帶送給她。

「可惜沒能成功。西川先生還是談完就回去了。」

既然如此，兒子不就賭贏了嗎？

「不，因為……小老闆又拿自己身上的衣服加碼下注，他賭有個名叫豆花的藝伎一定能留下西川先生的。」

身上沒有衣服可穿，想離開都走不成。兒子出於無奈，只得再開條件把自己的衣服買回來，代價是——藝伎的和服腰帶。

真是荒唐極了。分明賭贏了，最後卻落到非買腰帶送人不可的下場。我當場發飆，不由得對等在身後的青木高聲喝叱：

「你！回店裡去，交代他們把我的車開過來！」

看阿千吃驚的表情，就曉得第二代當家肯定還在房間裡呼呼大睡。

「承蒙照顧了。公司裡恰巧有事非等老闆回去裁決不可，我把人帶回去了。」

我看著被阿千命令的女侍慌手慌腳地奔去包廂，這裡又剩下我和阿千面面相覷了。一股凝重的氣氛充斥在我們之間。

「感謝鈴木商店長年來的惠顧。」

我完全不曉得有這件事情。因為呈來給我蓋章的結算報表上，沒有詳細標注是在哪裡招待客人、在哪裡設辦宴會的。不過，如果要應酬，鈴木總不可能不上神戶首屈一指的千歲花壇吧。我這下終於明白，為什麼田川復員回來的那天，會緊急帶他來這裡投宿了。

「我也要感謝金子先生平時的關照呢。」

剎時，我的胸口宛如被利刃戳了一刀。這使我憶及金子向我央求把眼前的阿千嫁給他的情景來。他那苦情與落寞的表情，令我無法忘記。由此看來，他們兩人在包廂裡重逢的時候，不善喝酒的金子，仍忍不住懷念起當年思慕之情，將這段往事說給她聽吧。

「妳大概已經知道我這個壞心腸的老婆婆的作為了吧？」

其實，這沒什麼好隱瞞的。現在，金子已經有了阿德這位能幹的妻子，還生了五個聰明的孩子。這一切都是我趕走了阿千，他才能得到的幸福，我自認問心無愧。

「當家娘，您不必為當年的事掛在心上了。我也有選擇的自由。我雖沒什麼姿色，可有不少老闆都爭相想要當我的金主呢。當然，金子先生是個好人，不過他……」

說到這裡，她頓了頓，咯咯笑了起來。也許她特意客套，不想讓我難過吧。

「哎呀，這樣講可會惹他生氣呢。不過說真的，我覺得現在這樣很好。」

儘管金子貌不出眾，卻有驚人的經商才華。阿千做生意發展到這般規模，不可能沒看出金子的本領。

當初，我為了保護兒子而將她逐出店外，連金子的哀求都不理會，為此我自責是個冷酷的惡魔，但又找了藉口為自己開脫：如果不那麼做，就沒辦法守住這個家，保住這家店，護住兩個兒子。我是靠著這種方式，才讓情緒恢復平衡的。

萬萬想不到，阿千此刻的這番話，轉瞬間，讓我多年以來的愧疚為之消散了。她對過去發生的不幸沒有怨懟，沒有半點怪罪，還信誓旦旦地說現在過得很幸福，這樣的寬容氣度，應當就是她能獲得今日成功的主因吧。

「我應當先向妳道賀才是，真難為妳能夠做到如此興隆的規模呀。」

說著，我這才想起自己未免有失穩重，竟然沒先向阿千慰勞一番。阿千似乎有些驚訝，立即跪膝齊手向我稱謝。

「妳做到這番局面，想必吃了不少苦吧，真了不起！」

我心有所感地說著，阿千的眼眸眨得飛快。

「一切都是託當家娘的福。」

她的回答，確實令我頓時僵住了。

實在沒想到阿千會這麼說，真該稱讚她不愧是千歲花壇的老闆！她若是個壞女人，很可能以血緣關係做要脅，一再登門勒索金錢。可是，當年她收下了那筆絕緣費後，從此不曾上門索討，可見其正直的秉性。這或許是死去的岩治郎所遺傳給她的吧。想到這裡，我不得不這樣說：

「妳那死去的爹，必定在天上保佑著妳！」

我和阿千之間最後的約定，就是不准她再稱呼岩治郎為爹；然而今天，我卻主動在阿千面前提及她的父親。阿千試探似的凝視著我，隨即深深地欠身行禮，說道：

「謝謝您，萬分感謝您這麼說。」

她只言盡於此。

於此，我彷彿覺得，長久以來，一直憋在心頭的重負，忽然全消失了。

就在這個時候，從我背後的門口傳來了車子抵達的聲音。

「那麼，我到車裡面等候啦。」

我知道，再說下去，只怕會暴露出我的可悲來。我把拿在手裡的一整包錢，放在入口處略高的木地板上，這回換我向她欠身致意：

「好不容易才交給了第二代當家繼承，可這兒子實在不成材，往後還請妳多多照顧哪。」

其他人並不了解內情，可我那個在這家旅館花天酒地的兒子，其實就是阿千同父異母的弟弟。看來，我不得不將這隻從我懷裡離巢飛去的幼鳥，託付給更嚴苛的環境磨練了。

「沒問題的，第二代當家非常傑出，當家娘不必擔心。」

這些從阿千口中說出來的話，比任何人更能帶給我安慰。

我一邊回到車上，回想起遺忘已久的亡夫來，還真感謝他為兒子在最需要的地方，巧妙地設下了防護欄呢。

第二代當家一臉不悅地出來了。他醉眼惺忪、臉色慘白得很，嘴裡直犯著嘀咕：我又不是小孩子，堂堂一個鈴木商店的老闆，竟還要母親來接人，實在太丟臉了。正因為您老是這樣，外人見到我只會稱讚您是個很能幹的女人……。他簡直像個鬧彆扭的孩子似的，醜態百出。

「給我閉嘴！要是在你胡鬧的時候東京打電話來通知，那可怎麼辦？」

媳婦兔三上個月就回到東京的娘家待產了。算算日子也該生了，這幾天，我和千代子焦急地守在家裡，盼著接到再添孫兒的好消息；萬一在這緊要關頭捎來喜訊，孩子的父親卻外出遊玩不在家裡，這可教我怎麼說得出口呢？

原本我想趁媳婦待產的期間矯正兒子的行為，看來只怕是徒勞無功了。我愈想扮演好通達事理，具有智慧的母親及老闆的角色，對兒子的所有行為就愈放心不下，每次都得跟我與生俱來護衛兒子的母性交戰一番。或許這就是我所背負的業障吧。

沒錯，我把兒子拖回家來，他照樣一溜煙又不見人影了。

「珠喜、阿梅，第二代當家在哪裡？快去叫他！」

當天晚上，一通來自東京的電話，立刻讓須磨家裡連聲歡呼起來。因為兔三順利生下一個女娃了。這女娃正是日後嫁入柳田家，使這兩家的交情更加緊密的政江。

「真是感謝她為鈴木家添個女娃兒呀！我馬上叫第二代當家來聽電話！」

親家老爺捎來了大好消息，從電話那端傳來的聲音可以想見他滿面喜色，得快些叫第二代當家親自接聽這電話。可女傭們找遍了裡裡外外，就是沒瞧見他的影子。

「非常抱歉，不巧他去了公司。中午有件緊急的事情，非得他親自處理才行……」

幸好，抱得第一個孫子的親家老爺很是高興，並沒有聽出這心虛的謊言。連這種事情都得幫兒子擦屁股，當母親的實在太悲哀了。

我心想，倘若生的是男孩，任憑我百般疼惜憐愛，他總會從母親的羽翼下離巢而去。有些時候，甚至連自己築起的巢窩，也會像這樣飛離忘返吧。

說得也是，渴望自由的心，身為母親的仍舊無法束縛它。這座屋宅正因為有我在，才成了那孩子的流放地吧。

「真拿他沒辦法哪。」

孩子帶給母親人生的夢想，帶給母親人生的意義，那正是生命的歡愉。我真懷念孩子們小的時候。我把他們緊緊地摟在懷裡，唯恐他們餓了，擔心他們冷了，生怕他們淋濕了。不管再怎麼含辛茹苦，做母親的都甘之如飴；不止甘之如飴，還把這些當成自己活在世上的最大支柱。到了現在，我還得憂心祈求兒子能和媳婦在共築的愛巢裡，過得幸福美滿。

完成了身為人母職責的我，只是一個沒讀過什麼書的女人，只是一個家中失火了，身上就那麼個包袱得死命護著的無用之人。

對我來說，須磨的這座豪宅太大了，大到連我叫喚了兒子，只傳來空蕩蕩的迴音。

我的情緒已很低落，這時又發生了另一件令我沮喪至極的憾事。多年比鄰而居的姬路同鄉，亦是時常陪我聊天解悶的柳田之妻阿村，竟在生第三個孩子時驟然離世了。她才不過三十來歲而已。

那個時代的女人生孩子呀，總得拚上自己的性命哪。

阿村的死，給了阿米很沉重的打擊。

不管是家裡或員工的事，舉凡阿米面臨難以決斷的重大問題，阿村總是陪著她一起解決的最佳助力。對新嫁娘兔三而言，阿村不僅是幫她和阿米居間協調，給她各種建議的大前輩，也是她最信任的姊妹淘。因此，兔三前往探病時，還特地請來出了名的算命先生為阿村祈求早日康復。

不難想見，少了一個阿村，阿米和兔三這些女人們宛如被斷了右手般痛澈心脾。

阿村的第三胎是個女兒。生完這胎以後，身體沒能恢復過來，就這樣死了。當時的女人，一生中總會懷上好幾個孩子，但母體和孩子的死亡機率遠遠高於現今。

在做完阿村的各階段法事後，阿米仍打不起精神來，每天貼身奉侍的珠喜看得很是不捨。她原本雀躍地暗中謀畫，試圖刻意提起田川如今是否安好的話題，佯裝不經意地建議不如由當家娘製造機會讓田川回來神戶出差，抑或是慫恿當家娘前往台灣視察，可眼下的凝重氣氛使珠喜根本說不出口。現在，家裡的大小事情全由少夫人打理得妥帖得當，無須阿米費心，但珠喜委實不忍每天看著阿米茫然無神似的，由著車子載去神戶上班。阿米理應是個愈忙愈起勁的人呀。

正當珠喜絞盡腦汁想讓阿米舒眉展顏之際，接到了田川寫給她的第一封信，令她狂喜不禁。

「收信人寫的是珠喜，應該是給妳的，可是……」

收下了郵件的門房瞧著這封從台灣寄給女傭的信，滿臉狐疑，珠喜義正辭嚴地把信接了過來：

「一般職員是沒資格直接給當家娘寫信的，像這樣在信封上寫上當家娘侍者的名字，多半是知書達禮的讀書人。」

珠喜這份深藏在心底愛慕田川的情意，不希望被人知道和惹來譏笑。縱然只是一封信，仍是他們倆的某種連結，光是這樣已讓她覺得十分甜蜜。為了這封信雖得瞻前顧後謹慎行事，總算不枉費這番苦心了。田川文如其人，用字木訥，行文扼要，謝謝她經常告知神戶的近況，感恩當家娘的費心關照，並且勉勵珠喜要勤奮工作。

這封信帶給珠喜很大的激勵。尤其是他停筆前的最後一行，宛如一道希望之光，強烈地照亮了珠喜的心。

「基隆港有大船入埠，海面是綠色的。每當我望著海，心情便寧靜下來。很懷念神戶那片平靜的銀色大海。」

對了！就是海！須磨這裡也有海呀！

靈光乍現的珠喜開心得雙頰緋紅。大海一定比任何東西更能撫慰當家娘的傷痛。

「當家娘，明天早上有個驚喜給您，今天夜裡請早點歇息喔。」

珠喜難掩興奮之情，覺得這項祕密計畫彷彿是和田川共同籌策的。她在心裡捎信給田川：我明天要給當家娘一個驚奇，請務必助我一臂之力！

「妳到底在玩什麼花招啊？」

到了早上，笑容滿面的珠喜興沖沖地邀著疑惑不解的阿米來到了海邊。

在海產沃腴的須磨住慣了以後，珠喜已對阿米嗜吃的魚鮮瞭如指掌，並找到了打漁郎每天送來漁獲固定向他購買。打漁郎辰三是個晒得黝黑發亮的爽朗男子漢，每天清晨出海回來，便將當天捕到的漁獲裝在木箱子裡，逕自送來鈴木家的後門。包括當季的黑斑大眼鮋與海鰻，乃至於新鮮的章魚和石鯛等瀨戶內海盛產的海鮮，全經過他的精心挑選。珠喜拜託辰三幫忙這項計畫，他豪快地答應下來。

等到珠喜帶著阿米來到海邊，映入眼簾的是一艘漁舟，舟上揚著一面墨字書寫的「阿米號」旗子，停泊在岸邊等著阿米上船。

「這是……我的船？」

最先吸引她目光的是那面旗子的設計意象，將代表阿米的「米」字稍做變形，以「十」字作為骨幹，再把四個頂點用直線連結，圍成了菱形。阿米這才發現，原來「米」字是個幾何圖像呢。

「真是我的船呢！」

雖然有些驚訝，阿米仍像個孩童般笑得純真。辰三依照珠喜事前的交託，找來了釣竿，豪氣十足地吆喝了一聲：今天可要滿載而歸啦！阿米上次釣魚時還是個孩子，搭船海釣更是頭一遭。釣魚依舊是她最鍾情的嗜好，她也幫著忙做出海的準備。

今日天氣晴朗，風平浪靜，海面像一只亮晃晃的銅鏡。辰三慢悠悠地划出了船，前往魚群迴游的漁場。阿米把餌食掛上魚鉤的動作很是熟練，每回垂竿入水皆大有斬獲，她終於笑逐顏開歡呼出聲，還信手拈來這首和歌[6]：

徐風舒清朗　悠悠靜浪一扁舟　浮雲抹淡影
垂竿入水隨波擺　羨我幾多釣趣喜

「當家娘，真是大豐收啊！」

辰三和珠喜跟著樂不可支。阿米不曉得已經有多少天沒像這樣敞開心懷，享受外界的樂趣了。她仰望藍天，眺向海岸，六甲群山的緩坡在遠方披展開來，青翠如紗，世上竟還有如此美麗如畫的陸地風光。她倏然想起，那裡正是神戶。

和自己同樣生於播磨的喜代和阿村，都是嫁到神戶，死在神戶。這和天候一樣，晴時多雲，風起又止，大自然的萬千變化，正是宇宙萬物運行的攝理。

漁舟隨著波浪緩緩搖擺，阿米覺得自己猶如大自然裡的一葉浮舟，徐徐盪漾。有朝一日，自己將在這塊土地結束生命吧。既然如此，她要善用老天爺賜予的時間，活得更加精采。

陽光刺眼，照得珠喜瞇起眼睛說道：

「須磨真是個好地方呀。」

浪起潮落，阿米遙想古老時候，就在遠處的屋島附近海上，平家的女官曾搭船靠近源氏陣地，揚起扇子招手挑釁敵軍兵將射箭的史事[7]。在這群女官看來，這瀨戶之海只是她們被源氏追擊，逃離京城亡命途中的暫棲之處。在這命運未卜的生死存亡關頭，她們仍未失雅興，與射弓高手來了這麼一段逸趣閒情。為何她們能夠如此怡然瀟脫呢？

6　相對於漢詩的日本傳統詩歌，以五音節與七音節組合而成，又可細分為短歌（五、七、五、七、七，五句共三十一個音節）、長歌（五、七、五、七……七、七）等各種形式。和歌的創作者稱為歌人。

7　日本平安時代末期的一一八〇－一一八五年間，源氏與平家兩大武士家族展開戰爭，屋島之戰為其中的關鍵戰役。

海浪拍打在船舷上，一聲接著一聲，閒散地低語傾訴著。

阿米生命中最大的目標就是執著於這家店，執著於這個家，執著於兒子們，宛如在波濤間載浮載沉著。眼前的碧海藍天，和風輕拂，遠眺岸景，換做是普通人家的太太，絕對享受不到這樣的美景仙境吧。阿米，今年五十七歲。一個出身平凡商家的太太，而今卻乘著小舟徜徉在大海之中。她再次細細體會到，無論是在什麼樣的地方生活，即便是被流放的罪人，仍有其另一番幸福。這片大海撫慰著逃離都邑的平家女官，也讓她們平靜接受了自己的死期。

在海風中優雅飄揚的旗子彷彿這樣告訴阿米：別再為兒子的事煩惱憂傷，更別為公司的事掛意不下。從今以後，妳這艘小船應該往不同的目標航去。

「我年輕時算過命，他說我以後會有船呢。」

阿米抬頭望著天空。那已經是很久以前的事了。那個預言，不會再有其他的意思了。誠如卜算的結果，雖是這麼一艘小舟，可不折不扣是「阿米」的船。

她再次望向在船頭飄揚著的「米」字旗子。順著視線遠眺，隨著海浪的上下搖擺，隱約瞥見了遠遠地站著一個男人看向這邊。從他頭上那頂皺巴巴的氈帽，一眼即可認出，他是洽公後順道繞來本宅探望的金子。可能是聽說阿米出海去了，好奇來看個熱鬧的吧。

「金子先生——，看到了沒——，很厲害吧——」

珠喜有失端莊地朝海邊大聲嚷嚷。金子揚了揚帽子回應。

「我們馬上就回去啦——」

金子朝他們用力揮了手。看到阿米享受海釣之樂的模樣，讓他感到心滿意足。因為讓主人快樂、讓主人歡喜，是他最大的心願。

直到很久以後，阿米和珠喜才知道，金子便是在這個時候看到這艘漁舟上的旗子，並想到把它拿來用作鈴木商店的社徽——鑽石商標。

沒過多久，我便想到除了公司和兒子的事以外，得找個自己的興趣才行。在這之前，我的嗜好頂多是自嫁入這個家以來，養成詳細登載家用帳的習慣而已，即便只是買一張懷紙、買一只鍋子，亦不曾疏漏地認真記錄下來。不過，借第二代當家的話來說，「與其說是興趣，不如說是習慣吧」。

首先，我打算從學習短歌開始。說來不免有自吹自擂之嫌，可我本就對《百人一首》[8]背得滾瓜爛熟，更不用說在女人節[9]那天和員工的太太們玩紙牌遊戲時，幾乎從來沒人能贏得了我。從此，我埋頭鑽研短歌，之後還師事住在西宮的吉井勇大師，算是成績斐然。

珠喜在一旁不斷鼓勵我。一如那次帶我享受了船釣的樂趣，這時同樣陪我練習寫短歌，無時無刻都陪伴在我身邊。

春暖時節，我們賞覽開在屋前池畔的櫻花，有時全家上下浩浩蕩蕩地帶著便當前去須磨寺賞

---

8 《百人一首》是指精選百位傑出歌人各一首作品，彙編而成的和歌集，有各種版本。後人模仿從葡萄牙傳來的紙牌遊戲（carta，又稱歌留多），將《百人一首》印製為百張成套的和歌紙牌，成為日本人常在過年玩的傳統紙牌遊戲。遊戲規則是參賽雙方於賽前各排列五十張紙牌，比賽開始後，一旁有人唱出和歌的上聯，參賽者必須搶先找出印有下聯歌句的對應紙牌，累積紙牌較多者獲勝。

9 意指專屬女人的新年假期，讓年節期間忙於家事與接待親友賀客的女性放假休息一下。依地方習俗不同，通常為元月十五日，或在此日期前後，放假日數亦從一天至半個月不等。

花；時序入夏，晨起的我走在遍地露濕的鴨跖草上，放眼飽覽大海中的點點船影。

對我來說，邀集和慰勞眾人的賞玩，都成了我寫作短歌的寶貴經驗。倘若有人邀約，我也會出門旅行，甚至到過富士山、伊勢神社，還有嚴島等名勝古蹟參賞。當然，必定帶著珠喜隨行服侍。

在這樣的耳濡目染之下，珠喜跟著學到了一招半式，對和歌頗有一番心得。

「慢渡宇治橋……五十鈴川江水闊……嗯，前兩句就這樣吧。咦，還是要換成『江水涼』比較好呢……」

每當我字斟句酌舉棋不定時，珠喜旋即從旁插嘴道：

「用『江水闊』，才能展現出伊勢神社前那片江河遼闊的氣勢吧。」

她分析得很好，這樣的確更能顯出文意的浩蕩：

慢渡宇治橋　五十鈴川江水闊　浮載千古愁
忿思紛穢未滌蕩　神氣清朗已澄明

這孩子很感性又富有詩思，曾做了幾首受到大師稱讚的短歌，其中一首這樣寫道：

聖境隔俗世　五十鈴川兩界分　江水天上來
瘴蒸霧鬱渡彼岸　雲散煥然萌新生

這首同樣是歌詠伊勢神社的短歌，和我的感受截然不同，寫得真是好呀！

身旁有歌友切磋砥礪，吟誦起來更添幾分雅趣，況且珠喜真是個難得的歌作同好。

暑旱迭冬窮　揭窗唯見冬青綠　四時蓊蔚映
簇菲婉綻暗送馨　知足常樂好日朗
朝起雪開霽　檻內群芳爭探春　三憶京都事
風暖踏青滿合歡　莫待花謝水流遲

哈哈哈，淨是些貪遊賞玩的歌作呀。

是啊，多虧有了短歌這項嗜好，我終於能夠享受到賞遊的趣味了。

從前，在庭院裡栽種拿去店裡擺飾的花草，或是縫製大量的抹布，動作麻利的我總是三兩下就做完，閒得發慌的時間不知在家裡該怎麼打發，可自從學作短歌以後，時間霍然變得飛快，一眨眼就過去了。原本找不到事情好做，總覺得漫漫長日難捱，現下為了寫就滿意的歌作，反而感到時間根本不夠用呢。

況且我還有一項重要的任務，那就是幫家裡和公司日漸增多的年輕人作媒。

首先，得讓早已私訂終身的阿梅和樟腦部的仙吉結為連理，更不可忘記幫田川找個賢妻相伴。還有，在不久的將來，也得把現在陪著我吟歌作賦的珠喜找個好歸宿，因為那是我和惣七哥共同的承諾。

6

阿米露出了悻然的表情。

因為田川從台灣回了信，把日前阿米寄去的女方履歷原封不動地退返回來，還附上一封恭謹的信箋，寫著萬分感激當家娘的隆情盛意，可自己仍沒有娶妻生子的自信云云。

「說什麼沒自信嘛！也不想想已經是個老大不小的男人了。自信那種東西啊，討到老婆以後自然就有了啦！」

想到自己的好意被此糟蹋，讓阿米忍不住斥罵了起來。

她曾透過公司，打探了田川在台灣過得如何。在台南辦事處的他，似乎立下了不少功勞。隨著阿里山鐵路工程的架設進展，眾家商社爭先恐後地入山砍伐木材，唯獨鈴木商店有辦法領先群倫，雇來大量的當地勞工，這全要歸功於田川早年在台灣打下的人脈基礎。

在工作上有此傑出的表現，還說沒有自信，這到底是什麼原因呢？可以的話，阿米真想直接衝去當面問個清楚。

田川在寄出上封信後似乎十分煩惱，緊接著又追來了第二封信，信上未多修飾地表明了他的心跡。他決定待在台南辦事處奉獻一生，終老台灣，不打算回去神戶了。除非有異想天開的女人願意離鄉背井遠渡重洋，否則請當家娘不必再費心他的終身大事了。

「說得也是，真有姑娘願意嫁去台灣的嗎？就算是去當王公貴族的夫人，恐怕都要猶豫吧。」

聽著阿米的喃喃自語，珠喜露出了微笑。因為，在全公司裡膽敢向地位最高的當家娘表明己意的只有田川一人。

「怎麼，妳也覺得好笑嗎？……把這個送去總店！」

阿米把一股氣全出在珠喜的頭上，指派她送信函到米穀部去，收件人寫的是棚倉拓海。

「最近跟婆羅洲的交易愈來愈頻繁，聽說要到當地設據點，派他先去詳細調查。這是件重要的任務，我想在家裡設宴為他餞行。」

阿米若無其事似地交代，實則盤算著利用這個機會撮合拓海和珠喜。田川那邊阿米準備再從長計議，但還是得依照原訂計畫同步安排珠喜的婚事。

幸好年輕的拓海沒像田川那樣鬧彆扭。稍早，阿米便開門見山地對拓海說：你是個很有前途的青年，我想介紹個姑娘給你。拓海當即誠惶誠恐地感謝當家娘的費心，阿米又若有深意地說：近期找個機會讓那姑娘去和你見上一面。現下，看到珠喜去找他，他應該會明白就是這孩子吧。受到鈴木一路栽培的拓海，應當非常明白能和阿米貼身的姑娘攀結親事，是何等的天賜良緣。

珠喜渾然不知阿米的盤算，銜命送信去給拓海，等於自己送上門讓他打量端詳。在尋找拓海去處的路上，珠喜恰巧從探問的每個人口中，得知關於他的種種資訊。

「棚倉？……哦，妳問的是金子先生的那個學僕嗎？」

「就是神戶高商第一名畢業的那傢伙吧。」

「他常投稿到《又新日報》針砭時事，而且經常被刊登出來的呢。」

珠喜從這些人口中，逐漸拼湊出這男人的全貌來。他似乎帶點神經質，又喜歡講些不太容易懂的道理。從大家描述這小夥子的口氣判斷，珠喜推測他和自己應該年紀相仿吧。

不過，這個人的去向還真難掌握。珠喜先到總店的米穀部桌椅整然的辦公室，再跑去榮町的倉庫，又趕往碼頭的卸貨區，每到一個地方就聽說他剛走了，只得又追著逮人去，把珠喜累得團團轉。

這男人真不長定性哪。——殘暑潑辣的九月午後，珠喜揮汗如雨，一把心頭火愈燒愈旺。

最後，住在吉川河畔的農民告訴她，先找到一株大桃樹，他就在旁邊的田裡了。珠喜真不懂，他又不是農夫，一個在商社上班的男人到田裡做什麼呢？珠喜東奔西走了一個多鐘頭，終於顧不上禮貌，口氣極差地問道：

「這裡有個叫棚倉拓海先生的人嗎？」

桃樹旁的田埂上蹲著兩個男人，正指著田裡的青色稻穗交頭接耳，不知道在說些什麼。

「是我。」

那個站起身來的男子，和珠喜想像的完全不同。若和田川比較起來，這男子的確瘦一些，但不論是體格或長相，都比珠喜想像的來得精實。他雖脫去了西裝外套，只穿一件白襯衫，還是可以看出儀表十分端整。隨著他一同站起來的是個頭戴蓑笠、身穿束褲的老年男子，把碎白紋織布的衣角撩起來塞進腰帶裡，看似一身旅行裝束的打扮，可那副精悍的模樣，又像極了田裡的稻草人。珠喜想問他們在這裡做什麼，可她更想趕快把事情辦完回家去。

「這給你。我是奉當家娘所差，前來送信的。」

這是珠喜和拓海的第一次見面。

珠喜方才到處找人已經很疲憊，赤燄燄的太陽又把田埂煎烤得發燙，因此沒給他什麼好臉色。

再加上見了面以後，對方看起來和自己年齡相當，對他更不客氣了。

「妳是誰？」

拓海看看信，又瞧瞧珠喜，他根本不曉得眼前的人是誰，又是送什麼東西過來，自然露出不解的神色來；可珠喜認為，兩人既然同齡，當然是在鈴木待比較久的自己大可擺出前輩的傲慢。

「你不認識嗎？」她語帶挑釁地挺胸說道，「我叫珠喜，是須磨本宅當家娘的貼身侍女。請指教。」

當家娘是整間公司地位最崇高的人物，而自己是最貼近她的侍從。瞧著眼前這個資歷尚淺的新人，一股自豪油然而生。

「我到處找你，可找得我半死。你不待在公司裡，到底跑哪兒去啦？」

珠喜的口吻宛如在責備拓海沒待在讓她找得著的地方是他失職似的。拓海分明沒做錯事，可一來珠喜盛氣凌人，再者他忖想這應該就是當家娘提到的那個姑娘，答起話來氣勢銳減。

「真不好意思。我正在請稻米大師幫忙預測收成。」

「稻米大師？」

珠喜不客氣地直盯著那稻草人男子。這回輪到拓海模仿珠喜方才的語氣還以顏色：

「是啊，妳不認識嗎？」

他宛如給了珠喜一記回擊。他想說的是，哪怕你是多麼重要的人物，如同公司的員工可能不認識本宅的幫傭那般，本宅的幫傭或許也不認識公司的員工。

珠喜頓時臉色僵住，把臉別開了去，心想這男子果然愛賣弄小聰明。

「我來告訴妳吧，這位是矢作一德先生，鈴木商店的稻米大師。」

那個稻草人默不作聲，戴著蓑笠的頭微微欠了欠。拓海略帶傲氣的口吻雖惹得珠喜有些不舒服，可她的視線不禁被那面無表情的黝黑老人給吸引了過去。她一掃方才的印象，暗忖這個稻草人可絕不是個草包。

拓海解釋，一德每年都像這樣四處探巡稻田，預測該年收成的豐歉，而且歷年來的預測從來不曾失準過。

「是怎樣卜算出來的？」

「卜算？才不是那種不科學的東西哩！」拓海語氣堅定地反駁了珠喜，「矢作先生憑著多年來的經驗和直覺，只要夏天到田裡察看稻穗長得好不好就曉得了。」

「要看哪裡啊？要怎樣知道呢？」

換做是一般人，大抵只會反脣相譏：就算教了妳又沒啥用處！可拓海仍耐下性子苦笑著回答：

「要看的是稻穗的結穗狀況。如果到了這個時期還沒有結穗的話，就長不出好米了。」

珠喜不假思索地蹲下來捧起一把稻穗，強烈的好奇心表露無遺。

「我懂。我家雖然不是務農的，可這和山上的樹木是一樣的道理。」

父親惣七帶著她上山採漆時，經常這樣告訴她，大自然裡的草樹能否開花結果，全看老天爺的臉色。是暖是冷？下雨不下？夏季陽光的強弱？這些不是人類的力量能夠操控的。

「妳只要摸一摸就知道了吧？今年不管是哪兒的田地，穗子都輕得很，這是因為今年夏天雨下得不夠，更麻煩的是，颱風很快就要來了。」

始終悶不吭聲的稻草人第一次開口說話了。這令拓海很是驚訝，因為向來寡言的一德平常只跟某幾個人說話。珠喜全神貫注地掂量著手裡的稻穗，似乎頗有資質當聆聽天地之聲的一德的弟子。

一德的祖上是低階武士，歷代在明石藩當管米糧的小吏。他早前負責管理為鈴木家契作的小佃農，阿米也見過他。每年立春過後第兩百一十日[10]這天，他必定會報告今年稻米的預估收成量，由於連年的預測皆精準無比，金子對他的特殊才能極為激賞，遂將他帶進了米穀部，根據他的預估來增減購買的米量，這樣能夠儲備固定數量的稻米，做生意時便不怕受到市場價格的牽制。

不過，多數在高商裡學過現代經濟學的年輕員工們，把一德當成了不懂科學的過時老人，對他嗤之以鼻，唯獨拓海對他準確的預測率大為讚服，不管一德同意與否便逕自認他為師，跟隨他到處看田學習。

「妳懂嗎？豐收時產量過剩，米價便會下跌，所以必須預先調升對外的出口量；若是歉收時稻米缺貨，價格就會上漲，這時只要從婆羅洲等地多進口一些仰光米就沒問題了。」拓海擺出一副反正珠喜八成聽不懂的高姿態說明著。

珠喜重又端詳了這兩個人。她來到這裡前沒把這小夥子放在眼裡，現在卻對工作吃重的兩位刮目相看，分外尊敬了。

她這才明白，原來拓海此次到婆羅洲出差，為的就是採購外地米，難怪當家娘會為他們設宴餞行。這對鈴木而言，是一項非常重要的工作。

心隨念轉，生性好管閒事的珠喜忽然覺得該好好鼓勵這個年輕人：

---

10 此時正逢稻子的開花期，亦是颱風季節的開始，曆本上特別標注出來提醒農家留意。

「要到陌生的國家，打包行李應該很辛苦吧。聽說南方國家好像有很多斑蚊，多帶些淡路島的蚊香去比較安全。」珠喜把從田川那裡聽來的知識拿來借花獻佛。

拓海聽在耳裡，連連點頭稱是，重又打量了珠喜。從來沒有人告訴過他這個知識。這時珠喜的興趣又轉到另一件事上了。

「婆羅洲在哪裡呀？」

拓海發現這女子的表情太豐富了，清澈明亮的眼眸裡滿是好奇。更令他驚訝的是，她毫不畏懼地直視著自己的眼睛發問。他從沒見過這樣的女子，不由得有些畏卻。

「讓我找找，……這裡，在這裡。」

拓海心想不能認輸，幸好他隨身攜帶的地圖就放在西裝外套的口袋裡。那是一張用麥卡托投影法繪製的航海圖。他把地圖攤展開來，珠喜旋即湊了過去，看得聚精會神，兩人的手臂幾乎要貼在一起了。她看了好半晌，冒出的話竟然是：

「哦，原來台灣是在這裡呀。」

這反應大出拓海的意料，不自覺地順著珠喜的話往下說：

「婆羅洲在台灣的那邊，就位在歐洲和亞洲的中點，地理位置很重要喔。」

拓海炫耀了自己即將出差的地方，其實他根本還沒去過。

珠喜看著地圖上的婆羅洲，說道：

「你要在這裡為我們國家買賣稻米嗎？」

拓海有些詫異，光憑方才的說明，珠喜已經正確掌握到他與同事的工作內容了。他有些鬥氣地補充道：

「不單是稻米，還要從婆羅洲進口橡膠、麻、石油，還有鋁土礦等等天然物產到日本來。」

拓海對自己的拚命回應有些驚訝，因為他和前輩們辯論國際情勢或往後的事業規畫等等嚴肅的話題時，都不曾如此激動。

相對地，珠喜卻宛如對待後輩般溫柔包容，含笑從容地說道：

「真是辛苦你了。這麼重要的買賣，未來將成為國家的基礎呢。」

說著，她彷彿慰勞他似的又連連點頭，接著說聲打擾了便轉身離去。

留在原地的拓海，一臉目瞪口呆，心想這女人到底是何方神聖啊？

過了好半晌，他才終於像是掙脫了魔咒的束縛般東張西望，詢問在一旁目睹了始末的一德：

「剛剛那個，是誰啊？」

珠喜還小的時候，一德已經見得她了。這位稻米大師從蓑笠下抬起眼來，很乾脆地回答道：

「她是本宅的女總管，名叫珠喜，很能幹。當家娘非常疼她。」

拓海這才知道，難怪方才一德願意和她說話。他的視線落到了當家娘囑人送來的信上，上面列了包含自己在內的幾個即將被派往婆羅洲的職員姓名。

設宴須磨宅邸，邀約賞月與餞別。——這可有趣了，趁這機會還能見得到那個女子。當家娘的安排還真風雅呀。拓海臉上浮出了笑意，將邀請函重又摺回了原樣。

是啊，我憑著多年來的直覺，這兩個人必然脾性相投。

他們兩個都是沒爹沒娘的，不必顧慮父母的意思，何況進入明治以後都快四十年了，總不能還像從前那樣，要一對根本沒見過面的男女結婚，未免太不合時宜了。我雖然守舊，仍覺得應該讓他們倆多見幾次面。再過不久便要在本宅舉辦餞行會了，我打算利用這個機會撮合他們兩人。

沒想到拓海在那之後，竟然馬上寫了信給珠喜，當我發現時真是不敢置信，年輕人就是有股傻勁哪。不過，我還是很快就察覺出來，珠喜收信後的茫然無措，畢竟還是個青澀的小姑娘呀。她被我喚去做事時，趕忙把信藏起來以免被發現，後來卻忘得一乾二淨，真拿她沒辦法哪。話說回來，當我在坐墊下面發現這封情書時，委實大為吃驚。

殘雲向晚沐餘暉　暮鐘送遠為汝音
吾如目盲行路慌　循聲隱隱引心定
為汝奔忙無敢懈　為汝竭力不倒瘁
唯汝是吾行燈照　暗黑世間明道現[11]

拓海的字跡很端正，看得出為人直率。通篇詩文錦心繡口，深入心扉，我也看得走神了好一會兒。

「咦，珠喜，怎麼有張紙塞在坐墊下面，好像可以拿去當隔扇的襯裡紙呢。」

這樣捉弄她好像有點可憐，但瞧她跳起來急著把信搶回去的模樣，還真讓我忍不住笑了起來呢。愛情已經不是我這把歲數的人該渴望的，而是專屬於年輕人的特權。

反正年輕人的事，就隨他們自由發展吧。拓海經常會被派去婆羅洲出差，不大有空長時間待在神戶，而且男人有了地位和工作成就以後，再結婚也不遲。而且我並不希望那麼早就讓珠喜離我而去。

可就因為我當時粗心，沒多加留意，才導致了之後的麻煩。倘若當時能把珠喜抓來問個清楚，她到底是在想什麼想得發愣走神，就不會引發後續的悲劇了。唉，事到如今才懊悔，又有何用呢。

況且，我當時手邊還有另一件事，比拓海和珠喜的事更急著處理。沒錯，我就是幫失去妻子的柳田再找個伴。

以柳田在公司擔任的重要職位，他的妻子必須能夠從各方面輔佐他。尤其是公司還留有非常濃厚的家族色彩，舉辦慰勞宴等公司內部的活動時，甚至會邀請員工一家大小前來同樂，並藉此機會凝聚員工太太們對公司的向心力。這項任務，很自然地落在了大掌櫃金子與柳田兩人的妻子身上。

我贊成柳田娶阿村的親妹妹。柳田家的兒子們都上小學了，繼母若是親阿姨也比較不會產生摩擦。儘管到現在我仍舊認為，不管於公於私，阿村還是最能倚重的，可既然人已經走了，至少找個與她血緣最接近的妹妹來接替，我也好放下心來。

但有個問題似乎讓柳田相當苦惱，那就是阿村的妹妹和我同名，都叫阿米。

那點小事我根本沒擱在心上，可當他們連袂來向我請安稟報時，她已經改過名字了。做事一板一眼的柳田，說什麼也無法以他多年來侍奉的主人的閨名，拿來叫喚自己的太太。

「往後請叫我阿信，請多多指教。」眼前的女子躬身說道。

11　摘自日本詩人暨小說家島崎藤村（一八七二－一九四三）的詩作〈君こそは遠音に響く〉第一、二節，出自《落梅集》。

她身量比阿村略小，比她來得敏感一些，是個順從的女子。

這一年的舊曆正月，先是柳田把改了名字以避諱的妻子娶進門，接著又在本宅舉辦了只有女人參加的鈴木家「女人節」聚會。

和歐美有生意往來的鈴木商店，在經商上採用陽曆，一月一日開市，二日在車船上插上開工出貨的旗子，聲勢浩蕩地把商品載運出去，象徵新的一年的出發首航；不過，休假仍照著舊曆訂在十五日前後，讓故鄉較遠的員工也能回去見見父母，並在大家回去鄉下的那天，邀請全體員工一同到本宅吃春酒，象徵一元復始的蓬勃朝氣。由於這是正式的員工集會，因此妻子們都要來廚房幫忙張羅這場盛大的宴會。我會依循慣例，依照員工去年的表現，把紅包一個個親手送給員工。

等到假期結束，員工都回到崗位，年節的氣氛淡去以後，便輪到辛苦了好久的員工太太們歡聚一堂，烤些年糕、喝些熱湯，悠閒地度過女人節的這一天。

我又想，恰巧可利用這個再好不過的機會，把阿信介紹給其他太太們。

若是遇上才生了小孩，或是公婆已經謝世的人，我會在這天依照她們對家裡的貢獻包個紅包。尤其是剛結婚的新娘，我還有另一項特別的贈禮。

「嗯，阿德，把那個拿給阿信。」

聽到坐在上座的我下達指示，金子的妻子阿德機敏地點點頭，立刻捧來了一方大漆盤。

「阿信，恭喜妳了。」

生性堅毅的阿德，喜怒哀樂鮮少寫在臉上，但當她揭開了托盤上的絹布時，朝著阿信露出溫柔的笑容，猶如在對她笑著說，從此以後，妳成為我們的伙伴了。

阿信瞪大了眼睛，完全不知道這是怎麼回事。放在托盤上的是一反和服的布料。

「妳摸摸看。」

那是一塊厚實的絲棉綢布，可製成一套染有徽紋的和服。布料由未經漂白的蠶絲織成，只在我的女系徽紋橫見桔梗圖案的部分留白未染。阿信重又環顧四周，這才發現原來員工的妻子們這天全穿著灰藍色的染有徽紋的和服，便是由同款布料縫製而成的。

「從今天起，妳就是個不折不扣的鈴木商店的女人了。」

其實，這個源由來自於我當初暗中幫金子準備禮物的家徽和服，成了阿德最寶貝的衣裳了。日後阿德不管是到公司，還是來我這裡，只要是有些正式的場合，她總是穿著這身和服出現。於是我靈機一動，做了這樣的和服送給員工的太太們。

這麼一來，凡是參加像今天這樣的聚會時，太太們便不再需要煩惱該穿什麼出席，只要穿上這套和服來就對了。每當女人家得出門露面時，若還花心思斟酌該穿什麼去才好，結果只會浪費了該做正事的時間。此外，近來員工太太的學歷愈來愈高，必須預防她們在服裝上爭奇鬥豔。不過，只要規定了衣著，每個人都穿著這身和服前來即可，所以我才決定送同樣花色的布料給每個新嫁娘。

因此，當我親手把布料送給對方時，代表已經認同了她是鈴木員工的妻子。

「非常感謝您。」

每個人都面帶微笑地看著阿信，大抵是想起了自己過去也曾從我手中接下了徽紋和服的那一幕吧。

我讓兔三來做總結：

「阿信，妳一定要勤勉持家，輔佐丈夫認真工作，努力讓公司蒸蒸日上。」近來，兔三愈來愈有少夫人的威嚴了。鈴木家的女人益發蓬勃繁盛了。

「麻煩妳了！」兔三又慎重其事地添了一句。

從這一天起，我和兔三不僅會像過去倚重阿村那般信賴阿信，同樣為她掛念擔心。

事實上，更讓我惦念的是柳田的孩子們。

阿村生下第三個孩子不久便過世了。這個可以說是她用命換來的女娃，卻追隨母親的腳步，僅僅活了幾個月便夭折了。阿村過世後，留下了兩個孩子。當我們還在榮町隔鄰相住的時候，長子義一還很小，經常來隔壁找我玩，我會給他吃些豆沙凍糕，對他格外疼愛。他現在的年紀，約莫和岩藏失去了父親岩治郎時相去不遠吧。這麼一想，失去了母親的孩子們有多麼無助，更是猶如切身之痛。

「那麼，義一現在過得還好嗎？」

他已經上了小學，應當懂事了。阿信阿姨只大他八歲，就像姊姊一般，卻忽然要他改稱為母親，這突如其來的殘酷變化，不知道他能否適應得了呢？

「不好意思，讓您擔心了。我們考慮再三，最後決定讓他寄宿到御影小學校的西山老師那邊，而老二彥次也開始上神戶幼稚園了。」

雖然那個女娃最後還是沒能保住，但在阿村過世以後的那段期間，父代母職的柳田簡直是拚了命地撫養這個還在襁褓中的娃兒，努力把牛奶灌進奶瓶裡餵她喝奶。唉，想到他如此疼惜呵護自己的孩子，真是令人動容不捨。

「那真是太好了，幸虧遇上了好老師。」

我感同身受地撫著胸安下心來。家裡的兩個孩子都已長大成人，柳田、金子以及所有員工的孩子們，都如我的孫子般讓我疼惜愛憐。

就在這個時候，金子完成了一項驚天動地的投資。阿米在聽取他的報告時，當下不知道該如何回應才好，這件事倘若公諸於世的話，必定會令世人驚惶錯愕的。

他竟打算把大里製糖所，那間他為了挑戰大公司日糖而費盡千辛萬苦，不知淌下了多少汗水和淚水，而終於獲致成功的大里製糖所，賣給當年的競爭對手——日糖公司。

「為什麼要這麼做？……你之前不是發下豪語，絕對不跟他們合併嗎？」

阿米良久才從震驚中回過神來，忍不住想問個究竟。

「對，不是合併。」

在那之後，日糖仍不斷提議要合併。不久之前，大阪櫻宮的日糖與東京的日糖才剛合併成為規模傲人的大日本製糖，給大里製糖所帶來極大的壓力。金子面臨如此困境，想出了顛覆常理的因應對策。不是與日糖合併，也不是被收購，而是把廠裡的所有物件，大至製糖機、小到水桶，一個不留地全部賣給對方。

售價總額是六百五十萬圓。

霎時間，阿米握著印鑑的手開始顫抖。

「工廠雖然賣給他們，但條件是大里砂糖的銷售交由鈴木獨家販售。」

金子真是精打細算！阿米再次詫異得說不出話來。

完成這項交易之後，鈴木商店頓時躋身百萬鉅賈之列，時值明治四十二年。

不止阿米一人驚訝不已，這項消息旋即在震撼了整個社會。資本額五十萬圓設立的合夥公司鈴木商店，一夜之間賺進了超過資本額十倍以上的六百五十萬圓。

至於日糖方面，其買下的大里製糖技術與獲得的同業信賴，更是萬金不換的企業資產。日糖終於名副其實地榮登日本製糖業的龍頭寶座了。

為了慶祝這項額手稱頌的交易，雙方特地在京都祇園的中村樓擺了盛大的酒宴，請來五十位名妓清歌妙舞，席間熱鬧非凡，奢華豪闊的排場堪稱當代之最。

這筆重大的生意等同於企業聯姻，酒酣耳熱之餘開始有人起鬨說雙方都該包個萬圓謝禮，酬贈給居間斡旋的引介人。從兩位引介人的反應，恰可看出東京與關西兩地的不同價值觀，煞是有趣。

東京方面的引介人鈴木久五郎是個新近發跡的事業家。他撂下一句：

「區區一萬圓，不拿才顯得出我的豪氣啊！」

說完，只拿了感謝狀便回去了。這些日進斗金的暴發戶，不少人都具有獨樹一幟的奇特作風。

至於關西方面的引介人，則完全不受英雄氣魄的東京引介人影響，接著說道：

「是嗎。不過難得可沾個喜氣，我還是恭敬不如從命吧。」

語畢，便將一萬圓一毛不少地帶走了。

兩人同樣派頭十足，但各自展現出東部人與西部人的習氣，惹得眾人一陣譁笑。可這歡笑聲仍沖不走阿米對捨去了大里製糖所的淡淡感傷。因為那裡留有還只能做出硬糖塊時，她費心賣掉不良品的苦澀記憶。

辛勤工作的成果，不管是總店也好，大里製糖所也罷，終有一天會像這樣船過無痕。自己身為船長的職責便是定出航標，在潮起潮落的商業波流中掌舵揚帆，乘風破浪而去。

一時間，這個新聞成了大街小巷的熱鬧話題。鈴木商店的決斷與豪氣令大家嘖嘖稱奇，拍手叫好。

「這簡直在辦廟會嘛。」

坐在每天駛往總店的車裡，劃過窗外的每一個音聲，聽在阿米的耳裡，都像是慶典的樂音。

店裡和家裡喜事接連而來，下一個被阿米召見的是仙吉。

「接下來就輪到你們啦。」

仙吉的薪水還不夠和阿梅成家，只能接受在宇治川開零嘴鋪的父母援助，和他們住在一起。阿米很希望阿梅嫁給仙吉以後，照舊來須磨工作，可兩人總是支吾其詞，遲遲沒給正面的答覆。難怪他們不知道該怎麼回答才好，因為阿梅的肚子裡已經懷上孩子了。

「懷孕期間倒還好，可孩子生下以後，恐怕沒辦法繼續效勞……」阿梅躬身報告著。

「還沒結婚倒先有了孩子，我說你們這順序是不是顛倒了呢？」

阿米雖露出了慍色，但鈴木的忠誠員工即將生下第二代，仍是一件值得慶賀的喜事。

為阿梅籌辦婚禮、張羅生產前的準備，阿米把這些任務全都交給了阿信一一辦理，卻發現阿村在世的時候，她只管吩咐一聲便會辦妥，相較之下，阿信不免有些丟三落四。阿米只得放低標準，提醒自己不能總是拿阿村來比較，但仍考慮著希望能找到其他有能力掌理的女子。

公司的員工人數遽增，自然多了不少性格各異的太太們，尤其學歷愈高，愈會出現拿腔拿調惹人厭惡的女子，光靠阿米一個人想擺平她們便是個考驗。隨著每年開春的活動漸趨盛大，開始有人私下抱怨阿米的做法早就過時了。

難怪有人抱怨，因為由本宅舉辦的活動，從正月全體員工齊聚須磨拜年的春酒揭開序幕，接下來依序是女人節、女兒節、端午節、賞月暨阿米的慶生會、賞菊暨運動會等等，隨著四季的嬗遞，每隔一段時日便有節慶場合必須配合出席。恐怕下回領受徽紋和服的新娘不只阿梅一個，而將一口氣多出好幾位，況且員工們的親眷亦日漸增加。過去店裡的紅白事的張羅處置，從找來員工的太太們接頭商量、分派工作，到最後再向阿米報告的，一直是阿村的職責。

阿信第一次接下的任務便是協助阿米籌辦阿梅的婚禮，總算平平穩穩地大功告成了。阿米打算把下一個任務全交由阿信獨力處理。

「我說，阿信啊，該是時候送珠喜出嫁了吧？」

前些時候，阿米總想著不急之後再說，而忙著其他的事去了，可轉眼間珠喜已是十八歲了。阿米的腦中還停留在她初次來到自己面前的小女孩模樣，但在外人看來，她已是亭亭玉立，宛如百合盛放的青春年華了，連阿米器重的拓海也驚為天人，見過面以後，立刻送來了傾慕的詩句。

珠喜是阿米一手帶大的女兒，結婚代表著她將離開自己身邊，這讓阿米半是歡喜、半是不捨，心情很是複雜，因此沒提起勁來積極辦這件親事。阿米聽說女兒不同於兒子，不論年紀多大都想永遠依偎在母親身旁。阿米琢磨著就算珠喜嫁了人，仍要讓她可以時常返回這裡，因此必須在談親一開始便和拓海講清楚這個條件。

當初為金子娶親的時候，那時還在世的阿村是阿米最佳的商討對象，幫了很多忙。既然拓海對珠喜十分傾心，阿米希望這次能藉助阿信的力量，將這場婚事辦得順利合意。

「我明白了，一定會竭盡全力促成這對佳偶的！」

若換做是阿村，必定會堅定但客氣地回答：不知自己能否勝任，但一定努力不負所託，這才接下這份重任，而阿米也很放心地交給她全權負責；可眼下的阿信為了回報當家娘的期望，緊張得全身僵硬，連回話都如履薄冰似的，委實使人同情。

然而，阿米萬萬沒有料到，這項安排卻埋下了要命的導火線。

正因為任何事都無法確保成功，阿村總是會事先做足了各種沙盤推演，經常和丈夫討論，把要說出口的話都先字斟句酌。她很有經驗足以應付難纏的對象，所以才能把每件事都辦得妥當。

可是阿信對丈夫還有三分客套，也想趁此機會贏過姊姊，博得阿米的認同。年輕的阿信背負的宿命是承接傑出的姊姊所留下來的重責大任，打從一開始阿米便不該期待她和阿村同樣能幹。

「對不起，當家娘……，珠喜拒絕了那件親事。」

當阿信突然向她謝罪時，阿米頓時愣得說不出話來。在她看來，天底下沒有比這更般配的姻緣了，而且又不是派小孩子去提親，阿信豈能只回報說「事情沒談成」就算了事呢？

「為什麼？該不會是珠喜說她和拓海合不來吧？」

應該不可能。阿米那天在坐墊下面發現了情書。假如拓海沒有傾心，不可能寫得出那樣的信文，而收到那樣絕美的情詩，珠喜不可能不動心。

「她沒那樣說，只是一個勁兒地朝我笑……」

說穿了，就是珠喜沒把阿信看在眼裡。阿米的語氣變得更是強硬：

「不行！既然這樣，我直接和她說去！」

阿米一開始就該這麼做。那個硬脾氣的野丫頭，只能抓著她壓著頭叫她乖乖聽訓。

不過，縱使珠喜是當家娘的貼身婢女，畢竟只是個女傭，而阿信卻說服不了，真是太沒用了。

阿米凶巴巴地緊抿著嘴，喚來了珠喜：

「聽說，妳不想聽阿信的話？」阿米直接挑明地說。

阿米對她親自選定的這門親事信心十足，委實不懂珠喜到底對哪裡不滿，因此語氣顯得咄咄逼人。

「回當家娘的話，因為我沒辦法接受這件安排。」

珠喜恭敬謹慎地小心回答。長年來的近身伺候，她知道當家娘此時已然怒火中燒了。

「為什麼？為什麼不能接受？」

「可是我……」

她們倆比親生的母女生活的時間還久情感親密，任何事情向來都能暢所欲言。

「我認為這是一門好親事呀。棚倉拓海到底哪裡不合妳的意呀？」

「沒呀，我並不討厭他……」

「既然如此，那是為什麼呢？」

阿米的詰問步步進逼。

阿米心想，珠喜不是害羞，也不可能是故意擺架子。她並不討厭拓海，但對拓海卻似乎刻意壓抑著自己的情愫。這是為什麼呢？

「我可不是叫妳和他一起去婆羅洲哪。我的意思只是先定下親，妳也得在嫁為人婦前學些教養什麼的，做好結婚前的準備呀。」

珠喜一言不發，只垂著頭，小嘴閉得緊緊的。

阿米早知道她的性子倔強，可沒想到會如此強硬，莫怪阿信棘手辦不來。

「怎麼？難道妳心裡還有比拓海更中意的男人嗎？」

阿米只是隨便說說，試圖引來悶聲不吭的珠喜些許反應。

下一秒，阿米旋即發現到這句話，居然一箭射中了她的心坎。

珠喜猛然抬起頭來，盈滿淚水的眼睛直望著阿米，氣勢逼人的神情訴說著千言萬語。

「我、我……」

再說下去，眼淚必定會奪眶而出，千鈞一髮之際，珠喜強忍著淚水，雙唇顫抖著說：

「我想去台灣！」

驀然，珠喜淌下豆大的珠淚了。阿米驚愕地說不出話來。

這孩子，真有意中人了……。

7

她果真墜入了情網？

許久以後，我反反覆覆地憶想著當時的情形。

我還未從那場震憾中回過神來，不曉得該說什麼才好。

我這頭還猶豫著這件婚事或許談得太早，依依不捨地不願讓她離開，怎料到她那頭早就心有所屬，相思愁緒化為暗垂珠淚，已從女孩蛻變成女人了。

田川確實相當酷似惣七哥，連我也禁不住動了心；可看在那孩子的眼裡，她終於尋回了熟悉的影子，那個幼時死別的父親身影。我不認為把一個男人當成另一個熟悉的男人是罪過，但是我畢竟經歷得多，不久便認清惣七哥和田川雖長相神似，終究不是同一個人，可那孩子年紀還小，大概將自己渴望的缺憾，一股腦兒全投射在他身上了吧。

我當時是否應該斬釘截鐵地對她說個明白嗎？如果我清楚地告訴她，妳愛上的不過是個幻影，是否就不會發生之後的悲劇了呢？

看著在我面前靜靜流淚的孩子，令我全身的血液瞬息凍結，幾乎喘不過氣來，一句話也說不出口。這時候，我只想告訴她：別說了，退下去吧。希望她離開我的視線，讓我心情平復下來。

請告訴我，我當初到底該對這孩子說什麼才對呢？

假如早知道她會離開這個家，單單留下一封信，哪怕得講得焦脣敝舌，我非得要她死了那條心不可！

「當家娘，您的養育之恩，珠喜沒齒難忘。望請原諒我沒能順著您的心意，任性地離家出走的不忠不義。」

我看了又看、讀了再讀這封沒有寫出原因，只一逕謝罪的信。光憑著這寥寥數語，教我怎麼懂她心裡到底做什麼打算呢？

想起來還真氣人，鮮少出遠門的我，偏巧就在那個時候，接受老鄰居後藤屋的老闆娘邀約旅遊。不過去了京都三天，回來竟見不著她的人影了。往常出門我總會帶上她，可那個節骨眼上委實不大想看到她，遂留她自己在家裡了。

「兔三，妳知道珠喜上哪去了嗎？」我衝去找了正在廚房指派工作的媳婦急急追問。

「咦？珠喜嗎？不清楚耶。這樣說來，好像從昨天起就沒瞧見過她了……」

兔三從我的神色看出事態嚴重，幫著問了家裡上下，從其他的女傭們、門房、我的司機，甚至還差遣僕役跑去問了漁夫辰三。

「母親，大家都說沒看到她。」

沒有人見到珠喜的身影，而且她房裡也忽然少了些衣服物什。她就這樣憑空消失了。

「怎麼辦呢，……我想那孩子應該不會做什麼傻事，一定是出了某些狀況。我看，再稍等一等吧。」

那簡直是一場噩夢。她和我之間，到底發生了什麼事情呢？

我們兩個朝夕相處了那麼多年，在我的生活中遠比這個家的柱梁牆皮更是密切，怎會在短短三天之內便消失得無聲無息了呢？

在四處找尋她的那段時間，我簡直失魂落魄。直到現在，我仍完全想不起來，那段日子裡我究竟吃了些什麼、穿了些什麼，又做了些什麼。因為往常不管是餐膳或衣裝，全由她幫我細心打理的。

直到阿梅離職後新雇進來的女傭，端上了鮪魚紅肉海苔細捲的餐膳，得意洋洋地向我誇耀她今天可買到了上好的鮪魚時，霎時間，我才赫然驚覺到，珠喜果真不在我的身邊了。眼前的瀨戶內海分明有各種美味的白肉魚，做什麼非得可憐兮兮地吃腥臭的鮪魚不成呢！要是珠喜，應該對我的口味很清楚。那盤海苔細捲我一口也沒碰，新來的女傭怯懦懦地撤了下去。

到底是什麼惹得珠喜不高興，非要離家出走呢？她現在到底在哪裡，又靠著什麼過日子呢？這沒爹沒娘的孩子根本沒有老家可回了。她身上帶著錢嗎？三餐有著落嗎？我愈想愈是不安，擔憂得茶飯不思。

過了幾天，從砂糖部的職員那裡聽說了，珠喜離家的前一天曾托運了一只行李，說是當家娘吩咐寄送的。

「送到哪裡去的？」

「回當家娘的話，是寄到台南的辦事處。」

我大為錯愕，連聲音都發不出來。

她到底是什麼時候做了如此大膽的決定？那孩子竟然出奔台灣去了。——沒錯，她去了田川那裡。

阿米把珠喜當自己的女兒，煞費苦心地養育長大，忽然間失去了她，這打擊不可謂不小。

在還不知道珠喜下落的期間，阿米萬分擔心她的安全，一度打算報警協尋，等到發現她似乎去了台灣，先是總算放下心來，可轉念一想，對珠喜不告而別更是火冒三丈，怒氣狂張。

「既然要去，做什麼不跟我講一聲再走呢？」

阿米遷怒的對象是阿信。珠喜的婚事原是交辦她打點的，這件事自然要找她發洩一番。

「對吧？我沒說錯吧？我又沒逼她非嫁給他不可！」

阿信還不曉得該怎麼拿捏在阿米面前的應對進退，只敢順勢搭腔：

「是啊，您說得對極了。」

「我瞧妳倒是樂得輕鬆啊？」

怎料到阿米又拿她出氣，阿信只得三緘其口，雙手平伏在地。

「妳別不吭聲，倒是說兩句來聽聽呀？」

阿米急火攻心，一發不可收拾，焦躁地撂下臉來又牢騷了幾聲：好了好了，看得人心煩！遂把阿信轟了出去。要想澆熄心頭這股怒火，看來還是只能找上珠喜本人講個分明。

人在打從心底困惑苦惱時，有時兩條腿會不聽使喚地逕自走向平常意想不到的地方去。這時的阿米便是如此。

她一如往常去向大楠公參拜以後，回程時不自覺地繞到了千歲花壇。

「哎呀，這可不是當家娘嗎，今天小老闆沒上這裡……」

阿千以為阿米是來找第二代當家的，快嘴快舌地應答道。

「不，我不是來找他的，今天是上妳這裡來玩的。」

既然阿米斷然否認是來找人的，阿千只得先請她進到包廂上坐。

說來慚愧，雖還不至於說成是被自家養的狗咬了手，可遭到寵愛有加的孩子背叛的忿怒與懊惱，除了阿信以外，阿米竟找不到其他人可宣洩消解。

「當家娘，請問，您方才說來這裡玩……」

阿米只管細細打量著包廂的布置、壁龕的擺設等處，一旁的阿千謹慎地察言觀色。

「怎麼，妳這裡只准男人家上門作客嗎？」

她的口吻宛如回到了多年前，大商店的老闆娘向家裡的女傭說話似的。

「這年頭中午不賣些便當，只想靠晚上的生意可維持不下去吧。」

阿米並非存心來找碴的，刻薄的話語卻脫口而出。她原意只是感嘆男人有許多地方可以排解煩悶，但留在家裡女人們即便憋得心慌，卻沒有地方可以散心。

阿千不愧是旅館的老闆，擺出了兵來將迎的氣度，含笑答道：

「您說的很有道理。自從戰爭結束，工商士農都各自回到崗位上後，小店非常歡迎女客人的惠顧。若能在這裡品嘗到我們自豪的佳餚，回到家裡運用在自家的餐膳上，老爺們也會開心地繼續大駕光臨的。」

事實上，千歲花壇之後推出了高級旅館烹製的松花堂便當外賣，提供客人出門遊樂時享用，不能不說阿米此次的造訪起了某些催化的作用。

「請慢用。」

看著阿千端上來的一道道豪華料理，想到男人們打著招待客戶的名義，每天吃著這般奢侈的珍饈，令她幾乎傻眼。轉念一想，自己偶爾奢侈一下又何妨呢，於是拋開了平素幾近吝嗇的自我桎梏，躍躍欲試。

這頓餐膳的確美味可口，全是阿米從沒想過的烹調方法與食材入菜。每當送上一道菜時，她便一一詢問：

「這是什麼？魚精澆上葛粉芡嗎？」

「這是蔥，還是京都特產的菜蔬呢？吃來爽口又高雅呀。」

阿米十分佩服。菜餚不僅滋鮮味美，獨創一格，盤皿雅致精細，房間的裝飾都是頂級的。她到今天總算明白，這裡被讚為神戶第一旅館的理由了。

阿米滿意地慢慢品味著這段時光，糾結心頭的鬱悶終於舒解開來，享受了短暫的幸福時刻。飽餐之後，當她啜飲著濃沏的煎茶時，忽然興起念頭想問問阿千：

「阿千，依妳看，我是個惹人厭的主人嗎？」

冷不防的單刀直問，讓阿千噤聲猶豫著該怎回答。阿米又跟著添了一句：

「我一直想要問妳，……我這個做主人的，是不是想讓人逃得遠遠的呢？」

回想起來，眼前的阿千當初是被阿米不由分說趕出去的，珠喜也是被強迫接受阿米認為最好的人選，其兒子的情形亦然，全只能照著阿米的決定去做，她從來不曾徵詢過他們的想法。

阿米以為這樣才好。他們都還沒有足夠的智慧與閱歷做出決斷，也沒有堅毅的意志，所以自當該由她代替他們選出一條最好的路。

阿千僅答以笑容，只有微笑而已，臉上除了笑意，沒有更多的表情。

阿米緩緩地點了頭：「是嗎，……原來如此。」說完，嘆了氣。

好一會兒，整個包廂裡一片寂靜，兩個女人默默地坐著。

「做人還真難哪。」

阿米為了守住這個家嚴以律己，同樣嚴格地要求別人——要求阿千、要求兒子、要求珠喜。結果他們都離阿米而去，不，應該說從她的身邊奔逃而去了。

附有把手的向南窗戶敞開，遠遠地可以望見港口，泊滿船隻的港埠響起了汽笛聲。這時，阿千終於開口說道：

「我想，不該說是逃了出去，只是還有其他的世界，比起待在當家娘的身邊更吸引人，於是奔向那個世界而去，只是這樣而已，不是嗎？」

阿千說的，是不是當初沒有遵照阿米的命令，前往京都或大阪另尋發展的自己呢？還是比起公司或須磨的家，更喜歡去外面尋歡作樂的第二代當家呢？抑或是她知道了珠喜的事，刻意這樣說的呢？阿米猛然看向阿千，自己卻早一步得到了答案。她指的是每一個人。比起身為主人、身為母親、身為當家娘的自己所指示的道路，還有其他的地方更加吸引年輕的他們前往。

現在坐在這裡，阿米恍然大悟了。那一天，阿米直接找上珠喜強力撮合她和拓海的婚事，把她逼得再無退路了。對珠喜來說，恩情深重的阿米為自己作媒，拒絕的話便是不忠，可她對田川又無法忘情。她光是表明心跡已經惹得阿米不高興，因此阿米沒像往常那樣帶著她出遠門。於是，她終於明白從今以後只能把對田川的思念深藏心底，無法像以前那樣服侍阿米了。

珠喜陷入了進退兩難的困境，在岌岌可危之際，她霍然決定踢地騰飛遠離，從阿米的面前消失了。離開了阿米的懷抱，珠喜沒有太多地方得以容身，她既不能回去姬路，和外婆家早已沒了聯絡，這個家等同於她的全世界，出了家門的她，只認得田川一個而已。

直到這時候，阿米的心情終於恢復了神戶海面般的平靜。

阿米寬恕的溫情慢慢地盈滿心頭：既然如此，儘管去追尋妳的幸福吧。

「我打擾太久了。餐膳非常美味，謝謝妳呀。」

阿米有禮地道了謝，站起身來，把厚厚的一疊鈔票擱在了桌上，令阿千大驚失色。

「收下吧。下次我來的時候，可要做得比今天的更好吃喔。」

阿千點了頭，收下餐款並恭敬地欠了身，說道：「恭候您隨時大駕光臨。」

阿米覺得，往後應該還會再來這裡吧。

來這一趟沒有白費。因為她現在能從不同的角度，體會珠喜的感受了。那封經過她搜腸刮肚方才寫就的信箋，此刻想來都覺得分外惹人憐惜。此時的心情，連阿信溫婉的安慰都聽得進去了。

「當家娘的做法沒錯。珠喜小姐只是被逼到了最後，無論如何都想見到田川先生而已。」

或許是這樣吧。愛上了人，就有股衝動想要無時無刻都依偎在情人的身旁。既然珠喜不論看到什麼、聽到什麼，總是會想起田川，終有一天她會追去田川的身邊，這就是她的命運。——是的，假如那是真正的愛情。

「阿信，煩妳向柳田說一聲，幫忙準備去趟台灣。」

一回到家裡，阿米找來了阿信，託她這件事。

「遵命。請問……是誰要去台灣嗎？」

換做是阿村，必定會推測到阿米的想法，搶先說由自己去一趟。於是阿米向阿信挑明了說：

「我要去台灣。」

這句話嚇得阿信魂不附體，慌裡慌張地說：

「這這這……當家娘，您去哪裡想做什麼呢？」

她大抵是以為阿米氣得想去把珠喜強拉回來，一時手足無措。

沒想到阿米笑意盈盈地回答：

「那個什麼都不懂的孩子就這樣去了台灣，我總不能眼睜睜地袖手旁觀吧。」

阿信還沒聽出阿米的意思，愣愣地抬頭望著她。

是啊，眼看著孩子迷了路，怎能丟著不睬？怎能撒手不顧？不論她跑得多遠，我都會給她寬容的撫慰，因為我就是母親。即便不是親自生下的孩子，公司裡的員工全都是我的孩子，這就是我這個「當家娘」存在的目的。

「我得去那裡幫他們辦婚禮才行呀。」

我既然身為母親，既然是他們的心靈依歸，就不可能不為孩子的幸福奉獻一切。雖然無法讓拓海娶到珠喜很是遺憾，但優秀如他必定還有許多美嬌娘任其擇選。所幸兩人的婚事還沒有進展到很深的地步，再另尋機會和他說清楚就行。自從珠喜出走以來，阿米在心中纏繞的憤恨、猶豫，以及懊悔，此時已全消散了。

總算弄清楚是這麼回事的阿信這才鬆了口氣，再次對阿米的寬宏大度感動不已。

「您說得對極了！……既然是喜事，請務必容我陪您一道去。」

阿信極為恭敬地彎身跪伏。阿米看著她，露出滿意的微笑。

然而，這趟台灣之行並沒有實現，因為發生了一件撼動公司的大事。

叫賣新聞號外的小販從神戶車站便開始叫嚷著「大事不好啦！大事不好啦！」一路喊到了榮町。第一個買到報紙帶回公司裡的是還不知道珠喜已經出走的拓海。這時候真慶幸須磨本宅和總店隔著相當的距離，而且公司還沒發現本宅裡少了一個女總管。

閒言少述。號外上赫然印著一串斗大的鉛字：

「日本製糖五十萬圓賄賂！臼井哲夫等二十四名議員遭到逮捕！」

明治四十二年，史稱日糖事件的醜聞遭到了揭發，堪稱明治政府歷來的最嚴重的行賄案件。

更棘手的是，爆發這起醜聞的是藉由收購金子親手建立的大里製糖所後，躍升為全日本最大的那家砂糖公司，亦即大日本製糖。

日糖企圖將整間公司賣給國家，野心勃勃地計畫讓砂糖販售納為國家專賣事業，於是耗費鉅資買通了數十位國會議員。

這時，檢察官介入調查，採取了改換明治年號以來最大規模的逮捕行動。

「怎會發生這種事呢？」

不論在哪個時代，總有傢伙企圖和擁有權力的政治家暗中勾結，以便獨占好處大賺一筆，但是夜路走多了總會撞見鬼的。

偏巧，鈴木把大里製糖所高價賣給了岌岌可危的日糖，而這對鈴木後續的衝擊是難以估算的。

又過了一段日子，叫賣號外的小販再度搖著鈴在大街上狂奔：

「酒匂常明社長自殺！日糖經營停擺！」

作夢也沒有想到，日糖的社長為了承擔道義上的責任，向員工致歉，竟然舉槍自盡了。以這種方式落幕未免太戲劇化了。

據傳，日糖先是力求與大里製糖所競爭而投入了莫大的投資採購新型機械設備，隨後又為了收購大里製糖所而借貸了高額的融資，經營陷入了捉襟見肘的困境。再加上買進大里製糖所之後，日糖的產量大幅超出國內的需求，供過於求導致糖價暴跌，恐將無法避免倒閉的厄運，因此才出此下策，想方設法搭上國會議員，冀求一線生機。

「怎麼會幹出那種蠢事呢！就算經營慘澹，也不能靠著做壞事來保住公司呀。」

「不，我們可不能說這種風涼話。賣掉大里的錢，還有四百萬沒入袋哩！」

金子表面上說得輕鬆，卻隱隱透出了憂慮。雖說工廠已經脫手了，對方並不是一次付清，而是以十年期的公司債方式分期付款，所以日糖未來的動向可說與鈴木休戚相關。公司從上到下全急得雞飛狗跳。

不過呢，在這場混亂之中，我反而冷靜異常。雖說兩家公司規模不同，但畢竟同為社長，我沒有立場冷言譏笑，隔岸觀火。

雖說是自取其禍，可酒匂社長舉槍自殺的震撼影像，有很長的時間不管是睡著還醒著都不曾離開過我的腦海。有時甚至會猛地聽見從耳孔深處傳來一聲子彈的爆裂聲，霍然回過神來，這才發現已經迸出滿背的虛汗了。

他的結局，絕不能當成事不關己。既然身為領袖，便不能只求自保。何況他的失策造成員工身陷苦境，最終也只能以死謝罪了。對此，我感同身受。這便是領導者應循的倫理道義，亦是應有的心理準備。但是，我們的第二代當家是否已經抱定這種覺悟了呢……。

鈴木商店即使日後被認為是與政商關係匪淺的財閥，亦不曾與特定的政治家以金錢勾串，始終秉持行正坐直的理念，其實與這起事件帶來的衝擊有絕大的影響。聽言觀行，臨危自省。我們由衷謹記這件事的啟發：不論在任何時候，誠實才是自保的最佳策略。

「現在日糖怎麼樣了？」

我每天到公司詢問事件的後續發展時，發現事態愈來愈不妙。當初日糖將貸到的高額融資揮霍濫用，眼下既未提出資金回收的方策，也沒有安排員工的去處，最後落得倒閉的下場。雖說只是一家公司的破產，但遭殃的不單是鈴木，其延燒的範圍更是無可計數。日糖能否重整再起，攸關日本整個經濟界的未來動向。

「怎會這麼不湊巧呢？」

於此，我為遠在台灣的珠喜感到不捨。因為雖說我只是公司象徵性的領導人，總不能挑在這個危機時刻出訪外地。況且砂糖供給的停擺，想必這時台灣那邊亦急著團團轉吧。而在這個節骨眼上，想要田川悠哉地迎娶新娘，甚至依我的計畫讓他們返回日本舉行婚禮，根本不可能實現。

事實上，在日糖所有的債權人中，以鈴木被拖欠的金額最高，因此金子即刻出發前往東京。依據他的回報，日糖的澀澤榮一顧問指名託請金子擔任該公司的重整委員，積極協助後繼的重建更生事宜。

這時，公司充斥著緊張的氛圍，我的心情格外紛亂，根本顧不上珠喜的事。

我只好先寫了信給田川與台南辦事處的處長，告知我稍後會前去台灣，再三請他們務必保護珠喜的人身安全，同時寄上了生活費，以免那孩子三餐不繼。怎麼也沒想到，這個舉動竟造成她進退兩難的局面。

「珠喜，妳可以再等我一會兒嗎？」

我面向遙遠的南方，朝著她低聲叮嚀。

沒問題的——珠喜清脆的聲音彷彿在我耳畔響起，旋又消失了。不管在任何時候，她都會這麼回應，在進退不得的時刻，她應該仍是這麼回答的吧。這正是我非去不可的原因。我這個當家娘的職責，不就是在鈴木的員工走投無路而暗自垂淚時，立即趕到他們身旁伸出援手嗎？

無奈的是，我不能分身而去。因為我必須以那些受困嚴重的事情為優先，相信那孩子必能夠體會我的苦衷，所以我才得以放心地將她的事情挪後處理。

當天深夜，在台灣海域形成的強烈颱風往北移動，掠過紀伊半島以後離去了。神戶一整晚風雨交加，湊川和生田川等幾乎所有的河流瞬時暴漲氾濫。由於這個市鎮是順著六甲山腳延展開來的，在瓢潑豪雨的襲擊下，平時山坡上的涓涓細流全成了一瀉千里的飛瀑。公司那邊深怕碼頭附近的倉庫會淹水，年輕的員工於是徹夜守著，以防萬一。

不知道為什麼，我隱隱覺得這似乎是從台灣捎來的某種訊息。我整個晚上無法闔眼，一直醒著等待颱風過境的破曉天明。

那孩子乍到陌生的外地，那塊淨是些粗漢子的不毛之地，是否也遇上了這樣的暴風雨呢？雖然她待在追求的心愛的男人身旁，真不知道有多麼不安呢？我一想起那孩子，心頭總是萬般不捨，但畢竟這是她自己選擇的道路。如同等待暴風雨的遠颺，等候暴漲的河水退去，人力總有些時候無法戰勝天意，唯有忍耐，再忍耐。如果那孩子懂得這個道理，我就放心了。

珠喜，妳是個堅強的孩子，妳可是惣七哥的女兒呀。一定要好好保重，等著我去找妳。——我對著神龕的燭火，一心祈求保佑。

（下卷待續）

人間模樣 01

鈴木商店の當家娘 上

作　　者　玉岡薰（玉岡かおる）
譯　　者　邱振瑞
總 編 輯　張瑩瑩
責任編輯　黃煜智
協力編輯　吳季倫　許凱鈞
行銷企劃　黃怡婷　劉子菁
封面設計　莊謹銘
印務主任　黃禮賢

社　　長　郭重興
發行人暨出版總監　曾大福
出　　版　野人文化股份有限公司
231新北市新店區民權路108-3號6樓
發　　行　遠足文化事業有限公司
231台北縣新店市民權路108-3號6樓
電話　(02)2218-1417　　傳真　(02)2218-8057
電子信箱：service@bookrep.com.tw
網址：www.bookrep.com.tw
郵撥帳號：19504465遠足文化事業股份有限公司
客服專線：0800-221-029
法律顧問　華洋法律事務所 蘇文生律師
印　　刷　成陽印刷股份有限公司
初　　版　2013年4月

定　　價　全套499元（上下不分售）
I S B N　978-986-5947-81-1（上卷：平裝）
I S B N　978-986-5947-82-8（下卷：平裝）
I S B N　978-986-5947-83-5（全套：平裝）

鈴木商店的當家娘／玉岡薰（玉岡かおる）
著；邱振瑞譯
初版. －新北市新店區：野人文化出版：
遠足文化發行, 2013. 04［民102］
面；13×19　公分. －（人間模樣；01）
ISBN 978-986-5947-81-1　（平裝）
861.57　　　　　　　　102001739